PIERRE GRIMBERT
im Wilhelm Heyne Verlag:

Einst reisten Vertreter aller Nationen auf die geheimnisvolle
Insel Ji. In den Tiefen der Insel, so erzählt man sich, gerieten
sie in ein Felslabyrinth – und verschwanden spurlos. Jahr für
Jahr treffen sich nun ihre Nachkommen am Eingang des Labyrinths, um dem Rätsel auf die Spur zu kommen. Denn was hat
es mit der Insel Ji wirklich auf sich? Als schließlich ein Nachkomme nach dem anderen grausamen Mördern zum Opfer
fällt, machen sich die letzten Erben auf, um das Geheimnis
von Ji zu lüften.

DIE MAGIER
*Erster Roman:* Gefährten des Lichts
*Zweiter Roman:* Krieger der Dämmerung
*Dritter Roman:* Götter der Nacht
Vierter Roman: Kinder der Ewigkeit

DIE KRIEGER
*Erster Roman:* Das Erbe der Magier
*Zweiter Roman:* Der Verrat der Königin
*Dritter Roman:* Die Stimme der Ahnen
*Vierter Roman:* Das Geheimnis der Pforte
*Fünfter Roman:* Das Labyrinth der Götter

Mehr über Autor und Werk unter:
www.heyne-magische-bestseller.de

# PIERRE GRIMBERT

# DIE MAGIER

## GEFÄHRTEN DES LICHTS

ROMAN

Aus dem Französischen
von Sonja Fink

WILHELM HEYNE VERLAG
MÜNCHEN

Titel der französischen Originalausgabe
Le Secret de Ji: Six héritiers

**FSC**
Mix
Produktgruppe aus vorbildlich
bewirtschafteten Wäldern und
anderen kontrollierten Herkünften
Zert.-Nr. SGS-COC-1940
www.fsc.org
© 1996 Forest Stewardship Council

Verlagsgruppe Random House FSC-DEU-0100
Das für dieses Buch FSC-zertifizierte Papier *Holmen Book Cream*
liefert Holmen Paper, Hallstavik, Schweden.


4. Auflage
Deutsche Erstausgabe 4/08
Redaktion: Catherine Beck
Copyright © 1999 by Pierre Grimbert
Copyright © 2008 der deutschsprachigen Ausgabe by
Wilhelm Heyne Verlag, München,
in der Verlagsgruppe Random House GmbH
Printed in Germany 2009
Umschlaggestaltung: Nele Schütz Design, München
Umschlagillustration: Paolo Barbieri
Karte: Andreas Hancock
Satz: Buch-Werkstatt GmbH, Bad Aibling
Druck und Bindung: GGP Media GmbH, Pößneck

ISBN: 978-3-453-52419-4


www.heyne.de

*Meinem Klan.*
*Ihr kommt zwar nicht in der Geschichte vor,*
*aber ihr wart immer in ihr ...*

*M*an nennt mich Léti. Ich wohne in Eza, einem Dorf der Südprovinz im Matriarchat von Kaul. Vor hundertachtzehn Jahren trat ein Fremder vor den Rat der Mütter und überbrachte ihnen eine überaus bedeutsame Botschaft. Er erklärte, sein Name laute Nol, und er stamme aus keinem der bekannten Länder. Dennoch glaubten viele Ratsfrauen, er komme aus dem Osten, sei vielleicht Wallatte, Thalitte, Solener oder ein anderer Bewohner des Morgenlandes. Daher brachten sie ihm ein gewisses Misstrauen entgegen.

Nol beherrschte ihre Sprache und achtete die Sitten und Bräuche der Ratsversammlung, als hätte er schon sein ganzes Leben in Kaul verbracht. Die Mütter behandelten ihn mit Achtung und unterbrachen ihn nicht, so wie es die Tradition gebot.

Damals wurden von den Ratsversammlungen noch keine Niederschriften angefertigt, weshalb Nols Rede nicht im Wortlaut überliefert ist. Doch sie muss in etwa so geklungen haben:

»Hochverehrte Mütter, ich komme nicht in böser Absicht. Die Weisheit der Ratsfrauen ist legendär, und ich hoffe, dass Ihr mir Euer Vertrauen schenkt, auch wenn ich von so Vielem schweigen muss.

Ich kann Euch weder sagen, warum ich hier bin, noch, woher ich komme. Ich überbringe meine Botschaft allen Königen und Herrschern der bekannten Welt – mögen sie mir Glauben schenken, auch wenn meine Worte seltsam klingen.

So hört mich an.

Zu einem Zweck, über den ich Schweigen bewahren muss,

bitte ich Euch, eine weise und würdige Vertreterin Eures Volks zu benennen.

Am Tag der Eule werde ich bei Sonnenaufgang mit Eurer Auserwählten und den Gesandten der anderen Länder auf der Insel Ji zusammentreffen. Das Unterfangen ist ohne Gefahr, daher ist es nicht nötig, ihr eine Eskorte mit auf den Weg zu geben. Sie wird die Reise ohnehin allein antreten müssen.

Eure Gesandte wird nur wenige Dekaden fort sein. Ein Boot möge vom Tag der Erde an am selben Ort auf sie warten.

Was nach unserer Wiederkehr geschehen wird, steht noch nicht geschrieben. Ich kann Euch nur sagen, dass die Weisen eine wichtige Entscheidung treffen werden, von der Ihr Kunde erhalten werdet.

Das sind meine Worte, und ich ahne Eure Fragen. Stellt sie nicht vergebens, hochverehrte Mütter, denn ich werde sie nicht beantworten können.«

Natürlich bedrängten die Ratsfrauen Nol trotzdem mit Fragen, doch wie angekündigt blieb er stumm. Nachdem er sich zurückgezogen hatte, beratschlagten die Mütter, was zu tun sei. Einige jüngere Frauen, deren Männer Seite an Seite mit den lorelischen Truppen kämpften, fanden, man solle den Fremden aus dem Land jagen oder in den Kerker werfen. Andere glaubten, man habe es mit einem harmlosen Irren zu tun, und wollten die Sache auf sich beruhen lassen.

Einige Ratsfrauen waren jedoch neugierig geworden. Sie waren der Ansicht, es könne nicht schaden, eine Gesandte nach Ji zu schicken, um das Geheimnis zu lüften. Der Rat stimmte ab, und dieser letzte Vorschlag setzte sich durch, allerdings wollte der Rat zuvor Kunde einholen, ob Nol seine Botschaft tatsächlich auch anderen Ländern überbracht hatte.

Einige Tage später berichtete der Konsul aus Junin vor dem

*Rat von einem ähnlichen Treffen zwischen Nol und den Fürsten der Kleinen Königreiche.*

*Nun war es an der Zeit, eine Gesandte zu finden. Da die weisesten Frauen des Matriarchats im Rat saßen, würden sie eine aus ihrer Mitte wählen. Das erlaubte ihnen außerdem, die Sache geheim zu halten.*

*Die Ratsfrauen wandten sich ehrerbietig der Großen Mutter zu, die von allen die weiseste war. In ihrer großen Weisheit wusste sie, dass sie selbst für diese abenteuerliche Reise zu alt war. Daher bat sie, Freiwillige mögen sich melden – nicht, weil sie sich für besonders weise hielten, sondern um ihre Loyalität zu bekunden. Vier Mütter traten vor, und von ihnen wurde Tiramis ausgewählt.*

*Tiramis ist meine Ahnin. Sie ist die Mutter der Mutter der Mutter meiner Mutter, die Großmutter meiner Großmutter.*

*Der Rat beschloss außerdem, sie zu ihrem Schutz von einem Mann begleiten zu lassen. Die Wahl fiel auf Yon, den drittältesten Sohn der Großen Mutter, dessen Kraft und Hingabe allseits bekannt waren. Damit Nol ihnen einen zweiten Gesandten gewährte, behaupteten die Mütter, Yon vertrete die männlichen Einwohner Kauls, was nicht ganz falsch war. Der Rat schickte ihnen vorsichtshalber ein Segelschiff, das dem seltsamen Fremden und den beiden Weisen in einigem Abstand folgen sollte, falls sie von der Insel aus in See stachen.*

*Am Tag der Eule landeten Tiramis und Yon auf der Insel Ji vor der lorelischen Küste. Das Eiland war unbewohnt, und man konnte es an einem Tag zu Fuß umrunden. Pflanzen wuchsen keine auf der Insel; es gab dort nichts als Felsen, noch mehr Felsen und etwas Sand.*

*Nol erwartete sie mit ernstem Gesicht am Strand. Er zeigte sich jedoch erfreut, dass so viele Gesandte gekommen waren. Manche kannte Tiramis vom Sehen oder Hören. Ein Kammer-*

diener aus Goran fühlte sich zum Zeremonienmeister berufen und stellte die Gesandten einander vor.

Gekommen waren: der König Arkane aus Junin, Herrscher der Fürstentümer; der junge Prinz Vanamel aus dem Großen Kaiserreich Goran und sein Ratgeber, Seine Exzellenz Saat der Ökonom; der Herrscher Ssa-Vez aus dem fernen Jezeba; Seine Exzellenz Rafa Derkel aus Griteh; der Herzog Reyan von Kercyan, Vertreter des Königs Bondrian von Lorelien; Seine Exzellenz Maz Achem aus Ith; Seine Exzellenz der Weise Moboq, Gesandter des Königs Qarbal von Arkarien, und schließlich Ihre Exzellenzen die Hochverehrte Mutter Tiramis und Yon aus Kaul, Gesandte des Matriarchats.

Jede dieser hohen Persönlichkeiten wurde von einem großen Gefolge begleitet – ganz besonders Prinz Vanamel. Mehrere Zelte wurden an dem schmalen Strand zwischen den Felsen aufgeschlagen, und überall flatterten farbenfrohe Banner, zwischen denen sich Diener und Soldaten tummelten.

Nol begrüßte jeden Gesandten einzeln und dankte allen für ihr Vertrauen, das er für ein gutes Omen hielt. Dann teilte er ihnen noch mit, dass sie bis zum Abend auf das Eintreffen weiterer Gesandter warten würden. Sonst blieb er stumm.

Rafa aus Griteh beschwerte sich über die ungleiche Zahl der Gesandten. Um böses Blut zu verhindern, bat Nol um eine Erklärung, warum das Große Kaiserreich Goran und das Matriarchat von Kaul zwei Weise entsandt hatten. Tiramis stellte daraufhin Yon als Vertreter der männlichen Bewohner Kauls vor, und Prinz Vanamel verkündete, sein Land sei viel größer als andere, und daher sei es nur recht und billig, dass es von zwei Gesandten vertreten werde. Seine Exzellenz der Weise Moboq, der sich das Gespräch übersetzen ließ, entgegnete, Arkarien sei noch viel größer als das Große Kaiserreich und hätte demnach drei oder vier Botschafter entsenden können. Nol setzte dem Streit schließlich ein Ende, indem er verkündete, es sei von keinerlei Nutzen, mehrere Gesandte auf die Reise zu schicken. Mit dieser Erklärung gab sich Rafa von Griteh zufrieden, und niemand wagte, Nol zu widersprechen.

Zu ihrem Erstaunen beherrschte der seltsame Fremde sämtliche Sprachen. Er hatte für alle ein offenes Ohr, wehrte jedoch die Fragen der Gesandten höflich, aber bestimmt ab. Alle waren sich einig, dass er ein Mann von außergewöhnlichem Charakter war. Als er schließlich mit jedem Gesandten gesprochen hatte, verkündete er, nun allein sein und nachdenken zu wollen. Es blieb ihnen nichts übrig, als sich in Geduld zu fassen und ihm hin und wieder verstohlene Blicke zuzuwerfen.

Am Abend stellte Nol mit Bedauern fest, dass weder das Schöne Land noch Romin einen Gesandten geschickt hatten. Einigen fiel auf, dass auch niemand aus den Ländern des Ostens gekommen war, doch wussten sie nicht, was sie daraus schließen sollten.

Nol bat die Gesandten, ihm zu folgen, und betrat das Felslabyrinth, aus dem die Insel Ji bestand. Sie wechselten überraschte Blicke, denn alle hatten damit gerechnet, wieder aufs Meer hinauszufahren. Schließlich folgten ihm erst Tiramis und Yon, dann der Herzog von Kercyan. Nach und nach schlossen sich auch die anderen an.

Die am Strand zurückgebliebenen Höflinge, Wachen und Diener wussten nicht, was sie tun sollten, aber da die Gesandten auch von der Rückseite der Insel aus in See stechen konnten, ließen sie eilig einige Schiffe zu Wasser.

Obwohl sie einander nicht gerade wohlgesonnen waren, teilten die Besatzungen das Meer unter sich auf und suchten die Umgebung der Insel ab. Doch in jener Nacht kam kein anderes Schiff in Sicht.

Bei Tagesanbruch wurden bewaffnete Männer ins Innere der

*Insel geschickt. Zwei Tage lang durchsuchten Soldaten das Laby-rinth, doch das Einzige, was sie fanden, waren ein paar Höhlen, die von lorelischen Schmugglern benutzt wurden.*

*Am Abend des vierten Tages gaben sie jede Hoffnung auf, die Gesandten wiederzufinden. Schweren Herzens verließen sie die Insel. Jedes Land verdächtigte die anderen, am Verschwinden der Gesandten schuldig zu sein.*

*Vier Dekaden vergingen, und als keine Lösegeldforderung einging, wurde auch der Gedanke verworfen, die Gesandten könnten einer Entführung zum Opfer gefallen sein. Schließ-lich sandten die Länder am Tag der Erde abermals Boote zur Insel, und in allen Palästen hoffte man auf eine baldige Rück-kehr der Weisen.*

*Am Tag des Bären, anderthalb Dekaden nach dem Tag der Erde, erschienen sieben Menschen zwischen den Felsen und kämpften sich den Weg entlang, den sie zwei Monde zuvor einge-schlagen hatten. Ungläubig beobachteten die am Strand postier-ten Wachen die Szene. Ein erschöpfter, mit leerem Blick drein-starrender Reyan von Kercyan und ein nicht minder erschöpfter Rafa aus Griteh mit verkohltem Haar und rußgeschwärztem Ge-sicht schleppten eine selbstgebaute Trage, auf der König Arkane von Junin lag. Dieser hatte eine klaffende Kopfwunde und press-te einen blutigen Lumpen auf den Stumpf seines linken Arms. Yon aus Kaul schleppte sich hinter ihm her, und er trug die be-wusstlose Mutter Tiramis in den Armen. Maz Achem aus Ith und Moboq aus Arkarien kamen als Letzte, und auch sie konn-ten sich kaum auf den Beinen halten.*

*Prinz Vanamel, Saat der Ökonom und Ssa-Vez aus Jezeba fehlten.*

*Und auch Nol der Seltsame war nicht zurückgekehrt.*

Ramur der Händler rieb sich zufrieden die Hände. Es war ein guter Tag gewesen. Der lorelische Jahrmarkt hatte erst vor drei Tagen begonnen, und schon jetzt hatte er mehr als zwei Drittel seines Vorrats an Gewürzen aus Lineh verkauft, und das, ohne sich auf Feilschereien einzulassen.

Mit einem prall gefüllten Geldbeutel am Gürtel schlenderte er selbstgefällig in die Stadt, wo er seinen Erfolg gebührend feiern und vielleicht noch das eine oder andere Geschäft abschließen wollte, falls sich die Gelegenheit bot.

Später, am Abend, würde er eine Runde durch die weniger feinen Viertel drehen, um zu sehen, ob die junge Frau, die er dort jedes Jahr besuchte, immer noch so wenig mit ihren Reizen geizte.

Ramur dachte an seine Lieblingsgöttin Dona, die Göttin der Sinneslust und des Reichtums. Er nahm sich vor, ihr bald ein Opfer zu bringen, um ihr für ihre Wohltaten zu danken. Vielleicht im nächsten Mond, wenn er zurück in Lineh wäre, oder besser noch in drei Monden, nach der Ernte. Dona für mehrere Gaben auf einmal zu danken, war viel sinnvoller, als Geld zum Fenster … als ihre Priester mit mehreren kleinen Opfern zu belästigen, verbesserte er sich in Gedanken.

Insgeheim wusste er, dass er das Opfer erst auf dem Sterbebett erbringen würde, da er seinen Reichtum zu Lebzeiten in vollen Zügen genießen wollte. Trotz seiner Dankbarkeit gegenüber Dona widerstrebte es ihm, seine Terzen Priestern in den Rachen zu werfen, die das Geld ohnehin nur in die eigene Tasche steckten.

Obwohl die Jahreszeit des Windes angebrochen war und es bereits dämmerte, spendete die Sonne noch viel Wärme, und Ramur lächelte ihr zu. Sein Lächeln war seine Geheimwaffe. Die Erfahrung lehrte ihn, dass die Leute erst gar nicht zu feilschen versuchten, wenn man sie nur freundlich genug anlächelte.

Die Menschenmenge, die sich gelichtet hatte, als er den Marktplatz am alten Hafen hinter sich gelassen hatte, wurde nun wieder dichter. Es war nicht mehr weit bis zur Altstadt. Aus Gewohnheit tastete Ramur nach seinem Geldbeutel und ließ die Passanten dabei nicht aus den Augen. Er hatte es allein seiner Wachsamkeit zu verdanken, dass er noch nie einem Taschendieb zum Opfer gefallen war. Ein kurzer Moment der Unachtsamkeit genügte, und er wäre um einige Hundert Terzen ärmer.

Von seinem Marktstand aus hatte er schon mehrmals Taschendiebe am Werk beobachtet, war aber nicht eingeschritten. Schließlich war sich jeder selbst der Nächste! Ihm würde ja auch niemand seinen Geldbeutel zurückgeben, wenn er gestohlen würde.

Das Gedränge nahm zu, und viele Passanten wirkten seltsam unruhig. Jetzt bereute er, seinen Burschen im Hafen zurückgelassen zu haben – sollte es einem dieser Taugenichtse einfallen, wegen ein paar Münzen einen Mord zu begehen, wäre er ein leichtes Opfer.

Ein Mann kam ihm entgegen und rempelte ihn an. Ramur fuhr herum und starrte ihm eine Weile nach, während er sich vergewisserte, dass Geldbeutel und Schmuck noch an Ort und Stelle waren.

Der Rüpel entfernte sich rasch. Er trug ein schlichtes Priestergewand mit hochgezogener Kapuze, sodass Ramur seine Haarfarbe nicht erkennen konnte. Vielleicht hatte der Fremde aber auch eine Glatze.

Ramurs Terzen waren da, wo sie hingehörten, doch der Schreck saß ihm noch in den Knochen. Deshalb verzichtete er widerwillig auf das Vergnügen, mit einem prall gefüllten

Geldbeutel am Gürtel durch die Straßen zu spazieren. Er fingerte gerade an dem Knoten herum, um den Beutel unter seinen Kleidern verschwinden zu lassen, als er ein zweites Mal angerempelt wurde, diesmal von hinten. Seine Finger krampften sich um den bestickten Leinensack, und er spürte einen schmerzhaften Stich im Rücken.

Der Mann, der ihm den Stoß versetzt hatte, sah genauso aus wie der erste. »Mein Name ist Zokin. Sag das Zuïa«, raunte er ihm ins Ohr.

Wie gelähmt, mit weit aufgerissenen Augen und die Finger immer noch um den Geldbeutel gekrallt, sah Ramur dem Mann nach. Voller Grauen dämmerte ihm, was die Worte zu bedeuten hatten. Ihm wurde schwarz vor Augen, seine Knie gaben nach, und er brach zusammen.

Er war tot, noch bevor sein Körper auf den Boden aufschlug.


*Die Weisen waren aus dem Felslabyrinth zurückgekehrt. Als sich das erste Entsetzen gelegt hatte, wollten die Diener und Soldaten ihre Gesandten nach Hause bringen, um sie befragen zu lassen. Rafa aus Griteh verkündete harsch, sie würden sich unter keinen Umständen trennen.*

*Jedenfalls nicht gleich.*

*Er und seine Gefährten gingen mit zwei heilkundigen eurydischen Priestern zu den Zelten der Itharer und verschwanden im Inneren.*

*In ehrfürchtigem Schweigen versorgten die Priester die Verletzten. Erst als Rafa vor das Zelt trat, in das sie sich zurückgezogen hatten, wagten die Diener und Soldaten, nach den fehlenden Mitgliedern der Expedition zu fragen.*

*Er antwortete, sie seien tot. Mehr sagte er nicht.*

In den nächsten Tagen hielten sich die Rückkehrer von den Königen, Fürsten, Würdenträgern und anderen hohen Persönlichkeiten fern, die zu ihrem Empfang angereist waren. Man bedrängte sie mit Fragen, die sie nicht beantworteten, denn sie gaben vor, sich an nichts zu erinnern.

Goran und Jezeba, die Länder, die Opfer zu beklagen hatten, brachen ihre Lager ab und verließen die Insel in feindseliger Stimmung. Man fürchtete, zwischen Goran und Lorelia könnte ein neuer Krieg ausbrechen, doch der verstorbene Prinz Vanamel stand zu niedrig in der Gunst des Kaisers Mazrel, um einen Überfall zu rechtfertigen.

Einer nach dem anderen kehrten die Weisen in ihre Heimat zurück. Sie wurden abermals befragt, diesmal getrennt voneinander, doch es gelang nicht, ihr Schweigen zu brechen. Nicht wenige von ihnen fielen in Ungnade.

Maz Achem wurde seiner Ämter im Großen Tempel enthoben, woraufhin er sich von der Religion abwandte und die Stadt Ith verließ.

Rafa aus Griteh verlor den Oberbefehl über das Heer, was eine schwere Demütigung für den einstigen Hofstrategen des Königs war. Er blieb jedoch in der Armee und vollbrachte solch große Heldentaten, dass ihm der Titel kurz vor seinem Tod zurückgegeben wurde und seine Ehre wiederhergestellt war.

Da Arkane von Junin König war, konnte er nicht abgesetzt werden, allerdings verweigerten ihm die Fürsten die Gefolgschaft. Da er wusste, dass die Stärke der Kleinen Königreiche in ihrer Eintracht lag, kam er einem Zerwürfnis zuvor, indem er zugunsten seines Sohns abdankte.

Der Weise Moboq kehrte nach Arkarien zurück. Er verkündete, es sei besser, wenn niemand etwas von den Geschehnissen erfahre. Da er ein Weiser war, fügten sich alle seinem Urteil und bemühten sich, die Sache zu vergessen.

*Reyan von Kercyan traf es am härtesten. Er verlor seinen Herzogtitel und alle Ländereien und wurde mit einem Bann belegt. Dennoch versank er nicht in Verzweiflung, wie man hätte erwarten können, sondern ließ sich als Händler in Lorelia nieder.*

*Tiramis verließ aus eigenem Antrieb den Rat der Mütter. Sie sagte nur, das Matriarchat sei nicht in Gefahr, und man solle ihr nie wieder Fragen zu der Reise stellen. Die Große Mutter befahl allen, ihren Wunsch zu achten, denn die Erinnerungen waren offenbar zu schmerzhaft.*

*Im nächsten Jahr schloss Tiramis mit Yon den Bund. Yon ist mein Ahne, der Großvater meiner Großmutter.*

*Meine Ururgroßeltern zogen vor hundertachtzehn Jahren in das kleine Dorf der Südprovinz, in dem ich heute lebe.*

*Mittlerweile sind Nol und die Weisen in Vergessenheit geraten. Den wenigen, die noch etwas wissen, fällt es schwer, zwischen der Wahrheit und den Legenden zu unterscheiden, die sich um das Abenteuer ranken.*

*Ich habe sie nicht vergessen. Die Erben haben sie nicht vergessen.*


Irgendetwas stimmte nicht. Nort's sechster Sinn hatte ihm schon mehrmals das Leben gerettet, und nun läutete es in seinem Kopf lauter als die sechshundert Glocken von Leem.

Seit dem Morgen hatte er das Gefühl, beobachtet zu werden – nicht bewundert. Wegen seines muskulösen Körpers zog Nort' häufig Blicke auf sich, vor allem von Frauen. Diesmal war es anders. Jemand bespitzelte ihn.

Die Hellebarde fest in der Hand, die andere Hand stramm an der Hosennaht, bewachte er das Westtor, das zu den Gärten des kaiserlichen Palastes von Goran führte.

Normalerweise erfüllte er seine Aufgabe mit stoischer Geduld, doch heute war ihm mulmig zumute.

Er musterte jeden Passanten misstrauisch und suchte die umliegenden Fenster ab, um den Spitzel zu enttarnen. Vergebens. Dann beäugte er seine beiden Untergebenen, die genauso stramm wie er dastanden, in der Hoffnung, sie würden sein Unbehagen teilen. Doch sie schienen nichts als die Ablösung im Kopf zu haben.

Ein alter, in Lumpen gekleideter Mann humpelte auf sie zu und streckte ihnen mit schmutzigen Händen einen nicht minder schmutzigen Becher entgegen. *Bestimmt ein Fremder*, dachte der Wachsoldat, *wahrscheinlich ein Lorelier.* Der Mann flehte sie in einer kruden Mischung aus Itharisch und Goronisch an, woraufhin Nort' dem Soldaten zu seiner Linken zunickte, damit er den Mann fortjagte.

Der Vorfall erinnerte ihn an seine Aufgabe und ließ ihn für einen Moment seine Unruhe vergessen. Obwohl es bereits Abend war, herrschte am Westtor brütende Hitze, und auch Nort' freute sich allmählich auf die Ablösung. Seine rechte Schulter schmerzte, sein Arm war steif, und er wünschte sich nichts mehr, als diese verfluchte Hellebarde endlich aus der Hand zu legen. Außerdem sehnte er sich danach, einen Spaziergang zu machen. Der ehemalige Fußsoldat hatte sich immer noch nicht daran gewöhnt, dekantenlang reglos dazustehen.

Endlich hörte er vom Palast her die sechs kurzen Glockenschläge, die das Ende des sechsten Dekants und den Beginn der Nacht ankündigten. Kurz darauf öffnete sich das Tor, und drei Männer in Uniform traten heraus. Die Nachtwachen waren wärmer angezogen als ihre Kameraden, die tagsüber Dienst taten. Es folgte die vorschriftsmäßige Übergabe der Hellebarden, und die Soldaten salutierten. Dann bezog die Ablösung Posten. Nort' stand nicht der Sinn danach, dem Hauptmann der Nachtwache von seinem mulmigen Gefühl zu erzählen. Er würde sich nur lächerlich machen, wenn er einem altgedienten Soldaten mit seinen hasenfüßigen Anwandlungen kam, und es gab keinen Grund, viel Aufhebens darum zu machen.

Da er Ausgang hatte, beschloss er, nicht sofort in die Kaserne zurückzukehren, sondern sich den Spaziergang zu gönnen, nach dem er sich schon eine ganze Weile sehnte. Außerdem würde er keine Ruhe finden, bis dieses verdammte Unbehagen nicht verflogen war, das ihn an den Katzenjammer nach einer durchzechten Nacht erinnerte.

Wenn es sein müsste, würde Nort' eben eine kleine Schlägerei vom Zaun brechen, um dieses unangenehme Gefühl zum Schweigen zu bringen.

Erst jetzt fiel ihm auf, dass er seine Schritte unwillkürlich beschleunigt hatte und Selbstgespräche führte. Seine Hand war um das Heft des Schwerts gekrampft, und er warf allen Leuten, denen er begegnete, finstere Blicke zu. Er blieb stehen, holte tief Luft und ging dann gemächlicheren Schrittes weiter.

Normalerweise konnte ihn nichts so leicht erschüttern. »Bei Mishra, wenn heute etwas passieren soll, dann möge es *bald* passieren, Potzdonner«, schimpfte er vor sich hin.

Hinter ihm ertönten laute Rufe. Nort' drehte sich um und sah die Einwohner Gorans vor etwas fliehen, das er nicht erkennen konnte. Dann teilte sich die Menschenmenge, um zwei Züu durchzulassen.

Züu!

In Goran, wo ihr Einfluss und Ansehen groß waren, bemühten sich die Züu gar nicht erst, im Verborgenen zu bleiben. Nort' sah die scharlachroten Gewänder, die Stirnbänder um die kahl geschorenen Schädel und den berüchtigten Dolch mit der schmalen, nadelspitzen Klinge, die in der Abendsonne aufblitzte. Vor allem aber sah er ihre Augen. Fanatische Augen, die erkennen ließen, dass sie vor nichts zurückschreckten, um ihr Ziel zu erreichen: ihr Opfer zu töten.

Sie kamen auf ihn zu, aber da Nort' in der Mitte der Straße stand, musste das nichts heißen. Er zog sein Schwert und wich langsam an den linken Straßenrand zurück. Sogleich wusste er, dass sie seinetwegen hier waren.

Die beiden Mörder waren ihm tatsächlich schon seit einiger Zeit auf den Fersen. Nort' hatte ihre Blicke den ganzen Tag über gespürt, ohne zu wissen, woher sie kamen.

Sie waren nur noch wenige Schritte von ihm entfernt, und der Abstand wurde rasch kleiner. Mittlerweile rannten die Männer fast. Wie von einem grellen Blitz erleuchtet sah Nort' die Dolche, die mordgierigen Blicke und die Schaulustigen, die um nichts in der Welt eingreifen würden. Unbändiger Zorn wallte in ihm auf, und er stürzte sich brüllend auf die beiden Männer. Er war wild entschlossen, sein Leben teuer zu verkaufen.

Allerdings hatte er die Rechnung ohne den dritten Mörder gemacht, der sich von hinten an ihn herangeschlichen hatte.

Sein Schrei erstarb, als ihm die vergiftete Klinge die Kehle aufschlitzte. Lautlos brach er zusammen und fiel seinem Mörder vor die Füße.

*Ein paar Monde nach ihrer Rückkehr verspürten die Weisen den Drang, einander wiederzusehen. Der einstige König Arkane von Junin schritt zur Tat und lud seine Gefährten in das schönste* der Kleinen Königreiche ein. Die Zusammenkunft wurde für den Tag der Eule angesetzt, im Gedenken an jenen Tag, an dem sie Nol dem Seltsamen in das Labyrinth gefolgt waren.

Arkane war immer noch ein mächtiger Mann, auch wenn er nur noch einen Arm hatte, alt war und ihn die anderen Fürsten der Kleinen Königreiche aus ihrem Kreis verbannt hatten. Es fiel ihm nicht schwer, seine Gefährten aufzuspüren. Alle folgten seinem Ruf, selbst Moboq, der hoch im Norden lebte und eine zwei Dekaden lange Reise auf sich nehmen musste.

Arkane empfing seine Gäste mit großer Herzlichkeit. Als sie in seinem Palast versammelt waren und er das Glück in ihren Augen sah, erklärte der einstige König, das Abenteuer habe wenigstens einen Sinn gehabt: sie zu Freunden zu machen.

Alle berichteten, wie es ihnen ergangen war, und bedauerten das Schicksal der anderen, vor allem das Rafas, Maz Achems und Reyan von Kercyans. Doch niemand erging sich in Selbstmitleid, keiner klagte über das Schweigegelübde, das sie sich auferlegt hatten und das die Ursache ihres Unglücks war.

Schließlich zogen sich die Weisen in einen Saal zurück, der sie vor den neugierigen Blicken der Spitzel, die die Könige und Herrscher zu der Zusammenkunft geschickt hatten, schützte. Dort erneuerten sie ihren Schwur, Schweigen zu bewahren, was auch geschehen möge – selbst wenn es Leid, Schande und Einsamkeit bedeutete.

Beim Abschied versicherten sie einander, bald wieder zusammenkommen zu wollen, was im Jahr darauf geschah. Das nächste Treffen fand wiederum zwei Jahre später statt, und dabei sollte es bleiben: Die Weisen vereinbarten, künftig alle zwei Jahre zusammenzukommen. Beim vierten Treffen weilte König Arkane nicht mehr unter ihnen. Er war der Erste, der starb. Dafür gab es drei Neulinge: Tiramis und Yon hatten eine Tochter bekommen, und auch Maz Achem hatte, obwohl nicht mehr der Jüngste, mit einer seiner einstigen Schülerinnen den Bund geschlossen. Kurz darauf schenkte seine junge Ehefrau ihm einen Sohn. Er brachte die beiden zu den Zusammenkünften mit, wogegen niemand etwas einzuwenden hatte.

Thomé von Junin, zu dessen Gunsten Arkane abgedankt hatte, bat darum, anstelle seines Vaters kommen zu dürfen. Er wusste nichts von dem Geheimnis, wollte aber in Ehren halten, was für Arkane das Wichtigste auf der Welt gewesen war. Thomés Wunsch wurde gern erfüllt.

Durch die Anwesenheit der Neulinge änderten sich die Zusammenkünfte – die Stimmung war nicht mehr so ernst und erinnerte nun eher an die von Familienfesten. Die Könige und Herrscher schickten nicht länger ihre Spitzel, um das Geheimnis zu lüften, und bald wurde die Reise nicht einmal mehr erwähnt.

Auch der Weise Moboq, Rafa aus Griteh und Reyan von Kercyan fanden eine Frau und bekamen Kinder. Da sie stetig mehr wurden, mussten die Zusammenkünfte besser vorbereitet werden. Die Weisen und ihre Familien lebten weit voneinander entfernt, weshalb man beschloss, sich fortan alle drei Jahre in Berce in Lorelien zu treffen. Das Dorf liegt an der Küste vor der Insel Ji, ziemlich genau in der Mitte der bekannten Welt.

Nach und nach verstarben die Angehörigen der ersten Generation. Ihre Nachkommen trafen sich weiterhin, um eines Geschehnisses zu gedenken, über das sie fast nichts wussten. Manchmal, wenn die Nacht finster ist, nehmen die Älteren die Jüngeren mit auf die Insel. Dort geben sie das Geheimnis an die nächste Generation weiter und lassen sie feierlich schwören, Schweigen zu bewahren. Vielleicht hätten sie das besser nicht getan.

Doch kann man ein Geheimnis für immer wahren?

Dieses Jahr findet wieder eine Zusammenkunft statt, und bis

zum Tag der Eule sind es nur noch drei Dekaden. Dieses Jahr ist mein fünfzehntes, und man wird mich auf die Insel bringen.

Alle, die zur Insel gefahren sind, waren nach ihrer Rückkehr verändert. Nicht mehr so unbeschwert, ernsthafter und seltsam traurig.

Eigentlich möchte ich das Geheimnis gar nicht kennen, doch ich möchte in den Kreis der Erben aufgenommen werden. Ich möchte meine Freunde wiedersehen, die für mich wie Cousins und Cousinen, Onkel und Tanten sind. Ich möchte Tiramis und Yon, ihre Nachkommen und meine verstorbene Mutter ehren.

In drei Dekaden findet die Zusammenkunft der Erben statt, und ich werde zur Insel fahren.

ERSTES BUCH

# WEGE NACH BERCE

Bowbaq wachte auf, ohne einen Laut von sich zu geben. Er hielt die Augen noch eine Weile geschlossen, bevor er sie widerstrebend aufschlug. Es war dunkel, und der Morgen lag noch in weiter Ferne. Er zog seine Decken und Felle über sich, verschränkte die Hände hinter dem Kopf und streckte sich aus.

Wos war unruhig; Bowbaq hörte das Tier aufgeregt in der Koppel hin und her traben. Wahrscheinlich hatten sich Wölfe wieder einmal zu nah an die Hütte herangewagt. Er überlegte aufzustehen, beschloss dann aber, lieber im Warmen zu bleiben. Wos war schon immer viel zu ängstlich gewesen, und die Wölfe waren nicht mutig oder hungrig genug, um ein ausgewachsenes Steppenpony anzugreifen.

Bowbaq wälzte sich im Bett herum. Seine Frau fehlte ihm. Wie in den Jahren zuvor war Ispen mit den Kindern zu ihrem Klan gezogen, um dort die Zeit der Schneefälle zu verbringen. Wie jedes Mal war er anfangs froh über die wiedergewonnene Freiheit gewesen, doch nach einigen Dekaden machte ihm die Einsamkeit zu schaffen. Vielleicht sollte auch er seinen Verwandten einen Besuch abstatten? Inzwischen war es zwar zu spät, um Ispen zu folgen, doch sein eigenes Heimatdorf lag nur wenige Tagesreisen entfernt.

Wos wieherte. Was für ein Quälgeist! Wenn Bowbaq an die vielen Male dachte, wo sich der stolze Herr Wos zu fein gewesen war, einen Schlitten zu ziehen und nichts anderes im Kopf gehabt hatte als abenteuerliche Ausritte! Ein schöner Abenteurer war er!

Mit einem Seufzer beschloss Bowbaq, nach dem Tier zu sehen. Unwillig schob er die Decken beiseite und trat zur Feuerstelle.

Die Glut war noch nicht erloschen, er hatte also nur wenige Dekanten geschlafen. Trotzdem war die bittere Kälte bereits in die Hütte gekrochen, und der Wind, der durch die schmalen Ritzen der Wände pfiff, zeugte davon, dass es draußen noch viel kälter war.

Bowbaq legte einige Scheite nach und schürte das Feuer. Bevor er aus dem Haus ging, zog er sich umständlich mehrere Pelze über, ohne die Bänder festzuknoten. Dann griff er nach seinem Stock und zog die Tür einen Spalt auf.

Eisige Kälte schlug ihm ins Gesicht. Die Nacht war still, und der Schneesturm der letzten Tage hatte sich gelegt. Er zog die Tür hinter sich zu und stapfte um die Hütte herum zur Koppel. Es war fast taghell. Der Vollmond stand hoch am Himmel, und sein Licht spiegelte sich im makellosen Weiß der Landschaft.

Trotz seiner Größe kam Bowbaq im tiefen Schnee nur mühsam voran, und es dauerte mehrere Dezillen, bis er am Gatter angelangte. Das Pony erwartete ihn bereits ungeduldig. Es scharrte mit den Hufen und redete drauflos, sobald er in Sichtweite war.

›Fremde uns jagen. Fremde kommen. Uns jagen. Fremde. Mehrere. Kommen uns jagen. Fremde. Mehrere.‹

Auf den letzten Schritten rieb sich Bowbaq müde die Augen. Für ein Herdentier besaß Wos wirklich erstaunliche Fähigkeiten. Nur selten konnte sich ein Pony so gut ausdrücken. Doch es fehlte ihm an der Ruhe und Gelassenheit der Raubtiere, und seine Worte kamen oft als unverständlicher Gedankenwirrwarr bei Bowbaq an.

Der Mann hob den Kopf, schaute dem Tier tief in die

Augen und erreichte seinen Geist, wie er es schon so oft getan hatte. Dann sprach er zu Wos, ohne dass ein Wort über seine Lippen kam, und übermittelte ihm seine Gedanken. Bowbaq bemühte sich, einfache Worte und Begriffe zu wählen, die das Pony verstehen konnte. ›In Sicherheit. Fremde schwach. Haben Angst vor uns.‹ Dann beschwor er gedanklich das Bild eines Wolfs herauf und schickte es dem Tier. ›Fremde klein. Wir groß.‹

Wos bäumte sich auf und schlug ein paar Mal nervös aus. Er ließ sich weder durch Bowbaqs Streicheleinheiten noch durch Worte besänftigen.

›Nein. Nein. Nein. Nicht er. Er klein. Nicht er. Keine Gefahr. Nein. Fremde groß. Gefahr. Mehrere. Uns jagen. Kommen. Nein. Nicht er. Gefahr.‹

Angesichts der Sorglosigkeit seines Herrn geriet das Tier immer mehr in Panik. Trotz seiner Fähigkeiten konnte Wos nicht genau beschreiben, wovor er Angst hatte; allein sein Instinkt warnte ihn.

Bowbaq versuchte der Form halber, den tiefen Geist des Ponys zu erreichen – vergebens. Keine Wölfe? Was dann? Ein umherirrender Bär, der spät dran war mit dem Winterschlaf? Aber Wos hatte von mehreren gesprochen. Bowbaq verwünschte die Tatsache, dass Tiere nicht zählen können. Mehrere, das konnten verdammt *viele* sein.

Füchse? Anatoren? Vielleicht sogar ein Rudel Fleckenlöwen? Wenn Mir da wäre, würde sich Wos wesentlich sicherer fühlen – und er selbst auch. Bowbaq hatte den Schneelöwen von Geburt an aufgezogen, und er war wie sein ganzer Klan stolz darauf, mit einem ausgewachsenen Raubtier befreundet zu sein. Nur beschützte Mir dieses Jahr Ispen und die Kinder auf ihrer Reise und war viele, viele Meilen entfernt.

Die Nacht würde weit ungemütlicher werden, als er gedacht hatte. Bowbaq verschloss seine Gedanken vor dem aufgeregten Geplapper des Ponys und machte auf dem Absatz kehrt. Er sorgte sich nicht allzu sehr, da die Raubtiere wahrscheinlich nur vorbeizogen oder in einiger Entfernung um die Hütte herumstrichen, sich aber nicht näher herantrauten. Vor allem nicht, wenn er erst einmal ein Feuer entzündet und sich mit seinem Bogen in Sichtweite aller blutrünstigen Fleischfresser postiert hätte! Er war nicht gerade begeistert davon, die ganze Nacht Wache halten zu müssen, denn schließlich hatte er seine Hütte absichtlich fern der Orte gebaut, an dem sich die wilden Tiere versammelten.

Drinnen suchte Bowbaq alles zusammen, was er für die Wache brauchte: einen Feuerstein, etwas Reisig und ein paar trockene Holzscheite, Pfeil und Bogen, ein kleines Elfenbeinmesser, das er sich in den Gürtel schob, und schließlich noch eine Flasche Most und ein großes Stück Räucherspeck. Das alles wickelte er in ein dickes Fell, mit dem er sich warm halten wollte, knotete seine Pelze fest und trat nach draußen.

Als er die Tür hinter sich zuzog, gellte ihm Wos' Wiehern in den Ohren. Es klang noch verängstigter als zuvor.

Gleichzeitig hörte er ein dumpfes ›Plock‹ und spürte eine Schwingung neben dem Kopf.

Instinktiv presste er sich an den Türrahmen und schützte sein Gesicht. Dann fiel sein Blick auf die Ursache des Geräuschs.

Der Bolzen einer Armbrust steckte im Holz, kaum einen Fuß von seinen Augen entfernt. Bowbaq glaubte, ihn immer noch schwach vibrieren zu sehen.

Er ließ sein Bündel fallen und warf sich bäuchlings zu Boden. Gerade noch rechtzeitig: Schon spürte er, wie der zweite Bolzen ihm die Mütze vom Kopf riss und in die Tür einschlug. In fliegender Hast robbte er zu einem kleinen Schneehügel nur wenige Schritte von der Hütte entfernt, unter dem sich ein alter Baumstumpf verbarg. Er lehnte sich mit dem Rücken dagegen und zog sein Elfenbeinmesser aus dem Gürtel.

Es war totenstill, bis auf die Geräusche, die Wos machte, und sein eigenes Keuchen. Bowbaq bemühte sich, ruhig zu atmen, und konzentrierte sich auf den Angreifer. Wo war er? Wer war er? Und vor allem: Wie viele waren es?

Eine Armbrust kann man nicht in wenigen Augenblicken nachladen. Entweder besaß der Mann zwei davon – mindestens –, oder er war nicht allein. Leider sprach nach der Unterhaltung mit Wos einiges für die zweite Möglichkeit. Waren es Plünderer? Krieger eines verfeindeten Klans? Reisende?

Tausend Fragen schossen Bowbaq durch den Kopf. Er zwang sich, nur an eins zu denken: einen Ausweg. Alles andere würde sich später klären – oder eben nicht.

Wenn er es schaffte, zur Hütte zurückzulaufen, die Tür aufzureißen, hineinzuschlüpfen und sich im Innern zu verbarrikadieren, würde er sich besser verteidigen können. An Waffen mangelte es ihm nicht, und er würde seine Feinde zumindest bis zum Morgen auf Abstand halten können. Es sei denn, sie zündeten ihm die Hütte an. Wie auch immer – die Tür schien Meilen entfernt zu sein, und Bowbaq hätte sich dafür ohrfeigen können, dass er nicht gleich beim ersten Pfeil nach drinnen geflüchtet war.

Die Zeit rann ihm durch die Finger. Jeder verlorene Moment kam seinen Feinden zugute, da sie nicht zögern würden, ihn zu umzingeln, wenn sie das nicht schon längst getan hatten. Wenn er wenigstens an seinen Bogen herankäme, könnte er vielleicht einen Angriff von dieser Seite abwehren. Doch seine Feinde mussten nur ein Feuer anzünden, eine Wache aufstellen und warten, bis ihr Opfer erfroren war.

Bowbaq dämmerte, dass er längst tot wäre, wenn Wos ihn nicht geweckt hätte. Seine Angreifer kannten anscheinend keine Skrupel, sie hätten ihn einfach überrumpelt und feige im Schlaf ermordet.

Wos. Wenn das Pony nicht eingesperrt wäre, könnte er es rufen und auf ihm fliehen. In Gedanken legte er den Weg zur Koppel zurück, aber die Strecke dorthin war noch viel weiter als bis zur Hüttentür. Was nun?

Vielleicht, wenn er in die andere Richtung … An der Südseite der Hütte verlief ein Graben, durch den im Frühling das Schmelzwasser abfloss. Um diese Jahreszeit war er mit gefrorenem Schnee gefüllt, aber er war immer noch ungefähr einen Fuß tiefer als das umliegende Gelände.

Natürlich war der Graben nicht breit. Doch wenn er seine dicksten Pelze auszog, müsste er hindurchkriechen können. Nach zehn Schritten – allerhöchstens – wäre er außer Reichweite der Bolzen.

Er fackelte nicht lang und zog sich die obersten Pelzschichten über den Kopf, ohne die Bänder zu lösen. Eisiger Wind fuhr ihm in die Glieder, und er hoffte, dass er seinen Angreifern nicht entkam, um auf dem Weg zu seinem nächsten Nachbarn jämmerlich zu erfrieren.

Das Schwierigste würden die wenigen Schritte sein, die ihn von dem Graben trennten. Er schob sich das Messer in den Stiefel, ging in die Hocke, spannte sämtliche Muskeln an, holte tief Luft und hechtete in den schmalen Graben vor der Hüttenwand. Seine Hände und Knie sanken anderthalb Fuß tief in den Schnee. Er zog sie sofort wieder heraus, kroch so schnell er konnte zur Rückseite der Hütte und rechnete damit, jeden Moment von einem Pfeil getroffen zu werden.

Er war nicht sicher, doch er meinte, während seines Sprungs mindestens einen Schuss gehört zu haben. Er machte sich nicht die Mühe nachzusehen, ob ein weiterer gefiederter Bolzen in der Hüttenwand steckte. Allerdings hörte er jetzt Stimmfetzen. Ein Mann, der etwa dreißig Schritte von ihm entfernt stehen musste, erteilte Befehle in einer ihm unbekannten Sprache.

Bowbaq erreichte das Ende des kleinen Grabens. Seine Kleider waren an Knien und Ellbogen durchnässt, und die Gelenke steif vor Kälte. Den anderen Körperteilen erging es nicht besser. Er hob den Kopf, spähte über den Rand und sah sich rasch um. Zwei Männer kamen aus unterschiedlichen Richtungen auf ihn zugerannt. Der eine hielt eine kleine Lanze in der Hand, der andere ein Krummschwert. Sie waren von Kopf bis Fuß in Felle gehüllt, schienen aber durch die unförmige Kleidung nicht in ihren Bewegungen eingeschränkt. An ihren Füßen waren mit geflochtenen Riemen bespannte, zu einem Oval gebogene Ruten befestigt, wie sie Arkarier aus Tolensk trugen. Mit diesen Schuhen konnten sie sich trotz des tiefen Schnees gut fortbewegen.

Bowbaq sah seine Überlebenschancen schwinden. Er beschloss, aufs Ganze zu gehen, schnellte hoch und rannte los. Zur Koppel war es nicht mehr weit.

Ein stechender Schmerz fuhr ihm in die linke Schulter. Ein Bolzen aus der Armbrust eines dritten Mannes hatte ihn getroffen. Mit dem Mut der Verzweiflung kletterte er über den Balken, ließ sich auf der anderen Seite des Zauns fallen und spurtete über die Koppel auf das Gatter zu. Wos erwartete ihn voller Ungeduld.

Bowbaq rechnete damit, sich jeden Moment einen weiteren Pfeil einzufangen oder auf einen seiner Feinde zu stoßen, der ihm den Weg abschnitt. Eilig schob er das Gatter auf und lief zu dem Pony, um sich auf dessen Rücken zu schwingen.

Aber Wos hatte eigene Pläne. Kaum war der Spalt groß genug, zwängte er sich hindurch, preschte davon und ließ Bowbaq stehen, allein und hilflos. Ungläubig sah er zu, wie das Tier um die Hütte herumgaloppierte und seine verzweifelten und wütenden Rufe ignorierte.

Dieser Dummkopf floh noch nicht einmal in die richtige Richtung.

Wos schien an dem Mann mit der Lanze vorbeizugaloppieren. Im letzten Moment warf er sich herum und trat kräftig aus. Der überraschte Angreifer wurde von zwei schweren Hufschlägen des Riesenponys zu Boden geschleudert. Um die Sache zu Ende zu bringen, trampelte Wos noch einen Moment lang auf ihm herum, dann warf er den Kopf hoch und galoppierte auf den zweiten Mann zu.

Die ersten Schreckdezillen hatten Bowbaq gelähmt, doch nun setzte er sich ebenfalls in Bewegung. Er rannte zurück über die Koppel, kletterte wieder über den Zaun, sprang in den Schnee und sank bis zu den Knien ein. Dann kämpfte er sich bis zu der Stelle vor, wo der Mann mit der Lanze lag.

Mit seinem zweiten Gegner hatte Wos kein so leichtes Spiel. Der Mann wirbelte geschickt mit dem Schwert durch die Luft, um das Pony auf Abstand zu halten. Wenigstens war er so eine Weile beschäftigt, dachte Bowbaq. Mittlerweile war auch der dritte Mann zu sehen, der gerade seine Armbrust nachlud.

Die Leiche des Mannes mit der Lanze war kein schöner

Anblick. Wos' Hufe hatten ihn mehrmals im Gesicht und am Hals getroffen, und der Kopf war beinahe vom Rumpf getrennt. Bowbaq keuchte auf und unterdrückte die aufsteigende Übelkeit. Als er die Lanze des Toten aufhob, hörte er ein vertrautes Brüllen.

Mir war da. Der Löwe thronte am Waldrand vor den verschneiten Bäumen, etwa hundert Schritte entfernt, als säße er für einen Bildhauer Modell.

Sein Brüllen ging in ein tiefes, anhaltendes Knurren über, das trotz der Entfernung deutlich zu hören war. Die Mähne umgab den Kopf wie ein Feuerkranz, und das Fell war entlang der Wirbelsäule bis zum Schwanz steil aufgerichtet. Seine gelben Flecken waren zu dieser Jahreszeit kaum zu erkennen: Der Körper des Raubtiers schimmerte wie Alabaster, und nur die flammenden Augen und das blutrote, elfenbeinweiße Maul hoben sich vom Fell ab.

Geschmeidig trat der Schneelöwe zwei Schritte vor. Sein Knurren verstummte, und nach einem kurzen Moment der Reglosigkeit stürzte er sich mit ein paar schnellen Sprüngen in den Kampf.

Beim Anblick des Löwen waren alle erstarrt, doch jetzt setzten sie sich wieder in Bewegung. Wos brachte sich vor Mir in Sicherheit, der nun direkt auf den Mann mit dem Schwert zustürmte. Das Raubtier warf ihn zu Boden, und Bowbaq erkannte an den gellenden Schreien des Mannes, dass er einen Gegner weniger hatte.

Er selbst lief mit großen Schritten auf den dritten Mann zu, der nicht von seinem Vorhaben ablassen wollte, obwohl sich seine Lage verschlechtert hatte. Bowbaq hatte noch nie eine Armbrust geladen. Er wusste nicht, ob er seinen Feind erreichen könnte, bevor dieser ihm einen Bolzen zwischen die Augen schoss.

Wenn er jetzt stehen blieb und die Lanze warf …

Nein!

Aber er würde mit Sicherheit treffen. Aus dieser Entfernung würde er kein Ziel verfehlen.

Nein! Er würde nicht töten!

Andererseits … Er würde sein eigenes Leben retten, Ispen wiedersehen, die Kinder, seine Freunde.

Nein! Niemals würde Bowbaq vorsätzlich einen Menschen töten. *Das hatte er sich geschworen!*

Das kurze Gedankenspiel hatte sein Schicksal ohnehin besiegelt. Mit einem Freudenschrei schob der Mann den kurzen Pfeil in die Rinne und hob die Waffe. Sein Opfer war nur noch wenige Schritte von ihm entfernt und rannte direkt auf ihn zu.

Bowbaq schloss die Augen, drückte sich mit aller Kraft vom Boden ab und warf sich nach vorn. Er hörte das tödliche Klacken der Armbrust und spürte im selben Moment, wie seine Lanze hart gegen einen Körper stieß.

Im Schnee liegend wartete er auf den Schmerz, denn der Bolzen musste ihn unweigerlich getroffen haben, doch er spürte nur die brennende Wunde an seiner linken Schulter.

Er hob den Kopf – gerade noch rechtzeitig: Sein Feind war drauf und dran, ihm die nun unbrauchbare Armbrust über den Schädel zu ziehen. Bowbaq rollte zur Seite, stieß einen Schmerzensschrei aus, als seine Schulter den Boden berührte, kam auf die Knie und ließ die Lanze durch die Luft sausen. Der hölzerne Schaft traf einen Kopf, und der Fremde ging ebenfalls zu Boden.

Wutschnaubend rappelte sich Bowbaq hoch und drückte dem Angreifer die Spitze seiner Lanze an die Brust. Der Mann, der jetzt im Schnee saß, streifte seine Kapuze zurück, zog sich eine Haube mit Augenschlitzen vom Kopf und entblößte einen kahl geschorenen Schädel. Er war noch recht jung, in seinem dreißigsten Jahr vielleicht, jedenfalls jünger als Bowbaq. Er war kein Arkarier und schien überhaupt nicht aus den Oberen Königreichen zu stammen.

Der Mann rieb sich die schmerzende Schläfe und entdeckte Blut an seinen Fingern. Er warf Bowbaq einen finsteren Blick zu. Dieser zuckte zusammen, weil er dem anderen eine klaffende Wunde zugefügt hatte. Wäre sein Schlag auch nur etwas fester gewesen, hätte er womöglich seinen Schwur gebrochen.

Mir kam an seine Seite, und Bowbaq strich ihm über die Flanke. Der Fremde stand auf, und obwohl er keine schnellen Bewegungen machte, knurrte der Löwe bedrohlich. Mit einer Hand auf dem Rücken des Tiers hielt Bowbaq Mir zurück. »Wer seid Ihr?«, fragte er.

Der Mann gab keine Antwort, sondern begann ohne Eile seine Pelze auszuziehen.

Bowbaq wiederholte die Frage, doch abermals blieb eine Antwort aus. Als der Fremde fertig war, trug er nichts als ein leichtes, dunkelrotes Gewand und ein schmales Stirnband, das er am Hinterknopf verknotet hatte. Er war jetzt barfuß.

»Ich habe nicht vor, Euch zu töten. Ich will nur wissen, wer Ihr seid«, versuchte Bowbaq es abermals, diesmal auf Itharisch.

Der Mann ließ die Arme am Körper herabhängen, hob den Kopf und schloss die Augen. Er wirkte abwesend.

»Was wollt Ihr? Sterben? Hier und jetzt?«

Schneller als der Blitz schlug der Fremde Bowbaqs Lanze beiseite, sprang auf ihn zu und zückte einen schmalen, mindestens einen Fuß langen Dolch, aber Mir kam ihm zuvor und schleuderte ihn mit einem gewaltigen Prankenschlag fünf Schritte durch die Luft. Mit zwei Sätzen war das Tier über ihm und biss ihm die Halsschlagader durch, ohne auf Bowbaqs Rufe zu hören.

Für Bowbaq, der Gewalt verabscheute, war der Anblick zu viel. Er sank in den Schnee und vergrub das Gesicht in den Händen.

Eine raue Zunge leckte ihm die Finger, und fauliger Atem fuhr ihm scharf in die Nase. Geistesabwesend streichelte Bowbaq den Löwen, die andere Hand immer noch vor den Augen, während sich die Geschehnisse in sein Gedächtnis einbrannten. Dann wich er einen Schritt zurück und betrachtete das friedliche Gesicht des Schneelöwen. Die makellose Mähne, die fragenden Augen und das Maul, das vom Blut seiner Opfer rot glänzte.

Bowbaq stand auf. Auch wenn er über Mirs und Wos' Eingreifen froh war, auch wenn er ihnen sein Leben verdankte, hatte er mittelbar zum Tod dreier Männer beigetragen, und niemand konnte ihn zwingen, das gut zu finden.

Die Worte des großen Löwen glitten in seine Gedanken:

›Wie geht es Mann? Mann verletzt.‹

Bowbaq hatte den Bolzen, der in seiner Schulter steckte, fast vergessen. Der Schmerz hatte nachgelassen, und die Wunde blutete nur noch schwach. Behutsam zog er an den Federn, um herauszufinden, wie tief der Pfeil eingedrungen war, und verzog das Gesicht, als sich sein Körper gegen die Behandlung sträubte. Doch darauf konnte er jetzt keine Rücksicht nehmen, denn wenn er den Bolzen nicht sofort entfernte, würde es später sehr viel mehr schmerzen.

›Ich werde wieder gesund. Ich bin froh, Mir zu sehen.‹

Als Zeichen der Zustimmung schlug der Löwe die Kiefer aufeinander und verschwand ohne ein weiteres Wort im

Wald. Bowbaq wusste, dass er in dieser Nacht nichts mehr zu befürchten hatte. Niemand käme an dem Schneelöwen vorbei. Er vergewisserte sich, dass es Wos gut ging, und kehrte in die Hütte zurück.

Die Wärme des Feuers hüllte ihn ein. Vorsichtig zog er seine durchnässten Kleider aus und achtete darauf, den Bolzen so wenig wie möglich zu berühren. Als er die Wunde endlich freigelegt hatte, schob er sich einen Handschuh zwischen die Zähne, hielt den Atem an und zog den Fremdkörper mit einem Ruck heraus.

Er biss nicht auf den Handschuh, sondern spuckte ihn aus und schrie vor Schmerz auf. Stöhnend presste er ein Tuch auf die Wunde und musterte den Bolzen, der vor ihm lag. Erleichtert stellte Bowbaq fest, dass er vollständig herausgekommen war.

Als die Blutung nachgelassen hatte, goss er reichlich Alkohol auf die Wunde und verband sie. Dann goss er sich auch reichlich Alkohol in die Kehle.

Jetzt, wo er verarztet und aufgewärmt war, ging es ihm besser, und er konnte sich endlich den Fragen widmen, die er sich seit Beginn des Angriffs stellte.

Wer waren die Männer?

Was wollten sie? Außer ihn umbringen, natürlich.

Bowbaq war noch nicht viel in der Welt herumgekommen und kannte eigentlich nur Mittelarkarien. Solange er zurückdenken konnte, hatte er nichts getan, weswegen ihm irgendjemand drei Mörder auf den Hals hetzen würde. Vielleicht arbeiteten die Männer aber auch auf eigene Faust und hatten sich geirrt, denn Bowbaq besaß keine Reichtümer. Waren sie vielleicht verrückt? Fanatiker auf der Suche nach einem Menschenopfer?

Oder …

Die Neugier siegte, und er beschloss, die Leichen nicht erst am Morgen zu untersuchen. Er zog sich trockene Kleidung über und ging abermals nach draußen.

Nachdem er seine Furcht überwunden hatte, trat er zu dem Mann, den Wos getötet hatte. Seine Haut war wachsbleich, und eine hauchdünne Eisschicht bedeckte den Körper. Bowbaq schob die Hände unter die Leiche und hob sie an, um sie umzudrehen. Ein widerwärtiges Knacken war zu hören, als sich die steifen Glieder vom Boden lösten. Er wollte lieber nicht darüber nachdenken, woher diese Geräusche stammten.

Er hatte es eilig, von dem Toten wegzukommen, und durchsuchte ihn hastig, fand aber nichts, was ihm weiterhalf. Der Mann schien nichts Ungewöhnliches bei sich zu tragen, abgesehen von einem roten Gewand und einem Dolch, wie sie auch der andere mit der Armbrust besessen hatte. Diesem wandte sich Bowbaq jetzt zu.

Mir hatte sich offensichtlich an seinem Opfer satt gegessen. Diesmal konnte er den Brechreiz nicht unterdrücken, und er übergab sich, bis sein Magen leer war. Dem Toten fehlte ein Arm, und ein Großteil seiner Rippen lag frei. Mit Mühe und Not riss sich Bowbaq zusammen und durchsuchte die unversehrten Taschen des zerfetzten Gewandes.

Diesmal hatte er mehr Glück. Seine Hand ertastete ein blutgetränktes Pergament, das er vorsichtig herauszog. Es war mindestens sechs Mal gefaltet, doch auch als er es glättete, konnte er nicht viel damit anfangen. Bowbaq gelang es nicht, die wenigen Schriftzeichen zu entziffern, die von dem Blutfleck verschont geblieben waren, was allerdings auch daran liegen mochte, dass er nicht lesen konnte. Er gab auf und setzte die Suche fort.

Als er die Beinkleider ausschüttelte, fiel eine Phiole heraus, die bis zur Hälfte mit einer übel riechenden Flüssigkeit gefüllt war. Eine Droge?

Gift?

Bei diesem Gedanken lief ihm ein Schauer über den Rücken. Was, wenn der Bolzen vergiftet gewesen war?

Dann wäre er längst tot. Doch vielleicht setzte die Wirkung erst später ein, oder seine Kleider hatten einen Großteil der tödlichen Substanz aufgesogen.

Er würde es nie erfahren, es sei denn, er starb innerhalb der nächsten Tage. Er schüttete die Flüssigkeit in den Schnee und bedeckte den Toten mit dessen Kleidern.

Die Untersuchung der dritten Leiche brachte nichts Neues. Wie bei den anderen fand er einen Dolch und ein scharlachrotes Gewand. Die Männer gehörten offenkundig zu irgendeiner Organisation, kriegerischen Bande, religiösen Sekte oder ähnlichem.

Er musste den Tatsachen ins Auge sehen, auch wenn es ihm schwer fiel.

Die Männer waren nur aus einem einzigen Grund gekommen: um ihn zu töten. Ihn, und vielleicht auch seine Familie.

Zwei Eigenschaften unterschieden Bowbaq von den meisten anderen Menschen: erstens seine Fähigkeit, die Gedanken der Tiere zu lesen – er war ein Erjak. Allerdings besaßen viele Arkarier diese Gabe, und selbst bei einigen Fremden war sie entdeckt worden.

Die zweite Eigenschaft war vermutlich die ausschlaggebende: Er war ein Erbe von Ji.

Bowbaq war ein Nachkomme des Weisen Moboq, in vierter Generation. Nachdem er alle anderen Möglichkeiten ausgeschlossen hatte, blieb nur noch diese eine übrig:

Man hatte versucht, ihn zu töten, weil sich sein Ururgroßvater im vergangenen Jahrhundert auf ein rätselhaftes Abenteuer eingelassen hatte, das inzwischen fast völlig in Vergessenheit geraten war.

Er durfte keinen Moment zögern. Bowbaq musste seine Familie in Sicherheit bringen und die anderen Erben vor dem Schicksal warnen, das ihnen drohte!

Sogleich begann er mit den Reisevorbereitungen und fragte sich, wie er zu Ispen gelangen sollte, wo der Gletscher ihm doch seit mindestens zwei Dekaden den Weg abschnitt. Dann fiel ihm ein, dass das Eis für Mir kein Hindernis war.

Als er mit dem Packen fertig war, nahm er all seinen Mut zusammen und legte die Leichname und die Habseligkeiten der drei Männer auf einen Haufen. Er goss Öl darüber und zündete das Ganze an. Nach kurzem Zaudern warf er auch das blutige Pergament in die Flammen. Als Trophäe war es viel zu besudelt.

In diesem Moment war Mir wieder da. Er war auf vier Ponys gestoßen, die in der Ferne an einen Baum gebunden waren. Bowbaq folgte ihm zu der Stelle, und den ganzen Weg über machte er sich Sorgen wegen der Anzahl der Tiere. Erleichtert stellte er fest, dass eins der Ponys als Lasttier diente.

Die Durchsuchung der Satteltaschen erbrachte nichts Neues, denn er fand nichts als warme Kleidung und die nötige Ausrüstung für einen Mehrtagesritt in einem kalten Land. Bowbaq band die Ponys los, führte sie zu der Koppel und sandte ihnen den ganzen Weg über beruhigende Gedanken zu, da sie die Gegenwart des Löwen nervös machte. Vor seiner Hütte schnallte er ihnen das Gepäck ab und sortierte es rasch. Einen Großteil der Gegenstände warf er ins Feuer und behielt nur, was niemand wiedererkennen würde.

Nachdem er Wos gesattelt hatte, ging er zu dem Löwen und erteilte ihm einen Auftrag. ›Meine Frau und die Kleinen sind in Gefahr. Ich muss sie beschützen. Aber ich kann nicht zu ihnen. Versteht mich Mir?‹

›Mir versteht. Rudel in Gefahr.‹

›Genau. Mir kann es beschützen. Wird Mir das tun?‹

›Menschen bei Frau und Kleinen haben Angst vor Mir. Wollen Mir töten. Ispen schickt Mir zu Mann. Zurückgehen gefährlich.‹

›Mir ist weise, aber wenn er nicht geht, ist die Familie … ist das Rudel verloren. Mir muss gehen.‹

Sichtlich verwirrt drehte sich das Raubtier zweimal im Kreis. Bowbaq wusste, wie schwierig die Situation für Mir war, da Tiere keine Vorstellung von Wahlfreiheit und nur eine ungefähre Vorstellung von Zukunft haben. Dann brüllte Mir einmal auf und sprach. Er hatte eine Entscheidung getroffen.

›Mir geht und beschützt Rudel, weil Mann es sagt.‹

Er machte sich sogleich auf den Weg. Erleichtert stieg Bowbaq in den Sattel und ritt mit den vier Ponys im Schlepptau südwärts, in der Hoffnung, dass seine Angst unbegründet war.

Das Feuer brannte bis zum Morgen.

Die Versammlung schien kein Ende zu nehmen. Wie immer standen zuerst die innenpolitischen Belange auf der Tagesordnung, und jede der achtundzwanzig Dorfvertreterinnen hatte eine wahre Sintflut an Fragen, Beschwerden und Vorschlägen. Selbst die drei Mütter, in deren Händen das Wohl der Hauptstadt Kaul lag, kamen kaum zu Wort, dabei dominierten sie sonst den Rat der Dörfer.

Corenn lehnte sich in ihrem Sessel zurück. Die neunzehn Jahre als Ratsfrau hatten sie Geduld gelehrt. Fünfzehn Jahre zuvor hatte auch sie sich eifrig für die Interessen eines kleinen Dorfs eingesetzt, aber nun stand sie im Dienst des gesamten Staats.

Sie war die Mutter der Tradition, die Hüterin von Recht und Ordnung. Seit einigen Jahren – genauer gesagt, seit dem Tod ihrer Vorgängerin – war es Corenns Aufgabe, für die Einheit des Staats und Frieden unter den Einwohnern zu sorgen. Obwohl sie Helferinnen hatte, musste sie häufig selbst durchs Land reisen, um hier einen Streit zu schlichten, da eine Wahl zu organisieren oder dort einen Machtmissbrauch zu verhindern.

Ihr Ansehen im Matriarchat war hoch, und sie hätte hier und jetzt jeder anderen Ratsfrau den Mund verbieten können, zum Beispiel wegen Missachtung des Ältestenrechts.

Ihre Ernennung durch die Große Mutter hatte zu lautstarken Protesten geführt, da viele ältere Frauen glaubten, ein Anrecht auf den ständigen Sitz im Rat zu haben. Doch Corenn erfüllte ihre Pflichten mit größter Sorgfalt und Umsicht und machte nur selten von ihrem Recht zu strafen Gebrauch. Meist löste sie die ihr anvertrauten Aufgaben mit diplomatischem Geschick, und so hatte sie nach und nach das Vertrauen der anderen Mütter gewonnen. Als die Große Mutter dann noch einige ältere Frauen mit so wichtigen Ämtern wie Justiz, Finanzen und Handel betraute, waren sich alle einig, dass Corenn die richtige Wahl gewesen war.

Bald wurde ihr eine geheime Aufgabe übertragen, von der nur die Mitglieder des Ständigen Rats wussten.

Corenn bekam die Weisung, auf ihren Reisen nach Kaulanern mit magischen Kräften, von denen sie selbst nichts wussten, Ausschau zu halten. Auch sie war eine Magierin, doch sie benutzte ihre Fähigkeit, die sie für recht schwach hielt, nur selten.

Jedes Mal, wenn ein ungewöhnliches Vorkommnis aus einer der Provinzen gemeldet wurde oder sich etwas angeblich Unmögliches ereignete, begab sich Corenn in die jeweilige Region, stellte Fragen, betrieb Nachforschungen und entdeckte vielleicht – für ihren Geschmack leider viel zu selten – jemanden mit der Gabe.

Ohne ihre Absichten zu verraten, befragte sie diejenige dann nach ihrer Meinung zur Magie und zum Matriarchat und versuchte herauszufinden, ob sie bereit wäre, ein neues Leben zu beginnen.

Waren die Antworten zufriedenstellend, führte sie einen Versuch durch, wobei sie ihr Gegenüber zu strengster Geheimhaltung verpflichtete. Von den zwanzig Personen, die sie bislang der Prüfung unterzogen hatte, hatten nur zwei bestanden.

Beide Male hatte Corenn ihr Wissen an ihre Schülerinnen weitergegeben, und sie arbeiteten nun als Spioninnen für die Mutter der Außenpolitik. Der Rat wollte so viele Magierinnen wie möglich ausfindig machen, um dem Matriarchat wieder zu seiner einstigen Größe zu verhelfen. Doch bis dahin war es noch ein langer Weg.

Die Debatte nahm ihren Lauf. Die Tradition, deren Hüterin Corenn war, verpflichtete sie, an allen Versammlungen teilzunehmen. Doch ihre Meinung war nur selten gefragt, da sich der Rat der Dörfer nur mit der Nahrungsversorgung, dem Handel, der Sicherheit oder anderen Alltagsfragen befasste. Seit fünfzehn Jahren bekam sie die immer gleichen Klagen zu hören.

Sie wartete geduldig, hob die Hand, wenn es zu einer Abstimmung kam, und runzelte die Stirn, wenn eine junge Ratsfrau einer älteren gegenüber zu sehr die Stimme erhob. Meist genügte dies, um die Gemüter zu beruhigen. Endlich verlas die Mutter der Erinnerung die Entscheidungen und offen gebliebenen Fragen, und die Vertreterinnen der Dörfer verließen den großen Versammlungssaal.

Nur sechzehn Frauen blieben zurück. Der Ständige Rat würde nun die wichtigen Fragen debattieren, die im Rat der Dörfer zur Sprache gekommen waren, und die Angelegenheiten des Staats und seiner Nachbarn erörtern.

Früher hatte Corenn regelmäßig Bericht über ihre Suche nach Magierinnen und Magiern erstattet, doch inzwischen interessierte sich niemand mehr so richtig dafür. Deshalb begannen sie gleich mit der Außenpolitik.

Das Gerede über Handel, Steuern und Ränkespiele zwischen den Königreichen und Staaten langweilte sie noch mehr als der Zank und Streit der Dörfer. Die Debatte zog sich in die Länge.

Schließlich berichtete die Mutter der Außenpolitik stolz vom endgültigen Abschluss des Friedensvertrags mit Romin, und die Ratsfrauen applaudierten und beglückwünschten sie. Auch wenn Romin wegen seiner schwachen Armee die Bezeichnung ›Hohes Königreich‹ schon längst nicht mehr verdiente, war es klug, auf gute Nachbarschaft zu achten.

Als Nächstes sprachen die Mütter über die Zunahme des Schiffverkehrs und die Überlastung der Häfen, eine Frage, die im Rat der Dörfer aufgekommen war. Die Mütter begannen mit der Ausarbeitung eines Gesetzesentwurfs, stellten aber rasch fest, dass sie nicht genug über die Angelegenheit wussten. Sie beschlossen, eine Studie in Auftrag zu geben und eine Expertin zu befragen. Die Mutter der Erinnerung wurde damit betraut, die Sache weiterzuverfolgen. Sobald Ergebnisse vorlägen, würde sich der Rat erneut mit dem Problem befassen.

Da es schon spät war und die wichtigsten Fragen geklärt waren, schlug die Große Mutter vor, alles Weitere auf die nächste Dekade zu vertagen. Erleichtert stimmten die Ratsfrauen zu. Die beiden Versammlungen hatten sich vom dritten bis zum sechsten Dekant hingezogen, und alle waren müde.

Corenn sammelte gerade ihre Papiere ein, als Wyrmandis, die Mutter der Justiz, auf sie zukam.

»Du kennst doch Xan, den Holzschnitzer aus Partacle, oder?«

Sie kannte ihn sogar gut. In diesem Jahr hatte er es übernommen, die Zusammenkunft der Erben zu organisieren. Er und Corenn schrieben sich regelmäßig, und sie mochte den sanften, klugen Mann. Er war einer der wenigen, die magische Kräfte nicht für eine grässliche Missbildung hielten, sondern für eine Gabe. »Ja, ich kenne ihn. Woher weißt du das?«

»Es tut mir leid, dir das sagen zu müssen, aber er ist tot.«

Corenn war wie vor den Kopf geschlagen. Beklommen ließ Wyrmandis ihr einen Moment Zeit, obwohl sie es eilig hatte, die Fragen zu beantworten, die Corenn ihr gewiss stellen würde. »Wo ist es geschehen?«

»Zu Hause. Seine Frau und seine Kinder sind ebenfalls tot. Es tut mir leid«, wiederholte sie.

Ermeil auch. Richa. Garolfo. Und wie hieß der Jüngste noch? Es fiel ihr nicht ein. Tot. Alle tot.

»Sie haben nicht gelitten. Ich glaube, sie schliefen, als es passierte. Aus Goran kam die Nachricht, sie seien vergiftet worden.«

Corenn musste schlucken. Ihre Stimme war nicht mehr als eine Flüstern. »Vergiftet? Sie wurden *ermordet*?«

»Ja. Um genau zu sein …« Wyrmandis zog sie beiseite und senkte die Stimme. »Höchstwahrscheinlich waren es Züu. Deshalb hat man mich benachrichtigt.«

Jetzt verstand Corenn. Die Züu waren seit Jahrzehnten nicht mehr in Kaul gesehen worden, und alle hofften inständig, dass es dabei blieb. Die Mutter der Justiz hatte die Aufgabe, die Untaten der Mörder überall auf der Welt zu verfolgen.

»Warum? Warum haben die Züu Xan und seine Familie getötet? Wem könnte das nützen?«

»Ich weiß es nicht. Ich hatte gehofft, *du* könntest es mir sagen. In Goran stellt man sich die gleiche Frage. In letzter Zeit haben die Züu in mehreren Ländern Morde begangen, und anders als sonst waren die Opfer keine Edelleute, Priester oder reichen Bürger.«

Eine plötzliche Eingebung durchzuckte Corenn und ließ sie vor Grauen erstarren. »Hast du die Namen? Die Namen der Opfer?«

»Ja, natürlich. Sie stehen in meinem Bericht. Einige weiß ich aus dem Kopf. Es handelt sich um einen goronischen Soldaten, einen lorelischen Edelmann, einen Händler aus Lineh oder Yiteh, eine Kräuterhändlerin aus Le Pont …«

Corenn kam es vor, als würde ihr der Boden unter den Füßen entzogen. Sie kannte jeden dieser Menschen, persönlich oder dem Namen nach. Nort', Kercyan, Ramur, Sofi. Sie alle waren Erben von Ji, und fast alle waren ihre Freunde gewesen.

Wyrmandis war verstummt, als sie sah, wie Corenn erbleichte. Sie trat nervös von einem Fuß auf den anderen, während sich Corenn zusammenriss und mit ernster

Stimme fragte: »Sag … Antworte nur, wenn du sicher bist. In Kaul haben die Züu niemanden getötet? Eine gewisse Léti?«

»Keine von uns, nein, zum Glück! Jedenfalls nicht bis gestern Abend. Wieso?«

Die Magierin stieß einen erleichterten Seufzer aus und überging die Frage. Ihrer kleinen Léti ging es gut. Léti, ihre einzige Verwandte, der Sinn ihres Lebens. Léti, die Tochter ihrer Cousine, die seit deren Tod wie eine eigene Tochter für Corenn war.

»Ich muss sofort aufbrechen. Meine Nichte ist in Gefahr und … und ich auch.« Der Gedanke war ihr plötzlich gekommen. »Wyrmandis, ich brauche die Liste mit den Namen, und zwar schnell. Kannst du sie mir bringen lassen?«

Die Mutter der Justiz runzelte die Stirn und musterte ihre Freundin. Die Sache schien ernst. »Du glaubst, dass die Züu hinter dir her sind? Die *Züu?* Ich halte es für das Beste, wenn du mir alles erzählst. Ich kann für deinen Schutz sorgen.«

»Das geht nicht«, sagte Corenn und eilte davon. »Dann würde ich vielleicht zu spät kommen.« Im Gehen wandte sie sich noch einmal um. »Außerdem …« Sie warf viel sagende Blicke zu den Ausgängen des Saals, an denen ein paar dickbäuchige Soldaten Wache standen, verdienstvolle Veteranen der kleinen Armee des Matriarchats. »Du weißt genau, dass du uns nicht schützen kannst.«

Im Laufschritt hastete sie den langen Flur des Großen Hauses entlang, der zu ihren privaten Gemächern führten.

Zum ersten Mal seit langer Zeit hatte die Magierin Angst.

»Bei allen Göttern und ihren Huren!«

Reyan war ungeheuer wütend. Das launische Ding, an das er all seine Verführungskünste verschwendet hatte, das er den ganzen Abend lang an die gefragtesten Orte geschleppt hatte, dem er das Essen, die Becher und vor allem den Eintritt in die beliebtesten Lokale Lorelias gezahlt hatte, dieses undankbare Ding hatte ihm die Gastfreundschaft für die Nacht – und ein paar Zärtlichkeiten – verweigert und ihm einfach die Tür vor der Nase zugeknallt.

Dabei hatte es anfangs ganz gut ausgesehen. Am Ende der Vorstellung hatte er wieder einmal seinen Lieblingstrick angewandt. Statt der Zeile: »Ich kann nicht, denn ich liebe eine andere! Ihr müsst mich vergessen!«, die Barle ursprünglich für das Stück geschrieben hatte, deklamierte er: »Ich kann nicht, denn ich liebe eine andere! Da sitzt sie!« Dann holte er eine junge Frau aus dem Publikum auf die Bühne, die er sich vorher ausgesucht hatte. Natürlich musste sie ohne Begleitung sein und das entsprechende Aussehen mitbringen.

Als der junge Schauspieler seinen Einfall zum ersten Mal in die Tat umgesetzt hatte, hatte Barle, der Leiter der Theatertruppe, spitze Schreie ausgestoßen. Doch als er dann sah, welche Begeisterungsstürme die Abweichung vom Text hervorrief, hatte er sich schnell wieder beruhigt. Zum Glück hatte er ein gutes Gespür für die Vorlieben des Publikums.

Nach der Vorstellung hatte Reyan die junge Frau wie üblich auf einen Becher eingeladen. Als diese Hürde genommen war, zeigte er ihr den Zirkuswagen, stellte ihr seine Gefährten vor und erzählte beiläufig von Reisen in ferne Länder und – zumeist erfundenen – Triumphen an Königshöfen. Von diesem Augenblick an war ihr Schicksal besiegelt.

Als sie vor einem weiteren Becher saßen, ließ Reyan all seinen Charme spielen. Er pries die Schönheit, den sinnlichen Körper, die Anmut und andere tatsächliche oder erfundene Eigenschaften seiner Begleiterin. Wollte sie nicht vielleicht Schauspielerin werden? Bestimmt hatte sie großes Talent …

Dann spazierten sie durch die nächtlichen Straßen Lorelias und kehrten in mehrere Wirtshäuser ein, bis er glaubte, das Bett der Schönen erobern zu können.

Doch genau an diesem Punkt war es heute Abend schiefgelaufen. Jetzt trottete er allein durch die Nacht, und zu allem Überfluss braute sich ein Gewitter zusammen!

Verdrossen trat er mit dem Fuß in eine Pfütze, das Wasser spritzte mehrere Schritte weit. Egal, er war ohnehin nass bis auf die Knochen.

Nicht immer musste er so großen Aufwand betreiben. Meist genügten seine Jugend, sein Charme und ein paar geistreiche Worte, um eine Frau zu erobern. Dass er so viele vergebliche Anstrengungen unternommen hatte, brachte ihn noch mehr in Zorn. *Was für ein selbstsüchtiges Miststück*, dachte er. Keine andere Frau mit auch nur etwas Einfühlungsvermögen hätte ihm in einer solchen Nacht ihr Bett verweigert! Irgendwie belustigte ihn seine schlechte Laune trotz allem.

Bei einer Dirne zu übernachten, kam nicht in Frage. Seine wilden Zeiten waren ein für alle Mal vorbei, auch wenn er immer noch ein paar Freundinnen in der Gilde der Drei Schritte hatte.

Den Zirkuswagen hatte Barle bestimmt schon verrammelt, und es wäre ungefährlicher, unter freiem Himmel zu übernachten, als Barle aufzuwecken, der mit zunehmendem Alter immer griesgrämiger wurde. Blieb nur noch eine

Herberge, doch Reyan fand, dass er für den Abend genug Geld ausgegeben hatte. Er hatte eine bessere Idee.

Trotz ihrer ewigen Streitereien konnte Mess seinem Cousin die Gastfreundschaft für eine Nacht nicht verwehren. Vor allem, wenn er ihm vor Augen hielt, dass das Haus immer noch ihnen beiden gehörte; schließlich hatte jeder eine Hälfte von ihrer Großmutter geerbt. Bei dem strömenden Regen hatte er ausnahmsweise nichts dagegen, ein Kercyan zu sein. Bei dem Wetter hätte er sich als sonst wer ausgegeben!

An einer Kreuzung blieb er stehen. Nach links oder geradeaus? Obwohl er seine ganze Kindheit in Lorelia verbracht hatte, war er einen Moment lang unschlüssig. Allerdings pflegte er auch mit Vorliebe Abkürzungen zu nehmen und tief in das Labyrinth der schmalen Altstadtgassen einzutauchen. Er hatte seine Ortskenntnis der größten Stadt der bekannten Welt wohl etwas überschätzt.

Kurz entschlossen lief er geradeaus und stieß kurz darauf auf den Platz der Käserei. Glück gehabt! Zum alten Familienhaus in der Geldwechslerstraße war es nun nicht mehr weit. Er musste nur nach dem Platz des Pferdchens links abbiegen.

Ein langer Blitz zuckte über den Himmel, und gleich darauf krachte der Donner. Reyan beschleunigte seine Schritte.

Endlich stand er vor dem Haus. Es war groß und alt, viel zu alt. Sein Ururgroßvater, dessen Namen er trug, hatte es mehr als ein Jahrhundert zuvor gekauft, und schon damals war es alt gewesen. Für den jungen Schauspieler versinnbildlichte das Haus den Niedergang der Familie Kercyan, mit dem man ihm in seiner Kindheit ständig in den Ohren gelegen hatte. Heute Abend stand es allerdings für ein Dach über dem Kopf und ein warmes Bett.

Schwierig würde nur werden, ins Haus zu gelangen, ohne Mess aufzuwecken. Sein Cousin wäre durchaus in der Lage, ihn draußen stehen zu lassen, und ihm waren für heute schon genug Türen vor der Nase zugeschlagen worden. Deshalb verzichtete er lieber auf die Erlaubnis seines Cousins, in seinem eigenen Haus zu übernachten.

Er würde einfach denselben Weg wie früher benutzen. Damals war er häufig ohne das Wissen seiner Großmutter aus dem Fenster geklettert, um durch Spelunken und zwielichtige Schänken zu ziehen und das lorelische Nachtleben zu genießen. O ja, das waren wilde Zeiten gewesen.

Er kletterte auf die niedrige Mauer. Sie umgab den Innenhof, dessen Tor zur Köhlerstraße führte. Früher hatte Baron, ihr Hund, den Hof bewacht, und Reyan hatte sich sein Schweigen jedes Mal mit einem Leckerbissen erkaufen müssen, aber nun konnte jeder in den Hof gelangen. Die Unvorsicht seines Cousins ärgerte ihn, auch wenn sie ihm heute Abend das Leben erleichterte.

Das schwierigste Stück lag noch vor ihm. Er musste wie ein Seiltänzer die Mauer entlangbalancieren, um zum Balkon vor dem Saal im ersten Stock zu gelangen. An mehreren Stellen waren Eisenstäbe und kleine Wasserspeier in die Mauer eingelassen, um solche Kletterpartien zu verhindern. Normalerweise waren sie kein ernst zu nehmendes Hindernis, aber ausgerechnet in dieser Nacht musste es natürlich regnen, und die Steine waren rutschig.

Reyan war nur ein einziges Mal hinuntergefallen, und zwar an einem Tag, als er nicht nur wie üblich sturzbetrunken gewesen war, sondern obendrein die getrockneten Wurzeln einer Pflanze aus den Unteren Königreichen gekaut hatte. Er war im Morgengrauen auf den harten Pflastersteinen aufgewacht, weil Baron ihm hingebungsvoll das Gesicht abschleckte, und hatte sich gerade noch rechtzeitig in sein Zimmer stehlen können, bevor seine Großmutter aufstand. Seitdem hatte er nie wieder irgendwelche fragwürdigen Pflanzenteile gekaut oder Pülverchen geschnupft.

Ein Blitz erhellte die Nacht, und er duckte sich rasch. Der Donner übertönte seinen Fluch. Er durfte sich auf keinen Fall von einem Nachtwächter erwischen lassen, denn es würde schwierig werden zu erklären, warum er in sein eigenes Haus einbrach – vor allem, da Mess seine Aussage nicht unbedingt bestätigen würde.

Endlich erreichte er den Balkon. Jetzt hatte er es fast geschafft, nur ein letztes Hindernis galt es noch zu überwinden. Er erklomm die Fassade bis zu dem kleinen Sims zwei Schritte über ihm, indem er sich an den Stuckverzierungen festhielt. Irgendwie fiel ihm das Klettern schwerer als früher, vermutlich war er einfach aus der Übung. Auf dem Sims zusammengekauert, zog er an dem hölzernen Fensterladen. Er betete zu allen Göttern und ihren Huren, dass Mess das Fenster zum Flur im zweiten Stock nicht verriegelt oder mit einem Möbelstück zugestellt hatte.

Das Holz schabte über den Stein, eine Angel quietsche, und endlich schwang der Fensterladen auf. Reyan hoffte, seinen Cousin nicht geweckt zu haben. Zum Glück übertönte das Gewitter jedes Geräusch. Er wartete auf den nächsten Donnerschlag, zwängte sich durchs Fenster und schloss es von innen.

Einen Augenblick lang genoss er das Gefühl, im Trockenen zu sein, und horchte dann auf Schritte. Zu seiner Erleichterung hörte er nur das Platschen der Wassertropfen, die aus seiner Kleidung auf den Boden fielen.

Er zog seinen pitschnassen Umhang und die durchweichten Schuhe aus und rollte sie zusammen. Mit dem Bündel unter dem Arm schlich er auf Zehenspitzen zu seinem alten Zimmer. Sein Cousin hatte bestimmt alles so gelassen wie immer. Seit über einem Jahrhundert war nichts an dem Zimmer verändert worden, und Mess hing zu sehr an der Tradition, am Erbe ihrer Vorfahren und diesem ganzen Unsinn, um auch nur ein einziges Möbelstück zu verrücken.

Er schlich an zwei Türen vorbei, die zu leeren Zimmern führten, und gelangte an die Stelle, wo der Flur einen Knick machte. Hinter der Biegung lag sein Zimmer. Reyan stutzte. Hier roch es irgendwie merkwürdig. Er warf einen Blick zum Zimmer seines Cousins, das sich ein paar Schritte weiter befand.

Die Tür stand offen.

Vielleicht war Mess gar nicht zu Hause? Das wäre wirklich ein Jammer. Er hatte sich solche Mühe gegeben, unbemerkt ins Haus zu gelangen.

Der Geruch wurde stärker, und Reyan drehte sich der Magen um. Eine böse Vorahnung beschlich ihn.

Mit dem Handrücken schob er die Tür auf. Sogleich stolperte er rückwärts wieder aus dem Zimmer und hielt sich die Nase zu.

Auf dem Bett lag Mess' Leiche.

Als ein Blitz das Zimmer in gleißendes Licht tauchte, gab es keinen Zweifel mehr. Der Gestank war entsetzlich, und es kostete ihn große Überwindung, ans Bett zu treten.

Nichts wies darauf hin, woran sein Cousin gestorben war. Sein Gesicht war nicht verzerrt, und er trug ein Nachtgewand. Es sah aus, als hätte ihn der Tod im Schlaf überrascht. Und als hätte jemand die Leiche bewegt.

Jemand hatte ihn auf die Bettdecke gelegt und seinen Körper zur Ruhe gebettet, mit geschlossenen Beinen, längs am Körper ausgestreckten Armen und leicht nach hinten geneigtem Kopf. Jemand hatte seine Kleider glatt gestrichen. Warum zum Henker hatte dieser Jemand die Leiche dann hier liegen gelassen und sie der Verwesung preisgegeben?

Der Gestank wurde unerträglich, und Reyan machte auf dem Absatz kehrt, um aus dem Zimmer zu gehen.

In diesem Moment schoss ein Blitz durch die Nacht. Jemand stand in der Tür.

Jemand oder etwas.

Jede Einzelheit brannte sich Reyan ins Gedächtnis ein. Ein Mann in einem scharlachroten Gewand, einen Dolch in der Hand, starrte ihn an. Sein Kopf war kahl geschoren, das Gesicht geschminkt: Schwarze Augenhöhlen, eine schwarze Nase und schwarze Ohren hoben sich von einem weißen Gesicht ab. Die unheimliche Fratze eines Totenschädels. Ein grauenvoller, lebloser Totenschädel, in dem zwei Flammen loderten – die Augen eines Irren.

Der Schauspieler war viel herumgereist und wusste, wen er vor sich hatte: einen Boten Zuïas, einen wahnsinnigen Zü, einen skrupellosen Mörder.

Es war wieder stockfinster, als der Totenkopf sprach. Seine Stimme war kehlig, und seine Aussprache des Lorelischen eigentümlich. Reyan fragte sich, ob dieses Spektakel zum Mörderdasein dazugehörte. Dann wunderte er sich über seine eigene Abgeklärtheit im Angesicht des Todes.

»Bist du bereit, vor Zuïa zu erscheinen?«

Reyan verschwendete keine Zeit an eine Antwort. Er stürzte sich auf den Mann und schleuderte ihm seinen Umhang und die Schuhe ins Gesicht. Als sein Gegner ins Taumeln geriet, versetzte er ihm einen Tritt, sprang über ihn hinweg und spurtete den Flur entlang.

Der Dolch. Der Dolch mit der vergifteten Klinge.

Hatte er ihn berührt? Nein, wohl nicht.

Er hetzte am einstigen Zimmer seiner Großmutter vorbei und rannte die Treppe zum ersten Stock hinunter. Der Zü war ihm dicht auf den Fersen. Es trennten sie nur noch drei Schritte, vielleicht weniger. Reyan meinte bereits zu spüren, wie die tödliche Klinge ihm in den Rücken fuhr, und der Gedanke verlieh ihm Flügel. Er rannte den Flur entlang, erreichte nach kaum zehn Schritten die erste Treppe zum Erdgeschoss und warf sich zu Boden.

Der Zü stieß mit dem Fuß gegen seinen Körper, stolperte und segelte durch die Luft auf die Stufen zu. Reyan vergeudete keine Zeit, indem er dem Mann nachsah, sondern sprang auf und rannte zur zweiten Treppe, die er bis zur Hälfte hinunterlief. Dann hechtete er über das Geländer und landete in dem Moment auf dem Boden, als sich der Zü aufrappelte. Anscheinend war der Mann unverletzt. Auch er eilte jetzt die Treppe hinunter und stieß dabei ein paar hasserfüllte Worte hervor – vermutlich Verwünschungen und Drohungen.

Reyan hastete zu einer Tür am anderen Ende der Eingangshalle. Er riss sie auf und stand in der Bibliothek. In der Bibliothek gab es Waffen. Er zerrte die erstbeste von der Wand, und der Zü, der wenige Momente später durch die Tür stolperte, konnte gerade noch einem etwas vorschnell ausgeführten Axthieb ausweichen.

Jetzt standen sich beide Männer gegenüber und ließen einander nicht aus den Augen. Beide hofften, ihren Gegner in der Dunkelheit zwischen zwei Blitzen überraschen zu können. Eigentlich wäre Reyan mit seiner Axt im Vorteil gewesen, doch der Zü musste ihn nur kurz mit seinem Dolch berühren. Das Gift würde ihn sofort töten.

Der Schauspieler war eher ungeübt im Umgang mit der Axt. Er hatte noch nie eine Waffe getragen. Zwar war er in seiner Jugend im Schwertkampf unterrichtet worden, doch die klassischen Schwerter der lorelischen Edelleute hatten ihre Nachteile: Sie wogen fünfunddreißig Pfund und waren schwer zu handhaben. Bislang war ihm dieses Können nur auf der Bühne von Nutzen gewesen.

Bevor er zu Barles Truppe gestoßen war, trat er als Messerwerfer in einem kleinen Zirkus auf. Zugegebenermaßen war seine Nummer eher jämmerlich gewesen, und die Waffen, die hier an den Wänden hingen, waren etwas ganz anderes als die perfekt ausbalancierten Messer von damals. Doch vielleicht sollte er es auf einen Versuch ankommen lassen.

Beim nächsten Blitz sah er, dass sich der Zü im Schutz der Dunkelheit auf ihn zubewegt hatte. Reyan stieß einen überraschten Schrei aus und fuchtelte mit der Axt herum, um sich seinen Widersacher vom Leib zu halten. Zum Glück hatte das Gewitter jetzt seinen Höhepunkt erreicht, und die Blitze folgten so rasch aufeinander, dass die Kämpfer ihr Gegenüber immer nur kurz aus den Augen verloren.

Allerdings war Reyan klar, dass der Mörder bei ihrem kleinen Spielchen früher oder später die Oberhand gewinnen würde.

Die Bibliothek war nun wieder in Dunkelheit getaucht, und Reyan schlug abermals blindlings um sich, in der Hoffnung, den Zü zu verletzen oder ihn zumindest auf Abstand zu halten. Ein Blitz erhellte die Szene, dann war es wieder finster.

Der Mörder schien Gefallen an ihrem stummen Tanz zu finden. Er täuschte einen Angriff von rechts vor, dann von links, und kam Reyan jedes Mal ein Stückchen näher. Ihm dämmerte, dass er für den Zü nichts als ein namenloses Opfer war. Bei dem Gedanken lief es ihm eiskalt den Rücken hinunter.

Er hatte nichts zu verlieren.

Nach dem nächsten Blitz warf er die Axt in die Richtung, wo er den Mörder vermutete, und presste sich an die Wand. Seine Finger stießen gegen Eisen, er riss den Gegenstand von der Wand und hielt ein Langschwert in der Hand.

Das Donnergrollen hatte alle anderen Geräusche übertönt. Er hatte keinen Aufprall, keinen Schrei und auch keine zu Boden fallende Axt gehört. Als wieder Stille eingekehrt war, stand er keuchend im Dunkeln und lauschte.

Die Blitze folgten nun seltener aufeinander, und das Warten kam wie eine halbe Ewigkeit vor.

Als es erneut für einen Moment hell wurde, lag eine Leiche am Boden. Die Axt hatte den Zü mitten in die Stirn getroffen.

Reyan trat näher und stieß ihm ohne Skrupel die Klinge seines Schwerts in den Hals, nur, um ganz sicherzugehen. Er fand es nicht nett, dass der Mann seinen Cousin getötet und ihn selbst durch das Haus seiner Familie gejagt hatte.

Mit einer Armbrust bewaffnet und immer noch wachsam, drehte er eine Runde durch das Haus. Er verrammelte sämtliche Fenster und Türen und überprüfte jeden dunklen Winkel. Als er sich einigermaßen sicher fühlte, kehrte er zu der Leiche zurück und durchsuchte sie.

Er fand einen Dietrich, eine kleine Phiole, eine zusammengerollte Schnur, ein Döschen mit einer feuchten braunen Paste, ein rotes Stirnband und ein Pergament. Den Dietrich steckte er ein. Die Phiole und das Döschen enthielten wahrscheinlich das Gift und das Gegengift. Oder umgekehrt. Der Frage würde er später nachgehen. Bis auf das Pergament waren alle anderen Sachen unbrauchbar. Er faltete es vorsichtig auf.

Wie er befürchtet hatte, konnte er die Worte nicht lesen. Reyan war zwar mehrerer Sprachen mächtig, aber das hier war kein Lorelisch, Itharisch, Goronisch oder Romisch. Wahrscheinlich war es Ramzü, wenn man bedachte, bei wem er das Pergament gefunden hatte.

Einige Wörter erkannte er trotzdem. Sie sahen in allen Sprachen gleich aus, solange man das itharische Alphabet verwendete.

Mess von Kercyan.

Reyan von Kercyan.

Auf dem Pergament waren weitere Menschen aufgelistet, deren Namen er kannte. Ihm war sofort klar, was all diese Menschen verband: Zum einen stammten alle aus Lorelien.

Zum anderen waren sie samt und sonders Erben dieser verfluchten Insel Ji.

Anscheinend war diese Geschichte, die sein Leben überschattet hatte, seit er denken konnte, noch nicht zu Ende. In seiner Kindheit hatte man ihm ständig das Beispiel Reyan des Älteren vorgehalten, der es vorgezogen hatte, lieber alles zu verlieren, als seinen Schwur zu brechen. Hatte er etwa darum gebeten, sein Nachfahr zu sein? War es wirklich besser, arm, aber ehrenhaft zu sein?

Und jetzt machte irgendjemand Jagd auf die Erben. Hatte er etwa darum gebeten, in die Schusslinie zu geraten?

Er versetzte der Leiche zwei Fußtritte. Das nützte zwar nichts, tat aber gut.

Nach kurzem Nachdenken fasste er einen Entschluss.

Wenn die Züü ihn töten wollten, musste er untertauchen. Das war seine einzige Chance. Er würde einige Jahre im Exil leben, bis Gras über die Sache gewachsen war, im Alten Land vielleicht.

»Verflucht!«

Er gab der Leiche einen weiteren Fußtritt und studierte abermals das Pergament.

Manche dieser Leute kannte er flüchtig. Er hatte sie bei einer dieser lächerlichen Zusammenkünfte getroffen, zu denen seine Großmutter ihn und Mess immer geschleppt hatte. Vermutlich waren sie alle in Gefahr. Oder bereits tot.

Aber was ging ihn das an! Er hatte genug eigene Sorgen!

Er stieß einen tiefen Seufzer aus. Heute war wirklich nicht sein Glückstag. Sein Gewissen würde ihm keine Ruhe lassen.

Er sammelte seine Beute ein, ging durch alle Zimmer und nahm mit, was er brauchen konnte. Die Sachen trug er zu dem Fenster im zweiten Stock. Die Haustür mied er lieber, da sie möglicherweise überwacht wurde.

Er wollte gerade aus dem Fenster klettern, als er sich eines Besseren besann. Er kehrte in die Bibliothek zurück und wählte zwei Messer aus. Das eine steckte er sich in den Stiefel, das andere in den Gürtel. Dann hob er vorsichtig den Dolch des Zü und das blutige Schwert auf, das er in eine Scheide schob, und ließ den Blick ein letztes Mal durch das Zimmer schweifen. Einer plötzlichen Eingebung folgend kehrte er zu der Leiche zurück und zog ihr das Gewand aus. Die Kutte eines Mörders zu besitzen, würde ihm vielleicht noch einmal nützlich sein.

Schließlich wusste Reyan nicht, was die Zukunft für ihn bereithielt.

An diesem Morgen war der Tag des Falken angebrochen.

Bis zum Tag der Versprechen war es nur noch eine Dekade, die Dekade der Zweifler.

Der fünfzehnjährige Yan, ein einfacher Fischer aus einem kleinen Dorf in Kaul, fand, dass die zehn Tage ihren Namen völlig zu Recht trugen.

So sehr er sich auch den Kopf zerbrach, ihm fiel einfach nicht ein, woher er den Mut nehmen sollte, Léti um ihre Hand zu bitten.

Er hatte genug Versprechensfeste miterlebt, um zu wissen, was auf ihn zukam. Vor Sonnenuntergang musste sich der Bräutigam um das Jawort seiner Geliebten bemühen. Abends feierte dann das ganze Dorf die Verlöbnisse.

Natürlich konnte man sich das feierliche Versprechen auch an jedem anderen Tag geben, doch Yan wusste, wie sehr Léti an der Tradition hing, und sie wäre bestimmt wütend, wenn er die Sache an einem anderen Tag auch nur ansprach. Für sie kam nur der von Eurydis auserkorene Tag in Frage.

Nein, er musste all seinen Mut zusammennehmen und sie in der kommenden Dekade um ihre Hand bitten. Andernfalls würde er sein Vorhaben auf das nächste Jahr verschieben müssen.

Verflixt!

Ihm war nie klar gewesen, wie einengend diese Rituale sein konnten, die ihn sonst eher belustigten: Antrag, Versprechen, Bekenntnis, Bund. Es galt so viele Hindernisse zu überwinden, und das vor den Augen des ganzen Dorfs, nur, um mit Léti zusammenzuleben! Ganz zu schweigen von den anzüglichen Witzen am Tag der Jungfrau, am Tag des Pilzes und am Tag der Kinder. Wenn Yan nur daran dachte, wurde ihm schlecht.

Die Dekade der Zweifler. Er hegte keine Zweifel, dass er mit Léti den Bund schließen wollte, aber große Zweifel, ob er bereit war, all diese Strapazen auf sich zu nehmen!

Und das alles war noch gar nichts im Vergleich zu seiner größten Angst.

Würde sie Ja sagen?

Im Dorf ging man schon seit ihrer Kindheit davon aus, dass sie einander versprochen waren. Létis Mutter Norine hatte Yan, der früh zur Waise geworden war, bei sich aufgenommen, bis er zu alt wurde, um mit den beiden Frauen unter einem Dach zu leben. Dann war er wieder in das kleine Haus seiner Eltern gezogen. Allerdings verbrachte er immer noch einen Großteil des Tages bei seiner Pflegefamilie. Er ging für die beiden Frauen fischen, arbeitete hart und hielt ihr Haus besser instand als sein eigenes, das jeden Tag mehr verfiel. Nach Norines Tod pflegte er die kranke Léti aufopferungsvoll. Jetzt waren sie beide Waisen und in den Augen der Dorfbewohner einander versprochen.

In den Augen der Dorfbewohner, aber auch in ihren?

Yan war nur ein armseliger Fischer. Er war nicht reich, weder gut aussehend noch charmant und hatte keine besondere Fähigkeit – außer vielleicht der, ein bisschen lesen zu können. Er hatte keine Familie, auf die er zählen konnte, und im Dorf galt er als verträumt und ein bisschen faul.

Für ihn war Léti das schönste Mädchen der bekannten Welt. Er liebte ihre Willenskraft, ihr Lachen, ihre Lebenslust. Unter ihren Vorfahren waren viele Ratsfrauen, ihre Tante war Mitglied im Ständigen Rat, und auch sie würde vermutlich in einigen Jahren in den Rat der Mütter gewählt werden. Ihr Haus war das größte im Dorf und besser eingerichtet als alle anderen zusammen. Léti war einfach zu gut für ihn.

Yan hätte alles dafür getan, schöner, lustiger, reicher, begabter und interessanter zu sein.

Eines Tages hatte er versucht, die traditionelle Kunst des Unterwasserfischens zu verbessern. Er hatte eine ausgemusterte Armbrust zu einer Harpune umgebaut, doch sein Plan war nicht sonderlich durchdacht und die Ausbeute schlecht gewesen, weshalb die Dorfleute nicht gerade begeistert von der Idee waren. Sie sagten, seine Harpune sei gefährlich und nur etwas für Taugenichtse und Faulpelze.

Ein anderes Mal führte er einen angereisten Gelehrten, der Meeresvögel studieren wollte, zu den einsamen Buchten und Stränden Ezas. Er verbrachte mehrere Tage in seiner Gesellschaft und lernte alles über Vögel. Doch als er Léti erzählte, die Koriolen zögen zu Beginn der Jahreszeit des Feuers hoch in den Norden Arkariens, hatte sie gefragt, was ihm dieses Wissen nütze. Er suchte immer noch nach einer Antwort.

Für eine Weile hatte er die Fischerei aufgegeben und war der Reihe nach beim Schmied, beim Tischler, bei einem Bauern, beim Müller und beim Wirt in die Lehre gegangen. Doch jedes Mal warf er schnell das Handtuch. Seine Meister klagten, er denke sich immer wieder etwas Neues aus, um keinen Finger krumm machen zu müssen. Allein der Dorfpriester war noch bereit, ihn als Lehrjungen anzunehmen, doch Yan hatte das Angebot höflich abgelehnt. Er verehrte Eurydis und Brosda, doch deshalb musste er ihnen nicht gleich sein Leben widmen.

Kurzum, er hatte zurzeit keine anderen Zukunftspläne als die, mit Léti den Bund zu schließen.

Dann wäre alles anders. Vielleicht würden sie in ein anderes Dorf ziehen oder zumindest oft auf Reisen sein. Und endlich könnte er sie auf dieses geheimnisvolle Fest begleiten, das sie alle drei Jahre mit ihrer Mutter und ihrer Tante besuchte. Allein der Gedanke, an ferne Orte zu reisen und fremden Menschen zu begegnen, begeisterte ihn. Menschen aus anderen Ländern! Wie aufregend!

Ja, es wäre aufregend, falls er den Mut fand, Léti um ihre Hand zu bitten – und falls sie Ja sagte.

Doch für den Moment hatte er sich genug Sorgen gemacht. Yan stand auf. Dem Stand der Sonne nach lag er seit mehr als einem Dekant grübelnd am Strand, und er musste schließlich auch an die Gegenwart denken: Was würden sie zu Abend essen?

Er ging zu den Löchern, die er am Morgen in den Sand gegraben und in die er geflochtene Körbe eingelassen hatte. Die Flut war gekommen und gegangen und hatte eine Handvoll Krebse und Muscheln in den Fallen zurückgelassen. Eigentlich war er die ewigen Krebse leid, doch er würde sich mit dem begnügen müssen, was er hatte, schließlich war er nicht mit den anderen Fischern hinausgefahren. Außerdem hatte Léti gewiss auch etwas für das Abendessen vorbereitet.

Er legte seine Beute in einen Korb und machte sich auf den Rückweg. Yan hatte zwar allein sein wollen, war aber in der Nähe des Dorfs geblieben. Mehr als eine halbe Meile musste er nicht laufen.

Er war erst seit dem Morgen fort und konnte es doch kaum erwarten, Léti wiederzusehen. Ihm war bislang nie klar gewesen, wie viel sie ihm bedeutete. Solange er denken konnte, waren sie nie länger als ein paar Tage voneinander getrennt gewesen. Plötzlich hatte er das seltsame Gefühl, er könnte sie für immer verlieren.

Mit diesem Gedanken im Kopf erreichte er die ersten Häuser. Eine Horde Kinder kam ihm entgegengerannt. Yan grinste sie an, doch dann gefror ihm das Lächeln auf dem Gesicht.

»Léti ist weg! Léti ist weg!«

Die Kinder umringten ihn und zupften an seinen Ärmeln. Jedes wollte ihm das Geheimnis als Erstes verraten.

»Léti ist weg! Léti ist weg!«

Yans Ohren begannen zu rauschen. *Weg?* Das konnte nicht sein. Bis heute Abend vielleicht, aber doch nicht für länger …

Dann kam ihm die Mutter des Dorfs entgegen. Sie begann, beruhigend auf ihn einzureden, doch ihre mitleidige Hand auf seiner Schulter sagte mehr als alle Worte. »Sie ist gegen Mit-Tag fort. Sie hat überall nach dir gesucht, aber niemand wusste, wo du warst. Ihre Tante Corenn, die Ratsfrau, ist heute Morgen gekommen und hat sie abgeholt. Es sah aus, als sei etwas Schlimmes geschehen. Sie sind ziemlich überstürzt abgereist.«

»Léti hat geweint!«, sagte einer der Jungen mit unschuldiger Stimme.

»In welche Richtung sind sie fort?«

»Mein Junge, Corenn hat ausdrücklich befohlen, dass ihr niemand folgen solle, und das ist gewiss eine weise Entscheidung. Es wäre besser für dich, wenn …«

»Wo ist Léti hin?«, fragte er die Kinder.

Fünfzehn Finger zeigten nach Osten, und die Kinder riefen durcheinander: »Da lang!« und »In diese Richtung!«.

»Yan, warte!«, befahl die Mutter.

Doch er hörte ihr schon nicht mehr zu. Er rannte zu seinem Haus, kippte den Inhalt eines Leinensacks auf den Boden und stopfte eine Feldflasche, zwei Hemden, eine Angelschnur, ein paar Haken, sein altes Fischermesser und eine Handvoll getrockneter Früchte hinein. Dann schnappte er sich seine Harpune, rannte wieder nach draußen und schlug die Richtung ein, in die die Kinder gezeigt hatten.

»Es ist zwecklos. Du kannst sie nicht mehr einholen! Sie sind schon lange fort, und sie haben Pferde!«, rief ihm die Mutter hinterher.

Doch Yan hatte dem Dorf bereits den Rücken gekehrt.


Léti konnte es einfach nicht glauben, und doch war es die Wahrheit. All ihre Freunde, die für sie wie Cousins und Cousinen, Onkel und Tanten, Großmütter und Großväter waren, die Erben von Ji, sie alle waren tot. Sie dachte an ihre Namen, sah jedes einzelne Gesicht vor sich. Ihre Tränen würden nicht für alle reichen, und das machte sie noch trauriger.

Auch ihre Tante wirkte erschüttert, wenn auch gefasster als sie selbst. Seit ihrer Abreise hatte Corenn kein Wort gesprochen. Sie war die Nacht durchgeritten und hatte nicht geschlafen. Die Erschöpfung stand ihr ins Gesicht geschrieben.

Die beiden trotteten den Weg entlang und zogen die Pferde hinter sich her. Die Tiere lahmten. Auch sie hatten seit dem Abend zuvor keine Rast einlegen dürfen.

Zwischen zwei Schluchzern zwang sich Léti, ihre Tante zu fragen: »Wie weit gehen wir noch?«

Corenn schien aus ihrer Erstarrung zu erwachen. Sie hob den Kopf, sah zum Horizont und räusperte sich. »Ich weiß nicht. So weit weg wie möglich. Später können wir den Weg verlassen und etwas schlafen, aber ich will erst noch ein Stück weiterlaufen.« Sie wandte sich ihrer Nichte zu und zwang sich zu einem Lächeln. »Geht es noch?«

»Ja«, versicherte Léti.

Eigentlich war sie sogar froh darüber, immer weiter zu laufen. So konnte sie wenigstens ihrer Traurigkeit entfliehen. Sobald sie Halt machten, würde ihr Kummer sie einholen. Vielleicht erging es ihrer Tante ja ähnlich?

Die Toten ließen Léti nicht los, und auch Yan ging ihr nicht aus dem Kopf. Sie war traurig, weil sie sich nicht von ihm hatte verabschieden können. Vielleicht würde sie ihn nie wiedersehen.

Abermals schossen ihr Tränen in die Augen, und sie versuchte nicht, sie zurückzuhalten. Gestern noch war sie so glücklich gewesen. Warum? Warum das alles?

In Gedanken versunken gingen die beiden Frauen weiter.

Plötzlich hörten sie Hufgetrappel. Hastig zog Corenn ihre Nichte und die Pferde ins Unterholz, so wie jedes Mal, wenn sie jemandem begegnet waren. Doch diesmal war sie nicht schnell genug. Drei Reiter preschten in gestrecktem Galopp um die Wegbiegung.

Die Männer zügelten ihre Pferde und blickten die beiden Frauen schweigend an. Aus irgendeinem Grund wusste Léti, dass das die Mörder waren, vor denen sie flohen. Die Hand ihrer Tante krampfte sich um ihre Schulter. Dann stellte sich Corenn schützend vor ihre Nichte und sah den Fremden entschlossen entgegen.

Die Männer trugen dunkelrote Gewänder, und ihre Köpfe waren kahl geschoren. Man hätte sie für junge, harmlose Priester halten können. Das waren also die berüchtigten Züü …

Auf den ersten Blick sahen sie gar nicht so schlimm aus – jedenfalls, wenn man ihren grausamen Ruf vergaß und die stechenden Augen, die einem tief in die Seele zu blicken schienen. Und wenn man über die zahlreichen Waffen an ihren Sätteln und den vergifteten Dolch hinwegsah, der in einer Scheide an ihren Gürteln steckte.

Der größte der Männer zeigte auf sie und murmelte einen knappen Befehl. Seine Komplizen stiegen aus dem Sattel. Ungläubig und hilflos sah Léti zu, wie sie ihre Dolche zogen und langsam auf sie zukamen, der eine von vorne, der andere von der Seite, um ihnen den Fluchtweg abzuschneiden.

Nein! Sie würde nicht sterben, nicht hier und nicht so! Sie wollte nicht mit einem Dolch in der Brust auf einem einsamen Weg enden. Und vor allem nicht jetzt!

Sie wollte weglaufen, doch ihre Beine waren wie gelähmt. Sie wollte, dass ihre Tante floh, wusste aber, dass Corenn zu erschöpft war. Nein! Nicht so! Sie würden nicht sterben!

Plötzlich keuchte der Anführer der Mörder auf, und Léti fand die Kraft, den Blick zu heben und ihn anzusehen.

Blut rann aus seinem Mund, und eine Pfeilspitze ragte ihm aus der Brust.

Unbeholfen wie ein Betrunkener versuchte der Mann, nach ihr zu greifen. Eine zweite Pfeilspitze tauchte wie durch Magie aus seinem Oberkörper auf, einen halben Fuß über der anderen. Der Zü verdrehte die Augen und glitt vom Pferd.

Etwa dreißig Schritte entfernt stand ein schwarz gekleideter Mann mit einem Bogen in der Hand. Die beiden anderen Mörder reagierten sofort und sprangen ins Gebüsch, doch einer der beiden war nicht schnell genug. Er stieß ein Gurgeln aus, als ein Pfeil seinen Hals durchschlug, sackte zusammen und erstickte an seinem eigenen Blut.

Die beiden Frauen hatten sich immer noch nicht gerührt. Léti stand da wie vom Blitz getroffen. Ihr Blick wanderte zwischen dem Mann in Schwarz und den Leichen hin und her, und obwohl es *ihr* Leben war, das auf dem Spiel stand, konnte sie nichts tun, als dem Kampf, der sich vor ihren Augen abspielte, gebannt zuzusehen.

Der Fremde zog sein Schwert, stieß es in den Boden und zielte ruhig mit einem Bogen auf die Büsche. Wie ein Berserker brach der Zü aus dem Unterholz hervor und rannte auf ihn zu. Ein Pfeil schoss zwei Fuß an seinem Kopf vorbei. Der Fremde ließ den Bogen fallen und griff hastig nach seinem Schwert.

Die beiden Männer belauerten sich. Der Mörder ging leicht in die Knie und setzte zum Sprung an, seine Hand krampfte sich um den Dolch. Der Schwarzgekleidete hielt ihn mit seinem Schwert auf Abstand. Und plötzlich ging alles ganz schnell.

Der Zü stürzte sich so rasch auf den Fremden, dass Léti zusammenzuckte, obwohl sie mit dem Angriff gerechnet hatte. Der Mann reagierte sofort, als hätte er *gewusst*, was sein Gegner vorhatte. Seine Klinge blitzte auf, und mit einem einzigen Hieb schlug er dem Zü die Hand ab und schlitzte ihm den Bauch auf.

Die Eingeweide des Mannes quollen ihm über die Beine und auf den Boden, obwohl er verzweifelt versuchte, sie mit seinem blutüberströmten Armstumpf zurückzuhalten.

Léti wurde schwarz vor Augen, und sie fiel mit einem dumpfen Aufprall zu Boden.

Yan überkam tiefe Verzweiflung. Die Sonne war längst untergegangen, und es war anscheinend doch keine so gute Idee gewesen, eine Abkürzung durch das Buschland im Süden Kauls zu nehmen.

Er hatte sich verschätzt. Der Mond war nicht hell genug, sein Licht drang nicht durch das dichte Blätterdach. Yans Arme, Beine und sein Gesicht waren zerkratzt und zerschrammt, da er sich immer wieder durch Brombeergestrüpp und andere Dornensträucher kämpfen musste und noch dazu mehrmals hingefallen war. Obwohl er seit kaum zwei Dekanten unterwegs war, blutete er bereits am ganzen Körper. Gesicht und Hände waren dreckverschmiert, die Kleider zerrissen und die Haare verfilzt.

Außerdem kamen ihm allmählich leise Zweifel. Lief er überhaupt in die richtige Richtung, oder hatte er sich bereits hoffnungslos verirrt?

Schon zwei Mal hatte er das Gefühl gehabt, an derselben Stelle vorbeizukommen. Sich nach den Sternen zu richten, war schön und gut, wenn man sie denn sehen konnte!

Nicht nur die Blätter schränkten seine Sicht ein, zu allem Überfluss stieg auch noch feiner Dunst auf, ein Vorbote dichten Nebels.

Sein Fuß verfing sich in einer Wurzel, und fast wäre er wieder gestürzt, wenn er sich nicht gerade noch rechtzeitig an einem niedrigen Ast festgehalten hätte. Diesmal hatte er Glück im Unglück: keine Dornen.

Ein paar Schritte vor ihm nahm eine Margolin-Familie Reißaus. Es war das sechste Mal. Dass sie ihn nicht kommen hörten! Die Viecher mussten stocktaub sein. Seltsam, sonst gingen sie ihm fast nie in die Falle.

Yan verwünschte sich, weil er vergessen hatte, Utensilien zum Feuermachen mitzunehmen. Daran hätte er bei seinem überstürzten Aufbruch als Erstes denken müssen, nicht an die Früchte oder die Angelschnur. Die anderen hatten recht: Er war ein Tagträumer und Taugenichts.

Fehlte nur noch, dass er über einen Bär oder Wolf stolperte. Mit seinem Fischermesser und der verrosteten Harpune würde er ganz schön dumm dastehen!

Besser wäre es gewesen, erst ins Nachbardorf zu gehen und das Pferd zu holen. Besser wäre es gewesen, sich eine richtige Waffe zu besorgen. Besser wäre es gewesen, erst in Ruhe über alles nachzudenken, wie er es anderen immer riet.

Aber dann wäre Léti längst fort gewesen. Vielleicht sogar schon tot.

Zornig schlug er mit der Harpune nach ein paar Sedaranken, die ihm den Weg versperrten. Mit lautem Sirren flog ein Schwarm fetter Silberfliegen auf. Eine Fledermaus stürzte sich flatternd auf das unverhoffte Festmahl. Yan verjagte das Tier, indem er herumbrüllte und wie verrückt mit den Armen wedelte. Sie konnte zwar nichts dafür, aber sie hatte ihm einen gehörigen Schreck eingejagt.

Er legte eine kurze Rast ein. Trotz seiner ausweglosen Lage kam ihm ein heiterer Gedanke: Vielleicht war Léti längst ins Dorf zurückgekehrt und machte sich jetzt Sorgen um *ihn*. Dann wäre er wirklich der größte Trottel aller Zeiten. Sehr schlimm fände er das nicht, denn es wäre zumindest eine Rückkehr in die Normalität.

Für den Moment blieb ihm nichts anderes übrig, als immer weiterzulaufen. Er musste versuchen, den Weg wiederzufinden.

Nach zwei Dezimen stieß er hinter einem Wäldchen auf den Pfad. Erleichtert starrte er in beide Richtungen und hoffte, durch Dunkelheit und Nebel die Silhouette von zwei Reiterinnen auszumachen. Vergebens.

Jetzt galt es, eine Entscheidung zu treffen. Sollte er zum Dorf zurückgehen und beten, dass sie noch nicht an dieser Stelle vorbeigekommen waren, oder sich gen Osten wenden und hoffen, dass sie irgendwo ein Nachtlager aufgeschlagen hatten? Wenn sie vom Weg abbogen, bevor er sie einholte, würde er sie vermutlich nie wiedersehen.

Diese Vorstellung jagte ihm einen Schauer über den Rücken. Ohne nachzudenken lief er los, in Richtung lorelische Grenze. Die Erschöpfung von dem Marsch durch das Buschland machte sich bemerkbar, doch er ignorierte seine müden Knochen. Außerdem kam er jetzt sehr viel besser voran, da er nicht mehr ständig über Wurzeln stolperte oder sich durch Dornengestrüpp kämpfen musste.

Die einzige Schwierigkeit war, den Weg nicht zu verlieren.

Der Pfad wurde nur wenig genutzt, und er schlängelte sich mitten durchs Gebüsch. In dem dichten Nebel konnte Yan manchmal nicht sagen, wo der Weg aufhörte und das Buschland anfing. Einmal fürchtete er sogar, sich endgültig verirrt zu haben.

Schließlich achtete er nur noch auf das Wegstück vor seinen Füßen und hielt den Blick starr auf den Boden gerichtet. So legte er fast eine Meile zurück. Dann riss ihn etwas aus seinen Tagträumen. Etwas, das er beinahe übersehen hätte.

Er wäre fast auf den frischen Hufabdruck eines Pferdes getreten.

Merkwürdig war nicht so sehr die Tatsache, dass es auf einem Weg, der häufig von Reitern benutzt wurde, diesen Abdruck gab, sondern die Richtung.

Ganz in der Nähe fand er noch mehr Abdrücke. Kein Zweifel: An dieser Stelle hatten vor kurzem zwei, vielleicht sogar drei Pferde den Weg verlassen.

Von einer vagen Hoffnung getrieben, folgte Yan der Spur ins Gebüsch und hielt nach weiteren Abdrücken Ausschau.

Das war schwieriger als gedacht. Mehrmals musste er kehrt-machen, weil er die Fährte verloren hatte, und die Dunkel-heit machte die Sache nicht besser.

Bei einer dieser Gelegenheiten ging ihm auf, dass er viel-leicht einen Fehler beging.

Als er einen niedrigen Ast zur Seite schob, wie schon so oft in dieser Nacht, schnellte dieser nicht zurück, sondern fiel zu Boden.

Ein lebender Ast von dieser Größe brach nicht einfach ab.

Er untersuchte ihn und entdeckte eine dünne Schnur, die an den Ast geknotet war und mehr oder minder straff ge-spannt im Unterholz verschwand.

*Nicht dumm,* dachte er. Das andere Ende der Schnur lös-te vermutlich einen Alarm aus. Mit Fallen kannte Yan sich aus.

Schnell versteckte er sich in einiger Entfernung hinter einem Busch. Wer, wenn nicht Straßenräuber oder ande-re finstere Gestalten, würde es für nötig halten, eine sol-che Falle zu stellen? Léti und Corenn bestimmt nicht. Wer dann?

Yan wollte es nicht unbedingt herausfinden, weshalb er einen großen Bogen um die Stelle schlug und sich auf den Rückweg machte. Er achtete darauf, kein Geräusch zu ma-chen, und drehte sich häufig um.

Plötzlich blieb er wie angewurzelt stehen. Was, wenn Léti und Corenn überfallen worden waren? Entführt? Von Stra-ßenräubern oder anderen finsteren Gestalten?

Er musste nachsehen. Dafür war er schließlich hier.

Er holte das Fischermesser hervor und versteckte sein Bündel unter einem Busch. Ein Messer war besser als nichts. Die Harpune ließ er zurück, sie war eindeutig zu unhandlich. Dann kehrte er zum Anfang der Schnur zurück und folgte ihr. Vorsichtshalber hielt er einen gewissen Abstand.

Wer auch immer die Schnur gelegt hatte, wollte anscheinend auf keinen Fall gefunden werden. Das bestätigte nur seine böse Vorahnung. Erst nach mehr als fünfzehn Schritten hörte er das entfernte Prasseln eines Feuers.

Er ließ die Schnur links liegen und schlich auf das Feuer zu. Das letzte Stück legte er kriechend zurück und hatte dabei nur einen Gedanken: *kein Geräusch machen, bloß kein Geräusch machen.*

Das Feuer brannte auf dem Grund einer Mulde, die ringsum von Sedasträuchern umgeben war. Selbst wenn jemand in zwanzig Schritt Entfernung an der Mulde vorbeikäme, sähe er es nicht. Drei Pferde waren an einen Baum gebunden, und auf dem Boden lagen zwei Gestalten mit dem Rücken zu Yan.

Sein Herz setzte einen Schlag aus. Er war nicht ganz sicher, aber … einer der Körper … Das war Léti!

Etwas Kaltes berührte seinen Hals. Aus dem Augenwinkel sah er eine Klinge matt aufblitzen.

»Lass das Messer los. Und streck den Arm nach vorne aus. Ganz langsam«, flüsterte ihm eine ruhige Stimme ins Ohr.

Yan gehorchte und verfluchte sich. Warum ging nur immer alles, was er anpackte, schief?

Der Mann nahm die Klinge von seinem Hals. Kurz kam ihm der Gedanke, ob er die Gelegenheit nicht nutzen sollte. Aber wie …

Ein Schlag traf ihn im Nacken, und er verlor das Bewusstsein.

»Maz Lana? Kommt Ihr zurecht?«

Die Priesterin hob den Kopf. Der junge Novize Rimon sah sie voller Mitgefühl an. Er war ihr bester Schüler und treuer Freund, und eines Tages würde Lana, so Eurydis wollte, den Titel des Maz an ihn weitergeben. »Ja. Ich danke dir.«

»Kann ich irgendetwas für Euch tun?«

»Nein, danke. Im Moment nicht. Ich möchte einfach nur allein sein. Und nachdenken.«

»Gut. Ich bleibe vor der Tür. Ruft mich, wenn Ihr etwas braucht.« Auf der Schwelle drehte er sich noch einmal um: »Der Tempel hat einige Wächter geschickt. Es kann Euch nichts geschehen.«

»Gut. Nun geh schon.«

Mit einem letzten teilnahmsvollen Blick gehorchte Rimon. Manchmal meinte Lana, in den Augen des Novizen mehr als Achtung und Freundschaft zu lesen. Doch sie wussten beide, dass sie die Grenze nie überschreiten würden.

Sie erhob sich und ging in ihrer kleinen Zelle auf und ab. In dem kargen, schmucklos eingerichteten Zimmer hatte sie sich immer wohlgefühlt, und das Schönste war der Blick aus dem Fenster. Die Sonne des Mit-Tag spiegelte sich auf dem Wasser des Alts, ließ die unzähligen Kuppeln und Türme der Heiligen Stadt erstrahlen und wärmte die Hänge des Rideau-Gebirges. Ith war eine wunderschöne Stadt. Ruhig, friedvoll und scheinbar gefeit vor den Barbareien des Rests der bekannten Welt.

Lana schloss die Augen und murmelte ein stummes Gebet. Weise Eurydis, warum diese erneute Prüfung? Hatte sie nicht schon genug gelitten?

Die Geschehnisse des Morgens stürmten abermals auf sie

ein. Sie hatte ihre Schüler um sich versammelt, um mit ihnen über Geld und Habgier nachzudenken, ein Thema, das ihr besonders am Herzen lag, da selbst die Weisesten unter den Weisen die grassierende Bestechlichkeit nicht länger ignorieren konnten. Die Gruppe hatte sich wie üblich in den Gärten am Fuße des Blumenbergs niedergelassen und einschlägige Beispiele aus religiösen Quellen studiert.

Ihr Unterricht stand allen offen, und es kam häufig vor, dass sich ein Fremder aus Neugier oder Wissensdurst zu den Schülern des Tempels gesellte. So fand es niemand ungewöhnlich, als sich ein junger Mann ohne Maske zu ihnen setzte. Er trug das Gewand eines Novizen.

Der Fremde schwieg und lauschte den Rednern. Lana entging nicht, dass er den Frauen besondere Aufmerksamkeit schenkte. Am Morgen hatte sein Verhalten nur ihre Neugier geweckt, doch nun kannte sie den Grund …

Als der Fremde sicher war, wer von ihnen die Lehrerin war, erhob er sich mit der Geschmeidigkeit eines Raubtiers und zog einen Dolch.

Er schnellte auf sie zu.

Der junge Mann mit dem stechenden Blick und dem unbeirrbaren Willen hatte sie töten wollen.

Lana machte keine Anstalten, sich zu wehren, und sie würde nie verstehen, warum. Die Zeit schien plötzlich langsamer zu vergehen, und sie sah überdeutlich, wie der Mörder auf sie zukam. Ihr einziger Gedanke war, dass ihr irdisches Dasein nun zu Ende war.

Glücklicherweise, nein, unglücklicherweise waren ihre Schüler ihr zur Hilfe gekommen und hatten ihr das Leben gerettet.

Sie spürte, wie ihr endlich Tränen über die Wangen rannen. Niemand verdiente ein solches Opfer.

Vier ihrer Schüler waren gestorben, nur weil der tödliche Dolch sie berührt hatte. Vier junge Menschen, die Gewalt verabscheut hatten, fast noch Kinder, die sich nichts sehnlichster wünschten, als ihr Leben Eurydis zu widmen.

Lopan, Vascal, Durenn.

Orphaela.

Lana ließ ihren Tränen freien Lauf. Die arme Orphaela, sie war noch so jung und unschuldig gewesen. Der Mörder hatte sein Scheitern tragischerweise erst erkannt, als die junge Novizin, die sich ihm in den Weg geworfen hatte, bereits tot war.

Von mehreren Händen und Armen zu Boden gedrückt, hatte er keinen Ausweg mehr gesehen, als sich die tödliche Waffe selbst ins Herz zu stoßen. Ihre Schüler hatten noch versucht, sie ihm zu entwinden.

Als Lana in ihrer Zelle zu sich gekommen war, hatte Rimon auf ihrer Bettkante gesessen. Sie erinnerte sich nicht einmal daran, ohnmächtig geworden zu sein. Er berichtete ihr das Wenige, was es zu erzählen gab. Tempelwächter hatten die Schaulustigen fortgeschickt und die Schüler nach Hause geleitet. Man würde sie befragen und für eine Weile unter Schutz stellen.

In Ith nahm man es mit dem Gesetz sehr genau.

Es klopfte dreimal. Lana straffte die Schultern und ging zur Tür. Selbstmitleid galt im Eurydis-Kult nicht als Tugend.

Ein alter Mann blickte ihr mitfühlend entgegen. Er war klein und dürr, trug ein schlichtes, abgetragenes Gewand, keine Maske und war barfuß. Emaz Drékin.

»Eure Exzellenz«, begrüßte sie ihn und bat ihn herein.

»Ach, Lana. Das ist nun wirklich nicht der richtige Moment für Umgangsformen«, schalt er sie liebevoll und zog sie in seine mageren Arme.

Schluchzend gab sie sich der Umarmung hin.

Dann traten sie zurück, und Lana schloss die Tür.

»Möchtet Ihr einen Tee?«, fragte sie und rang um Fassung.

»Ein andermal, mein Kind, ein andermal. Erst müssen wir etwas Wichtiges besprechen.«

Lana nickte, setzte sich auf die Bank am Tisch und bedeutete dem Emaz, es ihr gleichzutun. Eigentlich hätte sie sich denken können, dass Drékin nicht nur als Freund hier war, sondern auch in seiner Eigenschaft als Hohepriester des Tempels.

Er seufzte, schien nach den richtigen Worten zu suchen und sprach schließlich. Obwohl er einen freundschaftlichen Ton anschlug, war das Gespräch nichts anderes als ein Verhör. »Lana, wisst Ihr, wer dieser Mann war?«

»Nein. Ich weiß es nicht.« Sie musste sich alle Mühe geben, nicht abermals in Tränen auszubrechen.

»Habt Ihr ihn vorher schon einmal gesehen?«

»Nein, ich glaube nicht. Jedenfalls nicht unter meinen Schülern. Aber er kann natürlich auch eine Maske getragen haben.«

Der Emaz schwieg einen Augenblick. Er zögerte immer noch, gewisse Dinge anzusprechen. »Wisst Ihr, wer die Züu sind?«, wagte er sich schließlich vor.

Lanas Augen weiteten sich vor Entsetzen. Natürlich wusste sie das! Die Züu waren Mörder, die ihre Verbrechen im Namen einer Rachegöttin verübten. Sie gehörten zu einer Art Sekte. In den vergangenen Jahrhunderten hatten die Züu alle Eurydier massakriert, die auf ihrer Insel gelandet waren. Wer könnte das besser wissen als sie, die die

Geschichte Iths studiert hatte? »Ihr glaubt …« Sie beendete den Satz nicht.

»Ja, leider. Die Wächter haben bei der Leiche ein Pergament gefunden, auf dem Euer Name stand. Es ist auf Ramzü verfasst.«

Lana stand das Grauen ins Gesicht geschrieben. Sie hatte geglaubt, von einem Wahnsinnigen angegriffen worden
zu sein. Doch der Mordanschlag war geplant gewesen, und
sie schwebte immer noch in Gefahr.

»Lana, ich habe eine Bitte an Euch, die von immenser
Wichtigkeit ist. Der Tempel kann sich keine Märtyrer, keinen
Kreuzzug, keinen erneuten Krieg gegen die Züu erlauben.
Ihr müsst mir sagen, warum die Züu Euch töten wollen.«

Lana dachte eine Weile nach. Ihr Schweigen schien eine
Ewigkeit zu dauern. »Das weiß ich leider nicht. Wirklich
nicht.«

Der alte Mann wirkte enttäuscht. »Nun gut. Wir können
die Mörder ohnehin nicht von ihrem Vorhaben abbringen.
Aber wenn wir den Grund kennen würden, wüssten wir,
wie wir Euch schützen können.«

»Wie furchtbar! Die Züu werden es also wieder versuchen, immer wieder, bis sie ihr Ziel erreicht haben!«

»Nicht unbedingt, mein Kind, nicht unbedingt. Das ist
das andere, was ich mit Euch besprechen wollte. Der Tempel kann Euch in Sicherheit bringen, doch dafür müsst Ihr
ein großes Opfer bringen. Die Entscheidung liegt ganz bei
Euch.«

Lana machte sich auf das Schlimmste gefasst. »Was meint
Ihr?«

»Außer dem jungen Rimon fragen sich all Eure Schüler,
ob Ihr den Anschlag überlebt habt. Der Tempel hält die
Nachricht bislang geheim.«

Lana erstarrte. »Ihr meint doch nicht etwa …«

»Es wäre für alle das Beste, mein Kind. Seht doch, unglücklicherweise ist die junge Orphaela durch die Hand des Mörders gestorben. Lasst nicht zu, dass ihr Tod vergebens war, indem auch Ihr innerhalb der nächsten Dekade sterbt.«

Lana fragte sich, wie der Emaz so etwas tun konnte: den Tod der jungen Frau missbrauchen, um sie zu überzeugen.

»Die Augenzeugen wissen nicht, wer getötet wurde«, fuhr der Hohepriester fort. »Sie wissen nur, dass sich unter den Opfern eine maskierte Frau befindet. Wenn wir Euren Tod bekanntgeben, können wir die Züu täuschen.«

»Ich habe verstanden, Eure Exzellenz. Ich brauche etwas Zeit zum Nachdenken. Denn Eure kleine List wird mich dazu zwingen, Ith zu verlassen, nicht wahr?«

»Leider, zumindest für eine Weile. Das ist Eure einzige Hoffnung.«

»Meine einzige Hoffnung …« Lana stand auf und starrte aus dem Fenster. Vielleicht zum letzten Mal. »Gut. Wenn es sein muss, gebe ich alles auf. Alles, was mein Leben ausmacht. Möge Eurydis mir Kraft geben.«

»Das sind weise Worte«, sagte der Emaz erleichtert und erhob sich ebenfalls. »Ich hätte es sehr traurig gefunden, Euch zu verlieren. Die Einzelheiten können wir später besprechen. Jetzt werde ich erst einmal alles in die Wege leiten für … unsere Entscheidung.«

Er verabschiedete sich mit einer kurzen Umarmung.

Wieder allein, kämpfte Lana einen Moment lang mit ihrem Gewissen. Sie hatte einen Emaz belogen, und das in voller Absicht. Sie wusste, warum die Züu sie suchten – zumindest hatte sie eine Ahnung.

Wegen ihres Urahnen Maz Achem und dem, was ein Jahrhundert zuvor auf einer kleinen lorelischen Insel geschehen war. Der Insel Ji.

Die Züu zwangen sie zu einer Reise, die sie seit vielen Jahren vorhatte.

Doch davon durfte der Hohepriester nichts erfahren.


Yan kam allmählich wieder zu sich. Er kämpfte gegen den dumpfen Schmerz in der unteren Hälfte seines Schädels, der versuchte, ihn in die Dunkelheit zurückzuziehen. Er lag auf dem Rücken, und als er die Augen aufschlug, sah er durch das Blätterdach den Morgenhimmel.

»Er wacht auf«, sagte eine zittrige Stimme.

Yans Herz schlug schneller. Das war Léti, ganz sicher. Er setzte sich auf, doch die plötzliche Bewegung jagte einen stechenden Schmerz durch seinen Kopf, und er verlor erneut das Bewusstsein.

Nach einer Weile wachte er abermals auf. Die Sonne stand jetzt höher; es musste wohl der Beginn des dritten Dekants sein. Yan stützte sich auf die Ellbogen, und diesmal war er vorsichtiger.

Mit einem erleichterten Seufzer stellte er fest, dass er sich nicht geirrt hatte. Léti saß nicht weit von ihm entfernt, und abgesehen von ihrem verweinten Gesicht und den geröteten Augen schien sie wohlauf zu sein. Auch ihre Tante war da und musterte ihn mit gerunzelter Stirn. Und dann stand dort noch ein schwarz gekleideter Fremder, der ihn unverhohlen feindselig anstarrte.

Obwohl er noch nicht vielen Einwohnern der Unteren Königreiche begegnet war, vermutete Yan, dass der Fremde von dort stammte. Der Mann war recht klein, jedenfalls kleiner als er selbst. Trotzdem war ›einschüchternd‹ das erste Wort, das Yan zu ihm einfiel.

Das zweite war ›gefährlich‹.

Der Fremde war jenseits seines vierzigsten Jahres, zumindest ließen das die sonnengegerbte, zerfurchte Haut, die durchdringenden tiefblauen Augen und das dunkle, von grauen Strähnen durchzogene Haar vermuten. Ein dichter Schnurrbart und eine hässliche Narbe auf der Wange bildeten einen rechten Winkel. Der Mann trug eine Art Rüstung; Lederteile, die an manchen Stellen mit Metallbeschlägen verstärkt waren, bedeckten seinen Körper von Kopf bis Fuß. Die Kluft war alles andere als neu. An Ellbogen und Knien war sie durchgescheuert, und das Leder war rissig und stellenweise zusammengeflickt. Der Mann trug außerdem ein blankes Krummschwert und ein Messer am Gürtel, ohne dass die Waffen ihn zu stören schienen. Er gebraucht sie bestimmt mit ebensolchem Geschick, wie ich mir morgens die Kleider über den Kopf ziehe, dachte Yan. Und dieser *einschüchternde* und *gefährliche* Mann starrte ihn mit böse funkelnden Augen an.

»Hat man dir nicht gesagt, du sollst in deinem Dorf bleiben? Hä? Hat man dir das nicht gesagt?«, herrschte er ihn an. Sein ausgeprägter Akzent war typisch für die Einwohner der Unteren Königreiche.

Yan, der immer noch etwas benommen war, sah Hilfe suchend zu Léti und ihrer Tante. Doch Léti hatte die Hände vors Gesicht geschlagen und schluchzte, und ihre Tante schien eher auf der Seite des Fremden zu stehen. Der Kopf wurde ihm schwer, und er fragte sich, ob er wieder die Besinnung verlor.

»Wer seid Ihr?«, krächzte er. Sein Hals war staubtrocken, und die Worte klangen selbst in seinen Ohren fremd.

»Das ist Grigán«, antwortete Corenn für den Mann. »Er ist … ein Cousin. Ein entfernter Cousin.«

Yan musterte den seltsamen Fremden, der nervös auf und ab ging und sich über den Schnurrbart strich. Dieser Kerl war mit Léti verwandt?

»Ohne ihn wären wir längst tot«, sagte Corenn in versöhnlicherem Ton. »Er hat uns gestern das Leben gerettet. Er wird dir nichts tun«, schloss sie mit fester Stimme und sah dabei den Krieger an.

»Das werden wir noch sehen«, knurrte dieser. »Bist du allein unterwegs? Weiß jemand, wo du hinwolltest? Ist dir jemand gefolgt?«

Sein schmerzvernebeltes Hirn brauchte eine Weile, bis es alle Fragen verstanden hatte und antworten konnte, und Yans Zögern schien Grigán noch wütender zu machen.

»Nein. Ich bin allein. Mir ist niemand gefolgt. Ich bin quer durch das Buschland gegangen. Was ist denn passiert?«

Der Schwarzgekleidete starrte ihm eine Weile in die Augen. »Bist du sicher?«

»Wenn er es sagt, dann stimmt es auch. Yan lügt nicht, und er hätte auch keinen Grund dazu.«

Yan warf Corenn einen dankbaren Blick zu, doch der Schwarzgekleidete ließ nicht locker.

»Wie hast du uns gefunden?«

»Ich habe die Hufspuren gesehen, die vom Weg wegführten. Es war so nebelig, dass ich nur auf meine Füße gestarrt habe.«

»Ich glaube, das reicht, Grigán.«

»Gut. Wir haben ohnehin keine Zeit zu verlieren. Wir müssen so schnell wie möglich aufbrechen. Das heißt jetzt.«

Er machte Anstalten, zu den Pferden zu gehen.

»Und was ist mit mir?«

Yan gefiel nicht, welche Bedeutung in den letzten Worten des Kriegers mitschwang.

»Du? Du ruhst dich noch etwas aus, wenn du willst. Dann kehrst du in dein Dorf zurück. Und verlierst kein Sterbenswörtchen über uns. Verstanden?«

Es klang nicht wie eine Frage.

Yan sah zu Léti hinüber, die lautlos weinte. Der Tag der Versprechen war nicht mehr fern. Der Fremde hatte ihr das Leben gerettet? Warum war sie überhaupt in Gefahr?

»Nein, ich bleibe. Ich komme mit Euch«, entgegnete er mit einer Stimme, die für seinen Geschmack etwas zu dünn klang.

Grigán stieß einen unwilligen Seufzer aus und wandte sich ab. Vermutlich würde er sich nicht mit einem störrischen Jungen herumärgern, wenn die beiden Frauen nicht dabei wären, sondern ganz andere Saiten aufziehen.

»Yan, ich kenne dich«, versuchte es Corenn. »Vielleicht besser, als du denkst. Ich habe dich aufwachsen sehen, zusammen mit Léti. Ich weiß, dass du das hier für sie tust.«

Er erwiderte nichts, ließ Léti aber nicht aus den Augen. Sie zeigte keine Regung, schluchzte höchstens etwas lauter. Léti schien sich ganz in ihr Schneckenhaus verkrochen zu haben. Yan hatte sie erst einmal so erlebt, und zwar nach Norines Tod.

»Wenn du mit uns kommst, bringst du sie erst recht in Gefahr«, sagte Corenn sanft. »Und mich und Grigán und noch eine ganze Menge anderer Leute, die du nicht kennst. Wir wissen nicht, ob sie noch leben, und ihr Überleben hängt zu einem Teil von unserem ab. Und auch dein eigenes Leben steht auf dem Spiel. Ist dir klar, dass Grigán dich heute Nacht hätte töten können? Stell dir das nur vor. Findest du nicht, dass Léti schon genug durchgemacht hat?«

Ihre Argumente waren stichhaltig, doch das wollte sich Yan nicht eingestehen. Corenn war eine geschickte Diplomatin und bemühte sich, ihn umzustimmen, wie er selbst es mit einem widerspenstigen Kind getan hätte. Der Kopfschmerz kehrte mit voller Wucht zurück und hinderte ihn am Denken. Er verrannte sich in diesen einen Satz: *Ich muss bei Léti bleiben. Ich muss bei Léti bleiben.*

»Es geht nicht anders. Ich komme mit Euch. Tut mir leid«, fügte er unsicher hinzu.

Corenn verzog enttäuscht das Gesicht und suchte nach weiteren Argumenten. Trotz seiner Entschlossenheit war Yan klar, dass die anderen ihn früher oder später überzeugen würden, mit Vernunft oder Gewalt. Also musste auch er versuchen, Argumente zu finden, statt sich ihnen aufzudrängen. »Die Männer, die Euch suchen, kennen mich nicht. Sie wissen nicht einmal, dass ich bei Euch bin. Ich könnte Euch eine Hilfe sein.«

Nach diesen Worten trat Schweigen ein. Dann stieß sich Grigán von dem Baum ab, an dem er gelehnt hatte, und kam mit großen Schritten näher. Yan wollte schon die Arme hochreißen, um sein Gesicht zu schützen, doch dann fiel ihm ein, dass das sicher nicht klug war, wenn er die anderen begleiten wollte.

Der Krieger ging vor ihm in die Hocke, starrte ihm unverwandt in die Augen und deutete mit dem Finger auf sein Gesicht. »Einverstanden, du kommst mit. Aber mach eine falsche Bewegung oder widersetz dich mir ein einziges Mal, und ich versohle dir den Hintern. Ich hoffe, du gehst dabei nicht drauf.«

Yan fragte sich, ob sich der letzte Satz auf die Gefahren

der Reise bezog oder auf die angedrohte Tracht Prügel. Was kümmerte es ihn: Er würde bei Léti bleiben.

Er nickte und bemühte sich, so viel Aufrichtigkeit wie möglich in die Geste zu legen. Grigán wandte endlich den Blick ab, um einige Worte mit Corenn zu wechseln.

Léti hatte sich immer noch nicht gerührt. Sie vergrub das Gesicht in den Händen und schluchzte vor sich hin. Beim letzten Mal hatte es mehr als eine Dekade gedauert, bis es ihr besser ging.

Plötzlich fiel ihm auf, dass er noch kein einziges Wort mit ihr gewechselt hatte. Er rappelte sich hoch, taumelte zu ihr hin und setzte sich neben sie, wobei er fast umgefallen wäre. Sie erwachte kurz aus ihrer Erstarrung, schlang ihm die Arme um den Hals und weinte an seiner Schulter. Er zog sie an sich. Wenigstens etwas …

»Du reitest mit Léti«, sagte Grigán. »Sobald es geht, kaufen wir dir ein Pferd.«

»Gut.« Yan hatte erst zwei Mal in seinem Leben auf einem Pferd gesessen, doch das erwähnte er lieber nicht. Er wollte den anderen nicht jetzt schon zur Last fallen.

»Wir brechen gleich auf. Bis morgen Abend müssen wir Benelia hinter uns gelassen haben.«

Léti stand auf und sammelte ihre Sachen zusammen, und Corenn tat es ihr gleich. Yan missfiel es, dass eine der höchsten Würdenträgerinnen Kauls und Mitglied des Ständigen Rats diesem unheimlichen Fremden widerspruchslos gehorchte. Seiner Ansicht nach hätte *sie* ihre Anführerin sein müssen. Vielleicht war sie aber auch einverstanden mit Grigáns Entscheidung oder zu erschöpft, um die Führung zu übernehmen.

Yan stand ebenfalls auf und entdeckte sein Bündel, seine Harpune und das Fischermesser am Fuß eines Baums.

Er erinnerte sich, dass er das Gepäck unter einem Busch versteckt hatte, bevor er zum Feuer gekrochen war. Grigán musste ihm die ganze Zeit gefolgt sein. Als Spitzel war er wirklich eine Niete!

Yan ging zu den Pferden und wartete geduldig, dass man ihm sagte, was er tun solle. Der Schwarzgekleidete zurrte das Gepäck fest. Er nahm Yan sein Bündel ab und zog die zwei Fuß lange Harpune heraus. »Wenn du mitkommst, bleibt das Ding hier. Es ist unhandlich, nutzlos und könnte uns verraten.«

Yan nahm die Harpune und legte sie gehorsam unter einen Dornenbusch. Grigán machte ein zufriedenes Gesicht. An seinem Sattel hingen zwei Bögen. Er löste einen und reichte ihn Yan.

»Weißt du, wie man damit umgeht?«

»Ja«, log Yan.

Er hatte noch nie im Leben einen Bogen in der Hand gehabt. Aber wenn es den Krieger beruhigte … Außerdem würde er Léti mit dieser Waffe beschützen können.

»Gut. Hier sind die Pfeile. Schieß nur, wenn ich es sage. Geh nicht zu nah ran. Halte immer Abstand zu deinem Ziel. Verstanden?«

»Ja.«

Mit dem Köcher in der einen und dem Bogen in der anderen Hand bemühte sich Yan um ein selbstbewusstes Gesicht. Verflixt, das Zeug war schwerer, als er gedacht hatte. Er bezweifelte, dass er damit umgehen könnte.

»Hast du schon mal jemanden getötet?«

»Nein.«

*Bei Eurydis, nein, noch nie!* Was dachte sich dieser Kerl bloß? Glaubte er etwa, er verbringe seine Zeit damit, Leute mit der Harpune aufzuspießen? Bei so etwas konnte Yan nicht lügen. Er war bislang noch nicht einmal in einen Kampf verwickelt gewesen.

»Gut.«

Für Grigán schien das Gespräch damit beendet. Er drehte sich um und zurrte das letzte Gepäckstück fest.

»Ich will auch eine Waffe haben.«

Mit hängenden Armen stand Léti vor ihnen. Sie weinte nicht mehr, doch mit ihrem geröteten Gesicht und den geschwollenen Augen sah sie aus, als wäre sie nicht ganz bei Sinnen.

Grigán wandte ihr den Rücken zu. Er schien nicht die Absicht zu haben, ihr den Wunsch zu erfüllen. »Frauen kämpfen nicht«, sagte er barsch.

Léti rührte sich nicht und starrte ungläubig auf seinen Rücken. Yan sah, dass sie kurz davor war, wieder in Tränen auszubrechen. Schnell streckte er ihr sein Fischermesser hin.

»Hier. Nur für den Notfall. Aber halte dich raus, falls es zu einem Kampf kommt.«

Der Schwarzgekleidete musterte sie beide einen Moment lang stirnrunzelnd. Léti nahm das Messer und ging davon, bevor er sie daran hindern konnte. Yan fragte sich, ob er seiner Laufbahn als edler Ritter gerade ein jähes Ende bereitet hatte. Doch der Krieger wandte sich nur ab, nickte kurz und packte die Pferde am Zügel.

Corenn scheuchte die beiden jungen Kaulaner hinter Grigán her, vergewisserte sich mit einem letzten Blick, dass sie nichts vergessen hatten, und folgte den anderen.

Sie hatte das Gefühl, dass es der Beginn einer sehr langen Reise war.

Ein vorwitziges Margolin schlich sich an seinen Vorratsbeutel heran. Bowbaq tat so, als schliefe er, ließ es derweil aber nicht aus den Augen.

Erst als sich der kleine Vielfraß auf den Beutel stürzte und seine scharfen Zähnchen und Krallen in den Stoff schlug, griff er ein.

›He! Was würdest du sagen, wenn ich deine Höhle überfiele?‹

Das Nagetier erstarrte und nahm dann schneller Reißaus als vor einer Meute Wölfe. Wahrscheinlich hatte es nicht viel verstanden, doch allein die Tatsache, dass jemand in seine Gedanken eingedrungen war, hatte ihm einen gehörigen Schreck eingejagt.

Anfangs war das immer so. Bowbaq konnte sich noch gut daran erinnern, wie heftig sich Mir beim ersten Mal gewehrt hatte. Zum Glück war er so schlau gewesen, den Löwen vorher anzubinden.

Bei Wos war es anders gewesen. Bowbaq war noch vor der Geburt des Ponys in seine Gedanken eingedrungen, und so war es viel leichter gewesen, eine Verbindung herzustellen.

Der arme Wos. Er hatte ihn in der Nähe von Cyr-la-Haute zurücklassen müssen. Das Riesenpony, das in den Eiswüsten Zentralarkariens zu Hause war, litt schon entsetzlich unter dem milden Klima Nordloreliens. Bis nach Berce hätte Wos niemals durchgehalten.

Bowbaq hatte ihn nach Arkarien zurückgeschickt und ihm erklärt, dass er bald nachkommen würde. Das war nicht einfach gewesen, da das Tier keine Vorstellung davon hatte, was Zukunft war. Bowbaq hatte ihn austricksen müssen, indem er sagte: ›Wenn Wos dorthin geht, sieht er Bowbaq.‹ Dem Pony, das ein ganz eigenes Zeitgefühl hatte, war es gleich, ob er sofort kam oder vielleicht erst einen Mond später.

Kurz hinter der lorelischen Grenze war der Erjak also zu Fuß weitergegangen. Der Marsch machte ihm nichts aus. Er war es gewohnt, weite Strecken zu laufen, da er wegen seiner Größe und seines Gewichts kein normales Pferd reiten konnte. Außerdem fürchtete er, auf einem derart kleinen Tier eine lächerliche Figur abzugeben.

Der Tag der Eule war nun nicht mehr fern. Bowbaq hatte ausgerechnet, dass er nach der achten Nacht anbrechen würde. Beim Großen Bären, hoffentlich hatte er sich nicht verrechnet! Er brauchte bestimmt noch sechs Tage bis zu seinem Ziel, und bei dem Gedanken, zu spät zu kommen, drehte sich ihm der Magen um. Deshalb legte er hin und wieder ein Wegstück mit Siebenmeilenschritten zurück und wurde erst langsamer, wenn ihm jemand entgegenkam.

Obwohl er schmale Wege und versteckte Pfade nahm und eher den Spuren von Tieren als von Menschen folgte, begegnete Bowbaq für seinen Geschmack viel zu vielen Leuten. Ihm war klar, dass er in den Oberen Königreichen damit rechnen musste, mehr Menschen zu treffen als in Arkarien, wo sein nächster Nachbar sechs Meilen entfernt lebte. Doch er mied die belebten Strecken nicht nur aus Vorsicht. Bowbaq hasste Menschenansammlungen. An einem Tag mehr als fünf Fremden zu begegnen, empfand er als Zumutung. Deshalb hatte er auch nie gern an den Zusammenkünften der Erben von Ji teilgenommen.

Am Tag zuvor war er an Lermian vorbeigekommen und hatte natürlich einen großen Bogen um den Ort geschlagen. Trotzdem hatten ihn allein die Nähe einer der größten Handelsstädte Loreliens und die schiere Anzahl der Reisenden, die auf den Straßen unterwegs waren, aus der Bahn geworfen. Quälende Zweifel plagten ihn, und er fragte sich, was er hier eigentlich tat, fern von Ispen und den Kindern. Warum setzte er sein Leben aufs Spiel?

Glücklicherweise war dieses Gefühl ebenso schnell verflogen, wie es aufgetaucht war, und sein Pflichtbewusstsein hatte die Oberhand gewonnen. Er musste die anderen Erben treffen und sie warnen. Sie waren seine einzigen Freunde.

Er sammelte seine Sachen ein, lud das Gepäck auf den Rücken und machte sich im Laufschritt auf den Weg.

Da er erst zweimal im Leben geritten war, hatte Yan Mühe, sich auf dem Rücken des Pferdes zu halten. Léti, die hinter ihm saß, und das Gepäck und der Bogen an seiner Seite machten es nicht gerade leichter, das Gleichgewicht zu halten. Corenn bemerkte seine Not und gab ihm ein paar Ratschläge, während Grigán sein Pferd unruhig auf der Stelle tänzeln ließ. Er, der praktisch auf dem Pferderücken *lebte*, verstand nicht, wie man sich so ungeschickt anstellen konnte.

In eintönigem Trab ging es weiter. Immer, wenn der Weg über eine Anhöhe führte, ritt Grigán voraus und suchte den Horizont ab. Irgendwann lehnte Léti die Wange an den Rücken ihres Freundes und fiel in einen unruhigen Schlaf. In Yan stieg Stolz auf. Er kam sich vor wie ein edler Ritter, der mit seiner angebeteten Prinzessin durch ein fremdes Land ritt, obwohl er wusste, dass das Gefühl unverdient und kindisch war.

Das hier war kein Spazierritt, und überall lauerten Gefahren.

Mit gesenkter Stimme fragte er Corenn: »Ihr sagtet vorhin, Grigán habe euch das Leben gerettet. Was ist passiert?«

Corenn seufzte und überlegte einen Moment, bevor sie antwortete. »Ein paar Männer verfolgen uns, um uns zu töten. Sie gehören keiner Räuberbande an, sondern einer straff organisierten Gruppe. Sie werden die Züu genannt. Hast du schon mal von ihnen gehört?«

»Nein.«

»Es handelt sich um eine religiöse Sekte, die sich die Hand der Zuïa nennt. Sagt dir Zuïa etwas?«

Yan erinnerte sich vage, den Namen in irgendeinem Buch gelesen zu haben, aber er hatte bislang nicht gewusst, wie man ihn aussprach. »Ist das nicht eine Insel im Feuermeer?«

»Genau. Und es ist der Name der Hauptgöttin dieser Insel. Zuïa ist eine Rachegöttin, vor deren Thron das Opfer angeblich erscheint, nachdem die Boten ihr Urteil vollstreckt haben.«

Corenn verstummte, und ihr Blick trübte sich. Ihre Worte schienen schmerzliche Erinnerungen zu wecken. Yan hatte nicht vor, weiter in sie zu dringen, doch sie nahm sich zusammen und sprach weiter.

»Im Grunde sind die Boten nichts anderes als Auftragsmörder, die jeder dingen kann, der dem Tempel eine Opfergabe macht. Die Züu erklären ihre Taten mit der Vorhersehung und dem göttlichen Willen. Wenn jemand für den Tod eines anderen bezahlt, hat Zuïa das Opfer durch die Hand des Auftraggebers verdammt. Ich bin überzeugt, sie glauben diesen Unsinn tatsächlich.«

Eine Weile hing Yan seinen Gedanken nach. »Aber warum würde jemand Léti töten wollen? Und Euch?«

»Den wahren Grund kennen wir nicht. Aber offenbar beabsichtigt irgendjemand, alle Erben zu töten.«

Yan schwieg.

»Du weißt, wer die Erben sind, oder? Léti hat dir doch sicher davon erzählt?«

»Ehrlich gesagt hütet sie dieses Geheimnis wie einen Schatz. Wir sprechen fast nie darüber. Ich weiß, dass es irgendwas mit ihren Vorfahren zu tun hat, mehr aber auch nicht.«

»Ich glaube, angesichts der Umstände ist es besser, wenn du alles erfährst.«

Und so erzählte Corenn ihm von Nol und den Weisen, von deren Nachkommen, von den Zusammenkünften am Tag der Eule und dem geheimnisvollen Abenteuer, das längst in Vergessenheit geraten war. Es tat ihr gut, sich alles von der Seele zu reden. Sie sprach nur selten mit Außenstehenden darüber.

Die Geschichte beeindruckte Yan, und er verstand nun besser, warum sich Léti der Tradition so verbunden fühlte. Er fühlte sich ihr näher, zugleich aber auch ferner. Schließlich war *er* kein Erbe.

Corenn endete mit der Nachricht vom Tod ihrer Freunde, ihrem überstürzten Aufbruch nach Eza und ihrer Reise bis zur Begegnung mit den Züu und Grigán. »Grigán ist ein Nachfahre Rafa Derkels. Die drei Züu, die uns angegriffen haben, suchten zuvor in Benelia nach ihm, um ihn zu töten. Doch sie konnten ihn nicht finden. Dann hat er den Spieß einfach umgedreht und ist ihnen zu ihren nächsten Opfern gefolgt.« Sie machte eine Pause. »Wie gesagt, ohne ihn wären wir längst tot.«

Damit schien das Gespräch für sie beendet. Yan ritt eine Weile schweigend neben ihr her. Dann trieb er sein Pferd an, bis es zu dem Krieger aufschloss. »Corenn hat mir erzählt, was geschehen ist. Wie seid Ihr den Züu in Benelia entkommen?«

Grigán musterte ihn mit einem seltsamen Blick, der Yan in Verlegenheit brachte. »Misstraust du mir etwa?«

»Natürlich nicht!«, rief er. »Ich bin nur neugierig!«

Der Krieger schien abzuwägen, ob er Yan glauben sollte.

»Die Züu sind nicht die Einzigen, die hinter mir her sind. Wenn ich nicht ständig auf der Hut wäre, wäre ich längst tot.« Mit diesen Worten trieb er sein Pferd zum Galopp an und erklomm den nächsten Hügel.

Er war wirklich ein komischer Kauz, und dennoch hatten sie Glück, dass er bei ihnen war.

Corenn lenkte ihr Pferd neben ihn und lächelte. »Hüte deine Zunge. Wenn du es dir mit ihm verscherzt, *versohlt er dir den Hintern*«, sagte sie schmunzelnd und ahmte Grigáns Akzent nach.

Yan erwiderte ihr Lächeln. Zum Glück waren seine Gefährten nicht alle so schweigsam wie der Krieger. Sonst wäre ihm die Zeit ganz schön lang geworden.

Plötzlich fiel ihm ein, dass er nicht wusste, wohin sie überhaupt unterwegs waren. »Sind wir auf der Flucht, oder haben wir ein bestimmtes Ziel?«

»Nein, wir sind nicht auf der Flucht. Wenn wir fliehen wollten, hätten wir die andere Richtung eingeschlagen«, sagte Corenn und zeigte nach Westen. »Wir müssen versuchen, andere Erben zu finden. Vielleicht weiß einer von ihnen etwas. Dann sehen wir weiter.«

»Und wie wollt Ihr das anstellen?« Dann dämmerte es ihm, und er gab sich die Antwort selbst. »In Berce, natürlich. Der Ort, an dem Eure Zusammenkünfte stattfinden.

Alle Erben, die den Züu entkommen, werden dorthin reisen, oder?«

Corenn nickte.

Yan fuhr fort: »Ich nehme an, dass Ihr das bedacht habt, aber … Wenn die Mörder tatsächlich so gerissen sind, wie Ihr sagt, werden sie zu dem gleichen Schluss kommen und Euch dort erwarten.«

»Das stimmt. Leider haben wir keine andere Wahl. In Berce sehen wir dann weiter.«

Yans Mut sank. Für seinen Geschmack würden sie in der nächsten Zeit etwas zu oft weitersehen. Er hatte nichts gegen Abenteuer, aber der Gedanke, geradewegs ins offene Messer zu laufen, begeisterte ihn nicht gerade. »Glaubt Ihr, wir treffen in Berce viele Erben?«

»Ich hoffe es. Ich wage gar nicht daran zu denken, dass vielleicht nur noch wir drei übrig sind. Aber wenn ich mir meine Liste ansehe …«

Sie beendete den Satz nicht, und beide schwiegen eine Weile.

»Wie viele Erben gibt es denn? Ich meine, wie viele gab es, bevor die Morde anfingen?«

»Das weiß ich nicht so genau. Siebzig oder achtzig, und in den letzten drei Jahren hat es gewiss noch einige Geburten gegeben. Außerdem kommen längst nicht alle Erben zu den Zusammenkünften. Die Hälfte kenne ich nur dem Namen nach. Manche wissen vermutlich noch nicht einmal, dass sie Erben sind. Xan hatte vor, in diesem Jahr alle zu versammeln. Das ist schon lange nicht mehr geschehen.«

Yan rechnete rasch nach. »Das sind aber nicht viele. Wenn man von zwei Kindern in jeder Generation ausgeht, und das seit über einem Jahrhundert, müsste es längst über hundert Erben geben.«

»Das stimmt. Vielleicht ist es besser so, angesichts der Umstände ...«

»Und wie viele sind tot?«

»Meiner Liste zufolge einunddreißig.« Corenn schluckte schwer und wandte den Blick ab. »Aber sie ist bestimmt nicht vollständig.«

Yan hörte auf, sie mit Fragen zu löchern. Obwohl sie sich zusammenriss, standen der Mutter Tränen in den Augen.

Es dauerte einen Augenblick, bis ihm die Bedeutung ihrer Worte bewusst wurde.


Gegen Mit-Tag machten sie auf einem Hügel Rast, von dem aus sie den Weg in beide Richtungen überblicken konnten. Grigán bezog im Schutz einiger Bäume Posten und suchte unruhig den Horizont ab. Létis Gesicht hatte wieder etwas Farbe bekommen – eine Weile zu schlafen, und sei es auf dem Rücken eines Pferds, hatte ihr gutgetan. Die Gefährten wechselten kaum ein Wort und brachen rasch wieder auf. Grigáns Unruhe hatte die anderen angesteckt.

Diesmal saß Léti hinter Corenn. So fiel es Yan zwar leichter, das Gleichgewicht zu halten, aber er vermisste das Gefühl von Létis Körper an seinem Rücken. Doch sie mussten sich abwechseln, um die Pferde zu schonen.

Der restliche Tag verspricht eintönig zu werden, dachte Yan, nachdem sie ein paar Meilen zurückgelegt hatten, ohne dass etwas passierte. Da seine Gefährten schwiegen und ihren Gedanken nachhingen, beschloss er, das Beste daraus zu machen und sich die Landschaft anzusehen. Doch schon bald war er der ewigen Büsche und Bäume überdrüssig, die er aus der Umgebung von Eza kannte und die ihm zudem die Sicht versperrten. Deshalb war er fast dankbar über die Abwechselung, als Grigán von einem seiner Erkundungsritte zurückkam und besorgt sagte: »Ein Reiter kommt auf uns zugaloppiert. Er trägt ein Priestergewand.«

»Ein rotes Priestergewand?«, fragte Léti scharf.

»Nein, aber das muss nichts heißen.«

»Glaubt Ihr, es ist ein Zü?«

»Nein, das glaube ich nicht. Sie treten fast nie allein auf – aber ich würde nicht mein Leben darauf verwetten.«

»Seid Ihr wirklich sicher, dass die drei, die Euch gestern angegriffen haben, tot sind?«, mischte sich Yan ein.

»So tot wie die Könige von Lermian«, antwortete Grigán mit finsterer Miene. »Ich greife zwar nie als Erster an, sorge aber immer dafür, dass meine Feinde im Kampf den Tod finden. Das ist eine der wichtigsten Regeln, wenn man überleben will.«

Yan stellte sich vor, wie Grigán einem um Gnade flehenden Verletzten kaltblütig die Kehle durchschnitt. Entsetzt blinzelte er das Bild weg. Gewiss hatte der Krieger nur sagen wollen, dass er nicht davor zurückschreckte zu töten, um sein eigenes Leben zu retten.

»Was schlagt Ihr vor?«, fragte Corenn.

»Wir verstecken uns. Wir sollten Kämpfe vermeiden, wann immer es geht.«

»Sollen wir uns etwa jedes Mal verstecken, wenn wir jemandem begegnen?«

Drei überraschte Blicke richteten sich auf Léti. In ihrer Stimme lag Wut.

»Nein, natürlich nicht«, antwortete ihre Tante beschwichtigend. »Aber im Moment ist es das Beste. Wir dürfen uns nicht in Gefahr begeben. Unser Leben steht auf dem Spiel. Verstehst du das?«

»Das ist doch nur ein Reiter, der es eilig hat«, sagte Léti mürrisch. »Und selbst wenn es ein Zü sein sollte, ist er allein. Grigán wird schon mit ihm fertig.«

»Ist dir eigentlich klar, was du da sagst?«

Léti antwortete nicht. Vielleicht war sie tatsächlich etwas zu weit gegangen. Grigán schüttelte ungläubig den Kopf und führte seine Gefährten abseits vom Weg hinter ein Wäldchen, wo sie absaßen.

Corenn versuchte, ihre Nichte zur Vernunft zu bringen. »Dieser Weg ist der kürzeste von Kaul nach Lorelien, im Grunde sogar der einzige. Die Züu werden ihn überwachen, weil sie sich denken können, dass wir nach Berce wollen. Begreifst du?«

»Ja, ja«, maulte Léti. Sie klang keineswegs überzeugt.

»Wir werden uns nicht jedes Mal verstecken. Wir tun es diesmal, weil es sein kann, dass der Reiter einer der Mörder ist, die uns verfolgen. Hinter Benelia wird es einfacher. Sie können nicht alle Straßen Loreliens überwachen, dazu bräuchten sie Hunderte von Männern.«

»Dame Corenn, Ihr habt unsere Lage treffend beschrieben. Aber von Euch hätte ich auch nichts anderes erwartet.«

»Habt Dank, Meister Grigán.«

Yan hatte sich wohlweislich aus dem Gespräch herausgehalten, denn er wollte sich auf keinen Fall auf eine Seite schlagen müssen. In einen Streit hineingezogen zu werden, war das Letzte, was er gebrauchen konnte. Er ahnte jedoch, dass entweder Corenn oder Léti ihn nur allzu bald um seine Meinung bitten würde.

Grigán befreite ihn aus der Zwickmühle. »Nimm deinen Bogen und komm mit. Léti, würdest du bitte dein Pferd ruhig halten, wenn du mit dem Gezeter fertig bist?«

»Wo geht Ihr hin? Ich komme mit.«

Der Krieger antwortete nicht und stapfte davon. Yan warf seiner Freundin einen bedauernden Blick zu und folgte Grigán.

Noch nie war Léti so gedemütigt worden. Sie war so zornig, dass sie mit bloßen Händen einen Baum hätte ausreißen können. Sie trat zu dem widerspenstigen Pferd und zwang es allein mit den Augen zur Ruhe. Das Tier war so klug, sich zu fügen.

Léti lief eine Weile unruhig auf und ab, bis sie es nicht länger aushielt und mit ihrer Wut herausplatzte. »Tante Corenn! Ich schätze Grigán sehr, und ich bin froh, dass er bei uns ist. Ich weiß, dass wir ihm unser Leben verdanken. Aber hat er deshalb das Recht, uns wie Kinder zu behandeln, als wären wir eine nutzlose Last?« Sie hielt kurz inne. »Wie kannst du das als Frau und Mutter des Ständigen Rats nur hinnehmen?«

Sie bedauerte die letzten Worte, noch bevor sie sie zu Ende gesprochen hatte. Doch es war zu spät. Corenn, die geborene Diplomatin, die für ihren Gleichmut bekannt war und so vieles verzieh, sah ihr streng in die Augen.

»Léti, hat dich schon mal jemand verfolgt?«

»Nein«, antwortete das Mädchen verlegen.

»Hast du schon einmal die Verantwortung für das Leben mehrerer Menschen getragen?«

»Nein, natürlich nicht.«

»Weißt du, was es heißt, im Untergrund zu leben? Kennst du dich mit Gefahren aus? Weißt du auch nur, wie man kämpft?«

»Nein, ich weiß nicht, wie man kämpft. Ich habe noch nie jemanden getötet, und ich habe auch noch nie eine rohe Qualle gegessen!«

»Grigán hat all dies und noch mehr Schrecken erlebt. Er will nur unser Bestes, und wir müssen ihm vertrauen.«

»Dazu bin ich ja bereit! Aber warum bittet er Yan, ihm zu helfen, und mich nicht?«

»Das hat nichts mit dir zu tun. Daran sind seine Erziehung und seine Überzeugungen schuld. In seinen Augen – und in denen aller Bewohner der Unteren Königreiche – sollten Frauen nicht kämpfen. An deiner Stelle würde ich erst gar nicht versuchen, ihn vom Gegenteil zu überzeugen.«

»Aber das ist doch dumm! In der Armee des Matriarchats kämpfen Frauen Seite an Seite mit Männern, und zwar genauso gut!«

»Glaubst du? Stimmt, wir haben ein paar Hauptfrauen und zahlreiche Kriegerinnen. Aber sind sie wirklich ebenso geschickt im Kampf wie die Männer?«

Léti war vollkommen entgeistert. Ihre ganze Erziehung beruhte auf der Gleichheit der Geschlechter, wenn nicht sogar auf einer gewissen Überlegenheit der Frauen. Und nun behauptete die Hüterin der Tradition höchstselbst das Gegenteil. »Im Grunde teilst du seine Ansicht«, sagte sie ungläubig.

»Vielleicht. Ich kenne Grigán schon sehr lange und begebe mich gern in seine Obhut.«

Doch Léti war noch nicht fertig. »Ich finde, dass er unrecht hat. Eine Frau ist nicht weniger dazu fähig, stumpfsinnig Schwerthiebe zu verteilen, als ein Mann.«

Corenn ließ die Sache auf sich beruhen. Der Verlauf, den das Gespräch nahm, gefiel ihr ganz und gar nicht. Sie wollte nicht, dass ihre einzige verbliebene Verwandte es sich in den Kopf setzte, gegen die Züu in den Kampf zu ziehen.

Yan und Grigán versteckten sich am Waldrand, von wo aus sie den Weg gut überblicken konnten. Der Reiter war nun fast auf ihrer Höhe.

Er war mittleren Alters und trug ein schlichtes Priestergewand. Außer seiner Hast war nichts an ihm besonders verdächtig. Yan war überzeugt, dass er nicht ihretwegen hier war.

»Nimm einen Pfeil und halte dich bereit.«

Grigán hatte das Krummschwert in den Boden gerammt und spannte mit aller Kraft seinen Bogen, der noch größer war als Yans. Er hätte am liebsten gewartet und dem Krieger auf die Finger geschaut, doch damit hätte er sich sofort verraten. Er zog einen Pfeil aus dem Köcher, legte sich auf den Bauch und versuchte, die Sehne zu spannen.

»Nicht im Liegen! Was zum Teufel tust du da?«

Hastig rappelte sich Yan hoch, bemüht, ein unbekümmertes Gesicht zu machen. Grigán durfte auf keinen Fall merken, dass er noch nie einen Bogen in der Hand gehabt hatte.

Verstohlen beobachtete er seinen Gefährten und ahmte dessen Bewegungen nach. Den Pfeil zwischen zwei Finger nehmen, den Arm strecken … Bei Grigán sah es kinderleicht aus.

»Du schießt nur, wenn ich schieße. Dann legst du einen neuen Pfeil ein und wartest auf meinen Befehl.«

Grigán zielte auf den Reiter und folgte ihm mit der Pfeilspitze über mindestens hundertzwanzig Schritte, bis der Mann hinter einer Wegbiegung verschwunden war. Erst als das Hufgeklapper verklungen war, entspannte er sich. Auch Yan ließ den Bogen sinken.

»Dort drüben! Schieß!« Der Schrei des Kriegers gellte ihm in den Ohren.

Yan wirbelte herum, spannte den Bogen, suchte das Ziel, meinte, etwas zu sehen, und ließ den Pfeil los. Die Sehne schürfte ihm den Unterarm auf, und der Pfeil fiel in einem jämmerlich kurzen Bogen zu Boden. Fieberhaft suchte Yan die Büsche ab, doch er sah nichts.

Den Schlag gegen den Kopf, den Grigán ihm verpasste, spürte er dafür umso deutlicher.

»Du hast noch nie einen Bogen in der Hand gehabt! Wag es nicht noch einmal, mich anzulügen!«

Wut und Scham wallten in Yan auf. Sein Gesicht wurde rot wie eine Lubilie, und er schämte sich noch mehr für seine Durchschaubarkeit. »Seid Ihr verrückt? Ihr habt mich zu Tode erschreckt! Es hätte sonst was passieren können. Ich hätte jemanden töten können!«

»Wenn man mit seiner Waffe umgehen kann, passiert so etwas nicht«, entgegnete der Krieger ungerührt. »Du hättest mich nicht anlügen dürfen.«

Angesichts des ruhigen Tons und der vernünftigen Argumente Grigáns verflog Yans Wut so schnell, wie sie gekommen war, nicht aber seine Scham. Er fühlte sich wie ein Kind, das man bei einem dummen Streich ertappt hatte.

»Ich muss einfach wissen, woran ich bin. Wenn es tatsächlich zu einem Kampf gekommen wäre, hättest du dich selbst, mich und damit auch die anderen in Gefahr gebracht.«

»Ihr habt recht. Ich hätte Euch nicht belügen dürfen.«

»Gut. Für mich ist die Sache damit geklärt. Und jetzt lass uns sehen, was wir für dich tun können.«

Er hob den Pfeil auf, erklärte, wie man den Bogen hielt, und demonstrierte es. Yan hörte aufmerksam zu, und als Grigán es ihm befahl, gab er einen Schuss ab.

Der Pfeil flog ein ganzes Stück geradeaus, und die Sehne schrammte ihm nicht mehr den Arm auf.

»Für den Anfang gar nicht so übel. Jetzt musst du nur noch zielen lernen, aber dabei kann ich dir nicht helfen.«

»Ich werde üben, bis Ihr Euch nicht mehr traut, gegen mich anzutreten«, scherzte Yan, um seinen guten Willen zu zeigen.

Sie machten sich auf den Rückweg. Yan kam sich immer noch klein und dumm vor, hatte aber etwas Vertrauen zu Grigán gefasst. Offensichtlich wollte der wortkarge Krieger sie tatsächlich nur beschützen.

Léti kam ihnen entgegengerannt: »Wo wart ihr so lange? Was ist passiert?«

»Nichts. Es ist alles in Ordnung.« Grigán war nicht danach, sich mit langen Erklärungen aufzuhalten.

»Grigán hat mir beigebracht, wie man mit dem Bogen schießt. Es ist schwieriger, als ich dachte, aber wenn man den Dreh erst einmal raus hat, klappt es ganz gut.«

»Wie schön für dich. Ich wünsche dir viel Spaß mit deinem Männerspielzeug.«

Mit diesen Worten ließ sie ihn stehen.

Yan war wie vor den Kopf geschlagen. Er hatte sich schon oft mit Léti gestritten, aber bislang hatte er immer gewusst, warum. Was war bloß los mit ihr?

Vielleicht war sie wütend, weil er sich für eine Waffe interessierte, für etwas, mit dem man andere Menschen töten konnte. Ja, genau: Sie verachtete Männer, weil diese nichts anderes im Kopf hatten, als einander umzubringen.

Nein, das konnte es nicht sein. Vorhin hatte sie kaltherzig vorgeschlagen, Grigán solle den Reiter töten.

Er trat einen zögerlichen Schritt vor, blieb dann aber unschlüssig stehen. Was sollte er ihr sagen? Wenn sie in einer solchen Laune war, dann waren alle Versöhnungsversuche vergebens. Es wäre besser zu warten, bis sich die Wogen geglättet hatten. Die Ereignisse der letzten Tage hatten Léti offenbar ziemlich zugesetzt.

Ihm blieb nur zu hoffen, dass sie sich bald wieder beruhigte.


»Rey! He, Rey, bist du's? Rey!«

Rey stieß einen wüsten Fluch aus. Es war ihm gelungen, Lorelia unbemerkt zu verlassen, dem Lauf der Velanese bis hoch nach Le Pont zu folgen und die Grenze zu erreichen, ohne erkannt zu werden. Und jetzt brüllte irgend so ein Trottel auf offener Straße lauthals seinen Namen.

Er hob die Hand zum Gruß und ging auf den Mann zu. Wenn er schon aufgeflogen war, musste er die Sache nicht noch verschlimmern, indem er sich seltsam verhielt, sich taub stellte oder davonrannte.

Dass man ihn erkannt hatte, ärgerte ihn gewaltig. Er hatte sich eigens Kleider besorgt, die ihn älter, kleiner und weniger lorelisch aussehen ließen. Zugegebenermaßen hatte er darauf verzichtet, sich einen falschen Bart anzukleben oder das Haar zu färben, weil eine solche Verkleidung die Strapazen der Reise niemals überstanden hätte. Beim nächsten Mal würde er sich mehr Mühe geben, schwor er sich.

Er konnte sich glücklich schätzen, die Gewänder überhaupt bekommen zu haben. Als er Barle drei Nächte zuvor geweckt hatte, hatte Rey für einen Augenblick befürchtet, der Leiter der Theatertruppe würde das Werk der Züü vollenden. Doch nach einer endlosen Tirade über Nachtschwärmer, Herumtreiber und Taugenichtse, die Schwierigkeiten anzogen wie das Licht die Motten – und dabei hatte er sich doch *geschworen*, solches Lumpenpack nicht mehr in seinen Zirkuswagen zu lassen – war Barle bereit gewesen, dem jungen Schauspieler zu helfen. Er hatte ihm Kleidung, Essen und – Rey konnte es immer noch nicht glauben – eine prall mit Goldterzen gefüllte Geldbörse gegeben. Und das ungefragt! Die einzige Bedingung war, dass Rey eines Tages zurückkehrte und wieder mit ihnen auftrat, um seine Schulden zu begleichen.

Dann war Barle mit der ganzen Truppe Richtung Partacle abgereist, in der Hoffnung, Reys Verfolger auf eine falsche Fährte zu locken.

Aber all das war für die Katz, wenn seine Tarnung wegen eines dahergelaufenen Trottels aufflog. Der Kerl wedelte inzwischen wie wild mit den Armen. Wie hieß er noch gleich? Tiric? Iryc? Rey beschleunigte seine Schritte und stand endlich vor ihm.

»Du musst meinen Namen ja nicht gleich durchs ganze Dorf brüllen. Ich bin nicht taub«, zischte er statt einer Begrüßung.

»Willst wohl nicht erkannt werden, was? Keine Angst, ich weiß Bescheid.«

Rey musterte sein Gegenüber wortlos. Der Mann freute sich offensichtlich über die Wirkung seiner Worte. Er verzog den Mund zu einem höhnischen Grinsen und entblößte ein gelbliches Gebiss mit vielen Zahnlücken. Seine Kleidung starrte vor Dreck, das Haar war verfilzt, und sein Atem stank nach billigem Wein.

Woher kannte er den Kerl bloß? Rey konnte sich vage erinnern, ein paar Mal mit ihm und ein paar anderen Saufbolden auf Zechtour gewesen zu sein. Doch er wusste nicht mehr, wo – das heißt, in welchem Gasthaus – er ihm zum ersten Mal begegnet war. Allerdings waren ihm in seinem

Leben schon Hunderte Namen und Tausende Gesichter untergekommen. Was war der Kerl noch gleich von Beruf?

Nun plusterte sich sein Gegenüber auf, die Hände in den Hosentaschen. »Ich weiß ja nicht, was du verbrochen hast, mein Freund. Du scheinst ein gefragter Mann zu sein«, sagte er. »Die Gilde hat zweihundert Terzen auf deinen Kopf ausgesetzt. Aber das weißt du bestimmt, oder?«

Die Gilde. Das war sein Ende. Wenn die Züü gemeinsame Sache mit dem organisierten Verbrechen machten, um ihn zu finden, musste er auf der Stelle die Grenze überqueren. In Lorelien war er seines Lebens nicht mehr sicher.

»Darlane sagt, er dreht uns eigenhändig die Gurgel um, wenn wir dich nicht vor Safrosts Männern finden. Darlane hat Schiss, dass ihm der Auftrag durch die Lappen geht. Dafür würde er sogar die Abmachungen der Großen Gilde in den Wind schlagen. Alter Freund, da gibt's ein paar Kerle, die dir ernsthaft ans Leder wollen, so viel steht fest.«

Safrost? Den Namen hatte Rey schon mal irgendwo gehört. War das nicht der Anführer der goronischen Gilde?

Er saß ganz schön in der Klemme. In einer Klemme, die so groß war wie die gesamten Oberen Königreiche.

»Aber mach dir nicht ins Hemd. Wir sind Kumpel, so was wie Brüder. Ich verpfeif dich nicht, auch nicht für einen Sack voll Gold. Du kennst mich.«

Genau das war das Problem. *Ich kenne dich nicht, Rattengesicht. Nicht gut genug. Und du arbeitest für die Gilde.*

Rey sah sich hastig um. Niemand schlich sich von hinten an, um ihm ein Messer in den Rücken zu stoßen. Aber er wollte sein Glück nicht allzu sehr herausfordern. »Ich muss aufbrechen. Danke für die Warnung. Wir sehen uns«, sagte er zu Iryc, um ihn loszuwerden.

»Warte. Vielleicht kann ich dir helfen. Sag mir, wohin

du unterwegs bist, und ich schick sie in die andere Richtung.«

Rey dachte kurz nach. »Ich will nach Romin. Sag ihnen, ich sei nach Goran unterwegs. Und wenn du mir wirklich einen Gefallen tun willst …« Er zog eine Handvoll Terzen aus seiner Börse. » … könntest du mir ein Pferd und Proviant besorgen. Jetzt, wo mein Leben in Gefahr ist, kann ich nicht mehr einfach so am helllichten Tag die Straßen entlangspazieren. Könntest du mir alles in die Herberge zur Brücke bringen? Weißt du, wo das ist? Ich werde dort heute Abend auf dich warten.«

Iryc grinste über beide Ohren und klaubte die Münzen aus Reys Hand. »Abgemacht. Bis heute Abend dann.«

»Bis heute Abend.«

Sie trennten sich, und Rey verschwand in einer Gasse, bog zweimal kurz hintereinander ab und presste sich dann an eine Mauer. Eine ganze Weile wartete er mit angespannten Muskeln und erhobenem Dolch hinter der Straßenecke. Niemand folgte ihm. Die Terzen hatten den Gauner eingelullt.

Rey würde sich am Abend freilich nicht in der Herberge blicken lassen. Wenn Iryc den Mund hielt und die Münzen einsteckte, umso besser. Falls er zur Herberge kam, wäre er künftig der stolze Besitzer eines Pferds. Und falls er ein heimtückischer Verräter war, würde sein Auftraggeber ihn für seine Dummheit büßen lassen.

Jedenfalls musste Rey seine Pläne ändern. Untertauchen und warten, bis Gras über die Sache gewachsen war, kam nun nicht mehr in Frage, denn mit den Züü *und* der Großen Gilde konnte er es nicht allein aufnehmen.

Er musste sich mit anderen Erben zusammentun.

Noch am gleichen Tag brach er nach Berce auf.

»Gleich sind wir in Jerval. Wir müssen vorsichtig sein.«

Yan sah den Krieger neugierig an. Wenn Grigán sich vorsehen wollte, versprach es aufregend zu werden. Bislang war die Reise recht ereignislos gewesen.

»Ist Jerval ein großer Ort?«

»Nein, nicht im Vergleich zu den königlichen Städten Loreliens. Aber wir sollten uns trotzdem in Acht nehmen.«

»Wir brauchen ein viertes Pferd«, rief Corenn ihm in Erinnerung. »Ich glaube, es wäre falsch, einen Bogen um das Dorf zu schlagen.«

»Das sehe ich genauso. Außerdem würden wir durch den Umweg zu viel Zeit verlieren.«

»Was schlagt Ihr vor?«

»Wir trennen uns.«

Als er die erstaunten Gesichter seiner Gefährten sah, fügte er hinzu: »Natürlich nur vorübergehend.«

»Und was dann?«

»Ihr, Dame Corenn, reitet mit Eurer Nichte voraus. Ich folge Euch in hundert Schritt Entfernung. Reitet nicht zu schnell, denn ich will Euch nicht aus den Augen verlieren. Durchquert das Dorf ohne Hast. Antwortet, wenn man Euch eine Frage stellt, aber sprecht niemanden an.«

»Und was ist mit mir?«, fragte Yan.

»Du gibst Léti dein Pferd und folgst uns zu Fuß. Wenn irgendetwas schiefgeht, bringst du dich sofort in Sicherheit. Dir kann nichts passieren, weil die Züu dich nicht kennen.«

»Ich weiß nicht. Falls Ihr vorhabt, unbemerkt zu bleiben, halte ich das für keine so gute Idee. Wenn ein Reiter durch unser Dorf kommt, kann er tun und lassen, was er will. Alle starren ihn an, und die Leute reden einen Tag lang von nichts anderem.«

»Nicht in Jerval. Es ist das erste lorelische Dorf nach der Grenze. Hier kommen jeden Tag Reiter durch, so wie der vorhin zum Beispiel. Und Benelia ist nur eine Tagesreise entfernt. Die Einwohner können nicht jedes Mal den Kopf heben, wenn jemand an ihnen vorbeireitet!«

»Und was tun wir, falls wir angegriffen werden?«, fragte Léti hitzig.

»Ihr galoppiert los und dreht euch nicht um. Ich stoße zu euch, sobald ich die Dummköpfe losgeworden bin, die so lebensmüde waren, sich mit mir anzulegen. Verstanden?«

Léti antwortete nicht. O ja, sie verstand nur zu gut. Grigán hatte nicht die Absicht, über seine Befehle zu verhandeln.

Er gab Yan eine Handvoll Terzen. »Du stammst von einem Bauernhof auf der anderen Seite der Grenze. Du willst ein Pferd für deinen Vater kaufen, und du musst gleich wieder fort, um vor Einbruch der Nacht zurück zu sein. Feilsche ein bisschen, um den Schein zu wahren, aber bitte nicht dekantenlang.«

Yan betrachtete die Münzen interessiert. Er hatte noch nie lorelisches Geld gesehen. »Wie viel kostet ein Pferd?«

»Sieben bis acht Silberterzen. Du kannst bei neun aufhören, und der Verkäufer wird dir die Geschichte des Bauerntölpels ohne Probleme abkaufen. Glaubst du, das schaffst du?«, fragte er süffisant.

Yan hob den Kopf und warf ihm einen gekränkten Blick zu. Bei Eurydis – Grigán grinste! Er zeigte ja geradezu menschliche Züge!

Er erwiderte das Grinsen. Der Scherz ging zwar auf seine Kosten, aber immerhin hatte der Krieger guten Willen gezeigt.

»Kauf auch etwas zu essen«, bat Corenn. »Etwas Brot,

110

Käse und Wurst. Eine ordentliche Mahlzeit wird uns gut tun.«

»Einverstanden.«

»Versuch, alles am gleichen Ort zu besorgen. Es muss dich ja nicht gleich das ganze Dorf in Erinnerung behalten.«

»Ja.«

»Und trödel nicht herum.«

»Ja. Ist das alles? Das Dorf scheint ja unglaublich gefährlich zu sein.«

»Ich meine es ernst. Vergiss nicht, wir alle könnten in der nächsten Dezime tot sein.«

»Ihr versteht es wirklich, einem Mut zu machen.«

Kurz darauf hielten sie an, und Léti übernahm Yans Pferd. Sie und ihre Tante ritten los. Grigán wollte ihnen folgen, doch Yan rief ihn zurück.

»Wartet! Ich hoffe, das ist kein Trick, um mich loszuwerden.«

Grigán sah ihn ehrlich bestürzt an. »Ich sagte, du könntest mitkommen, und das meinte ich auch so. Ich pflege mein Wort zu halten.« Er trieb sein Pferd zum Trab an. Dann drehte er sich um und fügte grinsend hinzu: »Außerdem besorgst du das Essen!«

Yan fiel ein Stein vom Herzen. Offenbar hatte Grigán ihn als Gefährten akzeptiert.

Mit großen Schritten marschierte er auf das Dorf zu. Die anderen vermisste er schon jetzt.


Trotz seiner beschwingten Stimmung dauerte es eine Weile, bis Yan Jerval erreichte. Sie hätten sich näher am Dorf trennen sollen. Von Fußmärschen hatte er die Nase voll, aber dummerweise hatte er nicht eher daran gedacht.

Erleichtert stellte er fest, dass alles ruhig war, und seine Gefährten das Dorf anscheinend ohne Schwierigkeiten durchquert hatten.

Bis zu diesem Tag war Yan noch nie aus dem Matriarchat herausgekommen, und so wandte er neugierig den Kopf nach allen Seiten, damit ihm auch ja nichts entging. Enttäuscht stellte er fest, dass Jerval im Grunde genauso aussah wie Eza. Die Einwohner trugen andere Gewänder, und die Bauweise der Häuser erschien ihm fremdartig, aber das war auch schon alles.

Wahrscheinlich ähnelten sich alle Dörfer der Oberen Königreiche mehr oder minder, und Jerval war nur zwei Tagesreisen von seinem Heimatdorf entfernt. Benelia, Lorelia – das würde etwas anderes sein!

Er ging auf ein paar Kinder zu, die mit Holzschwertern spielten, und fragte sie, wo er ein Pferd kaufen könne. Sie starrten ihn verständnislos an. Verflixt, er hatte Kauli gesprochen. Er wiederholte die Frage auf Itharisch, und hoffte, dass die Kinder von eurydischen Priestern unterrichtet wurden.

Ihre Gesichter hellten sich auf, und sie führten ihn in eine Gasse, an deren Ende ein Pferch war. Ein dickbäuchiger Mann mit Glatze kam auf ihn zu und rieb sich geschäftig die Hände.

Der Handel war schnell geschlossen. Yan suchte sich ein Tier aus, wobei er nur auf die Farbe des Fells achtete, da er keine Ahnung von Pferden hatte. Dann feilschten sie eine Weile und einigten sich bald auf einen Preis von neun Terzen für das Tier, einen schlichten Sattel und Zaumzeug. Yan musste noch nicht einmal seine Geschichte erzählen, denn dem Züchter war völlig egal, wofür er das Pferd brauchte.

Yan bat das älteste der Kinder, die ihn immer noch umringten, seine Besorgungen zu erledigen. Er gab ihm drei Silberterzen und versprach, ihm etwas von den Einkäufen abzugeben. Der Junge rannte davon, den Rest der Bande im Schlepptau.

Der Züchter brachte den Sattel und das Zaumzeug und führte das Pferd durchs Gatter. Yan fummelte an den Riemen herum und versuchte linkisch, dem sich sträubenden Tier den Sattel aufzulegen. Irgendwann verlor der Händler die Geduld und nahm die Sache selbst in die Hand.

Als das Pferd aufgezäumt war, streichelte Yan ihm den Hals und wartete auf die Kinder. Wo blieben sie nur? Er ging zum Anfang der Gasse und blickte nach rechts und links in die Hauptstraße. Ein Junge rannte davon, als er ihn sah.

Nun gut. Eine Lektion hatte Yan gelernt: Lorelische Kinder waren nicht unbedingt ehrlich.

Mit dem restlichen Geld erledigte er seine Einkäufe selbst. Dann knotete er das Bündel an einen Gurt und schwang sich in den Sattel. Zum Glück warf ihn das Pferd nicht gleich wieder ab. Er ritt auf den Ausgang des Dorfs zu.

Aus einer Seitenstraße hörte er schallendes Gelächter. Yan beugte sich vor. Ein paar Kinder zeigten mit dem Finger auf ihn und kicherten. Er kniff die Augen zusammen, zeigte seinerseits mit dem Finger auf sie und zischte, als ob er eine Verwünschung ausstieße. Die Kinder rissen die Augen auf und stoben in alle Richtungen davon. Yan freute sich über den Erfolg seiner kleinen Schauspieleinlage.

Eine Meile hinter dem Dorf stieß er auf Grigán, Corenn und Léti.

»Scheint alles gut gegangen zu sein«, sagte der Krieger.

»Macht Ihr Witze? Ich bin von einer Bande kleiner Menschenfresser angegriffen worden, die mich bei lebendigem Leibe verschlungen hätten, wenn ich nicht eine Kriegslist angewandt und sie heldenmutig in die Flucht geschlagen hätte.«

»Gewiss.«

»Es waren mindestens zwanzig. Sie waren mit langen Messern bewaffnet, und der Geifer tropfte ihnen nur so aus dem Maul. Ihr stinkender Atem und ihre Giftzähne …«

»Ja, ja. Los, reiten wir weiter.«

»In ihren blutunterlaufenen Augen lauerte die Mordgier, und ich glaubte, mein letztes Stündlein habe geschlagen, als der Anführer seine Waffe zum Himmel hob und ein Lied anstimmte, in das bald alle einfielen: *Der Krebs und die Krabbe spazieren am Strand, der Krebs und die Krabbe gehen Hand in Hand …*«

»Das ist doch ein Kinderlied?«

»Ja. Ich weiß auch nicht, warum sie das sangen.«

Sogar Léti, die eigentlich schmollen wollte, musste lachen.

Erst weit nach der sechsten Dekade, als es bereits dämmerte, hieß Grigán sie Halt machen. Wie üblich führte er seine Gefährten vom Weg fort und in ein kleines Wäldchen hinein. Sie kämpften sich durchs Unterholz und überqueren erst eine und dann noch eine Lichtung. Nachdem er die Umgebung gründlich abgesucht hatte, erlaubte der Krieger ihnen auf der dritten Lichtung, das Nachtlager aufzuschlagen.

Da ihnen die Mägen knurrten, aßen sie zuerst etwas. Nach der Mahlzeit waren alle schläfrig. Die Erschöpfung der Reise und der letzten Nacht steckte ihnen noch in den Knochen.

Yan wollte sich gerade eine weiche Stelle zum Schlafen suchen, als Grigán sagte: »Heute Nacht bauen wir besser die Zelte auf. Am Himmel braut sich was zusammen. Es würde mich nicht wundern, wenn es regnet.«

»Verflixt, ich bin wirklich ein Pechvogel. Erst die Menschenfresser, und jetzt auch noch Regen.«

Mit letzter Kraft bauten sie die beiden kleinen Zelte auf, die ihnen zur Verfügung standen: Grigáns und Corenns. Yan würde wohl oder übel mit dem Krieger in einem Zelt übernachten müssen. An jedem anderen Abend wäre ihm das gegen den Strich gegangen, doch jetzt war es ihm so egal wie der pelzige Hintern eines Margolins. Er wollte nur noch schlafen.

Die drei Kaulaner verschwanden in den Zelten. Grigán erklärte, Wache halten und sich um die Pferde kümmern zu wollen. Yan fragte sich, ob dieser Mann niemals müde wurde. Abermals dachte er, dass er froh über seine Anwesenheit war. Kaum hatte Yan sich ausgestreckt, fiel er in einen tiefen Schlaf.

Mitten in der Nacht wachte er auf. Grigán lag neben ihm und wälzte sich lautlos im Schlaf hin und her. Yan hatte nicht gehört, wie er hereingekommen war und sich niedergelegt hatte.

Feiner Regen prasselte auf das Zeltdach, und ein leichter Wind ließ den Stoff flattern.

Yan drehte sich auf den Rücken und versuchte, wieder einzuschlafen. Sein Nacken schmerzte dort, wo Grigáns Schlag ihn getroffen hatte. Er rieb sich die Muskeln, aber der Schmerz ließ nicht nach, sondern hielt ihn wach, und so lag er da und ließ seine Gedanken schweifen.

Am Tag zuvor hatte er sich durch das Buschland im Süden Kauls gekämpft. Jetzt war er in Lorelien und teilte das

Zelt mit einem Fremden, der ihn beinahe getötet hätte. Was würde der Morgen bringen? Und die nächsten Tage?

Auch wenn die Umstände alles andere als glücklich waren, freute er sich, dass etwas Abwechslung in sein Leben gekommen war. Allerdings hatte er anders als Léti, Corenn und Grigán auch noch keine wirklichen Gefahren bestehen müssen.

Gab es tatsächlich jemanden, der ihnen nach dem Leben trachtete? Trotz der Schilderungen seiner Gefährten fiel es ihm schwer, das zu glauben. Wie sahen die Züü wohl aus? So wie Corenn sie beschrieben hatte, stellte er sie sich groß und stark vor, mit einem bösartigem Blick und schlichten, vom Blut ihrer Opfer rot gefärbten Gewändern. Und natürlich waren sie mit dem vergifteten Dolch bewaffnet, mit dem sie ihre um Gnade flehenden Opfer töteten, kaltblütig wie eine Schlange.

Er konnte den Mann in der roten Lederkluft nun deutlich vor sich sehen. Der Mörder wandte ihm den Rücken zu und drehte sich in Zeitlupe um. Mit Grauen erkannte der Junge sein Gesicht: Der Zü war niemand anderes als Grigán!

Yan schreckte hoch.

Er musste doch eingeschlafen sein. Was für ein Albtraum …

Sein Nacken schmerzte mehr denn je, und er fühlte sich fiebrig, was vermutlich dem allzu lebensechten Traum geschuldet war.

Er beschloss, einen nächtlichen Spaziergang zu machen. Vorsichtig ging er auf die Knie und kroch auf allen vieren zum Zelteingang.

Eine Hand packte seinen Knöchel, und er schrie überrascht auf.

»Wo willst du hin?«

Grigáns Stimme klang kein bisschen verschlafen. Yan bemühte sich, sein klopfendes Herz zu beruhigen.

»Ich kann nicht schlafen. Ich will nur ein wenig an die frische Luft.«

»Geh nicht zu weit weg«, befahl Grigán und ließ ihn los. »Und zünde kein Feuer an.«

»Natürlich nicht«, antwortete Yan gereizt.

Der Krieger hatte ihm den Schreck seines Lebens eingejagt.

Die kühle Nachtluft und der Nieselregen taten ihm gut. Er rieb sich den Nacken und machte ein paar unschlüssige Schritte, die ihn zu den Pferden führten. Grigán hatte aus Ästen ein Dach für die Tiere gebaut und etwas Futter für sie gesammelt. Das war Yan überhaupt nicht in den Sinn gekommen. Er musste noch vieles lernen: die Pferde versorgen, mit Pfeil und Bogen umgehen, sich im Gelände orientieren und was nicht noch alles … Er hatte immer reisen wollen, doch jetzt wurde ihm klar, dass er auf sich allein gestellt nicht weit käme.

Mit Pfeil und Bogen umgehen … Trotzdem hoffte er, nie auf einen Menschen schießen zu müssen.

Außer, wenn jemand Léti etwas antun wollte …

Das brachte ihn auf einen anderen Gedanken. Welcher Tag war eigentlich? Yan kannte den Kalender nicht auswendig, und das galt vermutlich auch für die anderen. Doch das machte nichts, denn der Name des Tags war bedeutungslos. Er musste sich nur merken, dass es noch neun Tage bis zum Tag der Versprechen waren.

Bislang sah es nicht gut für ihn aus. Léti nahm sich die Geschehnisse sehr zu Herzen, und Yan hoffte, dass sie sich bald wieder fangen würde. Auch so hatte er schon genug Zweifel gehabt, ob er sie um ihre Hand bitten sollte – wenn sich ihre Stimmung nicht besserte, würde er nie den Mut dazu aufbringen.

Mittlerweile drang ihm der Regen durch die Kleider, und er kehrte ins Zelt zurück. Er musste unbedingt schlafen. Die nächsten Tage würden anstrengend werden.

Maz Lana hielt den Atem an, als sie an der Tür des abgelegenen Bauernhofs rüttelte. Obwohl sie wusste, dass der Hof seit mehreren Dekaden verlassen war, fürchtete sie, jeden Moment über einen Bewohner zu stolpern. Oder über seine Leiche.

Das Haus gehörte dem romischen Zweig der Familie, von dem sie bislang nicht gewusst hatte. Seine einstigen Bewohner waren wie sie Nachfahren von Maz Achem.

Gleich am Morgen nach ihrer Ankunft im Tempel von Mestebien hatte sie angefangen, Ahnenforschung zu betreiben. Nach beharrlichen Recherchen fand sie heraus, wo ihr Vorfahr die letzten Jahre seines Lebens verbracht hatte.

Als sie erfuhr, dass ihre Verwandten vor Kurzem scheinbar grundlos ermordet worden waren, war sie nicht überrascht gewesen. Nicht überrascht, aber erschüttert. Die Tragödie bestätigte ihre schlimmsten Befürchtungen.

Die Tür ließ sich nicht öffnen, vermutlich war sie von innen verriegelt. Lana umrundete das Haus und suchte nach einer anderen Möglichkeit, ins Innere zu gelangen, doch alle Fenster waren mit Brettern vernagelt. Sie müsste schon aufs Dach klettern und durch den Kamin einsteigen.

Diese Idee verwarf die Priesterin sofort. Sie sah sich nicht in der Lage, die Mauer emporzuklettern, also blieb ihr wohl nur eins …

118

Sie nahm einen schweren Stein und bearbeitete die Holztür mit regelmäßigen Schlägen, während sie zu Eurydis betete, dass niemand sie erwischen möge. Ihre Verwandtschaft zu den Opfern hatte sie natürlich geheim gehalten, und es wäre ein Jammer, wenn ihre Tarnung aufflog, nur weil jemand sie auf frischer Tat bei einem Einbruch ertappte.

Schließlich gab das Schloss nach, und sie warf sich ein paar Mal mit aller Kraft – was nicht allzu viel war – gegen das Holz.

Als die Tür endlich aufsprang, blickte Lana keuchend ins Innere. Im Haus war es finster, stockfinster. Nahezu unheimlich. Unter anderen Umständen hätte sie keinen Fuß über die Schwelle gesetzt.

Aber die Umstände waren nun einmal nicht anders.

Sie nahm all ihren Mut zusammen, trat entschlossen durch die Tür, tastete sich zu einem Fenster vor und benutzte den Stein, um die Bretter vom Rahmen zu lösen. Die Schläge hallten laut von den Steinmauern wider, und sie drosch immer schneller und heftiger auf das Holz ein, während Panik in ihr aufstieg.

Endlich bekam sie das Fenster frei, und etwas Licht fiel ins Zimmer.

Lana machte eine kurze Pause, um sich auszuruhen und nachzudenken. Das, was sie suchte, würde sie sicher nicht im Ess- und Wohnzimmer finden, in dem sie stand – jedenfalls vermutete sie das. Die meisten Möbel waren zerstört. Vielleicht war das Haus geplündert worden, oder ihre Verwandten hatten sich einen erbitterten Kampf mit den Züü geliefert. Oder beides.

Die Angst kehrte zurück, und in Lanas Augen glitzerten Tränen. Ith war so fern! Sie war ganz auf sich allein gestellt, und das in Anbetracht von Geschehnissen, die sie nicht durchschaute und die ihre Kräfte überstiegen, angesichts all dieser brutalen Gewalt.

Sie ging kurz vor die Tür, um sich zu sammeln. Die düstere Stimmung im Haus brachte sie aus dem Gleichgewicht, doch nach einem kurzen Gebet und ein paar gemurmelten aufmunternden Worten ging es ihr besser, und sie konnte ins Haus zurückkehren.

Sie suchte nach etwas Besonderem, etwas von großer Bedeutung. Nach etwas, das ihr das Leben retten könnte und für das sie diese Momente der Beklemmung auf sich nehmen wollte.

Sie entfernte die Bretter vor allen Fenstern, durchsuchte jeden Winkel des Hauses und versuchte dabei nicht an ihre Verwandten zu denken, die sie nie kennengelernt hatte. Sie durfte sich gar nicht erst ausmalen, wem das Spielzeug gehört hatte und was man seinen Besitzern angetan hatte. Sie durfte sie sich nicht lebend vorstellen. Sie durfte sich nicht eingestehen, dass ihre eigene Familie ihr fremd gewesen war.

Mit der Zeit schwand Lanas Hoffnung, und schließlich musste sie sich damit abfinden, dass das, was sie suchte, nicht da war. Vielleicht *nicht mehr* da war.

Allerdings zweifelte sie immer noch, ob es diesen Gegenstand überhaupt je gegeben hatte.

Es gab nur einen Weg, das herauszufinden, *alles* herauszufinden.

Bevor sie das Haus verließ, betete sie zu Eurydis und bat um Frieden für die Seelen ihrer toten Verwandten. Dann klopfte sie sich den Staub von den Gewändern und stieg auf ihr Pferd, um nach Mestebien zurückzukehren.

Sie musste der Wahrheit auf den Grund gehen, und ihr

Vorhaben erforderte noch eine Menge Vorbereitungen, sowohl im eigentlichen als auch im spirituellen Sinne.

Denn vielleicht würde sie bei der Umsetzung ihres Vorhabens den Tod finden.

Yan erwachte im Morgengrauen. Grigán hatte sich bereits erhoben, und wieder hatte der Junge ihn nicht gehört. Es war zum Verrücktwerden.

Er zog sich rasch an und kroch aus dem Zelt. Es sah nach Regen aus, der Himmel war grau und wolkenverhangen.

Grigán war nirgends zu sehen, doch das war kein Grund, sich Sorgen zu machen. Der Eingang von Corenn und Létis Zelt war noch verschlossen. Yan hoffte, dass sie nach den ganzen Aufregungen eine ruhige Nacht verbracht hatten.

Zu Hause ging er morgens bei gutem Wetter im Meer schwimmen oder begnügte sich mit einer Katzenwäsche. Dann schaute er bei Léti vorbei, um eine Kleinigkeit zu essen, bevor er sein Tagwerk begann.

Das mit der Katzenwäsche würde schwierig werden, aber für das Frühstück konnte er etwas tun. Er lief in den Wald und entdeckte zu seiner Freude eine junge Lubilie, die ihm wie ein Geschenk des Himmels erschien, auch wenn sie nicht viele Beeren trug. Léti liebte die saftigen und süßen Früchte, die Norine früher immer zu Likör verarbeitet hatte.

Ein Stück weiter stieß er auf das verlassene Nest einer Waule, in dem drei Eier lagen. Zwei weitere waren zerbrochen und ausgesaugt worden, vermutlich von einer räuberischen Amsel. Yan sammelte die Eier ein und hoffte, Grigán würde ihm erlauben, ein kleines Feuer anzuzünden. Rohe Eier gehörten nicht gerade zu seinen Leibspeisen.

Dann fand er einen Nussstrauch, den er restlos aberntete. Das war zwar nicht unbedingt etwas fürs Frühstück, aber an Nüssen hatte er noch nie vorbeigehen können, ohne sich die Taschen vollzustopfen.

Auf dem Rückweg zu ihrem Lagerplatz erfreute er sich an der Fruchtbarkeit des lorelischen Waldes. Das karge Buschland im Süden Kauls hätte ihnen kein so reichhaltiges Frühstück beschert.

Mittlerweile war auch Grigán zurückgekehrt. Er verschloss gerade einige Feldflaschen, die er am Vorabend aufgestellt und die der Regen aufgefüllt hatte.

Yan ärgerte sich erneut, dass nicht *er* daran gedacht hatte. In Eza gab es zwei Brunnen, mehr als genug für die zweihundertdreißig Dorfbewohner. So war er nicht auf die Idee gekommen, sich um ihre Wasservorräte zu kümmern. Dabei hatte er selbst vor einiger Zeit an Norines Haus ein Becken angebracht, um Regenwasser aufzufangen.

Obwohl ihre Vorräte noch nicht aufgebraucht waren, hatte der Krieger ebenfalls etwas zu essen besorgt. Er hatte ein paar Quillen gepflückt und einen Meeresfasan erlegt. Yan war enttäuscht, dass er nicht der Einzige war, der an das Frühstück gedacht hatte. Er legte seine Ausbeute zu den Vorräten und ging zu Grigán.

»Guten Morgen.«

Der Krieger sah ihn erstaunt an. »Guten Morgen.«

»Habt Ihr gut geschlafen?«

»Ja. Danke.«

Sehr gesprächig war er nicht. Offensichtlich hantierte er lieber mit seinen Feldflaschen und Satteltaschen, als sich zu unterhalten. Yan schlenderte davon. Plötzlich kam ihm eine Idee. Er lief ins Zelt und trat mit dem Bogen und den Pfeilen, die Grigán ihm anvertraut hatte, wieder ins Freie.

Dann stapfte er in den Wald, um dem strengen Blick und dem unvermeidlichen Spott des Kriegers zu entgehen. Nach etwa hundert Schritten blieb er stehen und suchte sich eine Zielscheibe. Er fand eine knorrige Stelle in einem Baumstamm, die aussah wie ein Knoten.

Er brauchte mehr als eine Dezille, um den Bogen zu spannen und den Pfeil auf das Ziel zu richten. Schließlich ließ er die Sehne los und wappnete sich gegen den Schmerz, mit dem er für seine Ungeschicklichkeit bestraft werden würde.

Der Pfeil schnellte auf geradem Weg los, flog jedoch zwei Schritte am Ziel vorbei und landete im Gebüsch. Verflixt, auf diese Weise würde er all seine Pfeile verlieren. Er holte den Pfeil zurück und suchte sich eine neue Zielscheibe: eine Gruppe junger, eng beieinanderstehender Bäume. Er zielte auf den mittleren Baum, damit die anderen Bäume misslungene Schüsse abfingen.

Er schoss zwanzigmal, und sein bester Pfeil landete einen Fuß neben dem Ziel. Sein Arm wurde allmählich müde, und er begann zu verzweifeln. Es war schwieriger, als er gedacht hatte.

»Darf ich auch mal?«

Léti stand wenige Schritte hinter ihm. Sie musste seine letzten Schüsse beobachtet haben. Yan kam sich nicht besonders heldenhaft vor, zumal Léti offenbar etwas dagegen hatte, dass er den Umgang mit Pfeil und Bogen übte.

Aber warum wollte sie es dann selbst probieren?

»Komm schon«, drängte Léti.

Er reichte ihr die Waffe, und ihr Gesicht hellte sich auf. Mit einem Mal ging ihm auf, warum Léti in letzter Zeit so komisch gewesen war – sie hatte sich von den Männern missachtet gefühlt. Warum war ihm das nicht eher aufgefallen? Er wusste doch, dass sich Léti nicht gern bevormunden ließ.

Er wiederholte Grigáns Anweisungen, so gut er konnte, und sie machte sich bereit.

»Worauf hast du gezielt?«

»Den krummen Baum dort, vor den anderen. Aber er weicht mir die ganze Zeit aus«, sagte er lachend.

Léti grinste und spannte die Sehne, wozu sie all ihre Kraft brauchte. Sie kniff die Augen zusammen, biss die Zähne aufeinander und spannte jeden Muskel an. Zu ihrem Leidwesen krümmte sich der Bogen kaum. Als ihr Arm erlahmte, ließ sie die Sehne los, und der Pfeil machte einen Satz nach vorn, bevor er in zehn Schritt Entfernung flach auf dem Waldboden landete.

»Mach dir nichts draus«, sagte Yan tröstend. »Die Sehne ist einfach zu straff gespannt. Wir müssen dir einen leichteren Bogen besorgen.« Er streckte die Hand aus, um ihr die Waffe abzunehmen.

»Warte. Gib mir noch einen Pfeil.«

Yan tat wie geheißen, auch wenn das seiner Meinung nach unnütz war. Sie hatte sich mit dem ersten Schuss zu sehr verausgabt, und der zweite Versuch würde zwangsläufig schlechter werden.

Léti legte den Pfeil ein und spannte den Bogen. Dann richtete sie die Spitze nach oben, bis sie fast auf die Baumwipfel zeigte. Yan dachte, Léti könne den Bogen nicht mehr halten, und wollte ihr gerade helfen, als sie ihm zuvorkam und schoss.

Der Pfeil beschrieb einen Bogen, und seine Flugbahn endete mitten in der Zielscheibe. Die Spitze drang ein kleines Stück in die Rinde ein, und der Schaft vibrierte. Dann fiel der Pfeil zu Boden.

Yan stand mit offenem Mund da und starrte auf die Kerbe, die der Pfeil im Holz hinterlassen hatte. Léti stieß einen Freudenschrei aus und drehte sich zu ihm um.

»Hast du das gesehen? Ich habe es geschafft, Yan. *Ich habe es geschafft.* Ich bin genauso gut wie jeder andere. Ich habe es geschafft!«

Er war schrecklich niedergeschlagen. Léti konnte so vieles und er gar nichts. Er war nicht neidisch, sondern bewunderte sie aufrichtig, doch wie so oft hatte er das Gefühl, nicht gut genug für sie zu sein. Er betrachtete ihr makelloses Gesicht, das lange kastanienbraune Haar, die vor Lebenslust sprühenden Augen und ihr glückliches Lächeln. Yan schwor sich in diesem Augenblick, alles zu tun, damit Léti immer so glücklich sein konnte wie jetzt.

Léti holte den Pfeil zurück und reichte ihm den Bogen.

»Hier, nimm. Ich habe keine Lust, mich schon am frühen Morgen mit Grigán dem Griesgrämigen zu streiten. Ich habe die Antwort, die ich wollte. Lass uns frühstücken gehen.«

Yan überlegte, welche Antwort das war, und vor allem, wie die Frage lautete. Doch er hielt lieber den Mund, um ihr nicht die Laune zu verderben. Er wollte sie nicht schon wieder gegen sich aufbringen.

Sie aßen sich an den Früchten des Waldes und den Resten ihrer Vorräte satt. Auch Corenn schien sich etwas erholt zu haben. Am Abend zuvor war sie sehr schweigsam gewesen, doch jetzt scherzte sie über die Kochkünste der beiden Männer, die sich ihrer Meinung nach darauf beschränkten, »irgendetwas von einem Ast zu klauben.«

Yan protestierte der Form halber, und selbst Grigán beteiligte sich an dem Wortgeplänkel. Bald brachen sie wieder auf. Es lag noch ein langer Weg vor ihnen.

Am Morgen, gegen Ende des zweiten Dekants, setzte hartnäckiger Nieselregen ein. Sie zogen ihre Umhänge fester um sich und hofften, dass er bald aufhören würde. Kurz darauf goss es in Strömen.

Der Weg wurde allmählich breiter, und immer häufiger kamen sie an Abzweigungen vorbei. Irgendwann bog Grigán, der an der Spitze ritt, in einen Weg ein, der nach Norden führte.

»Ich dachte, nach Benelia ginge es geradeaus?«, fragte Corenn verwundert.

»Das ist wahr. Aber ich möchte einen Umweg machen, damit die Züu uns nicht so leicht finden. Sollten sie bereits wissen, dass die anderen drei tot sind, suchen sie mit Sicherheit nach uns.«

»Was habt Ihr eigentlich mit den Leichen gemacht?«, fragte Yan.

»Zurückgelassen. Halte dich niemals mit einer Leiche auf, wenn dir dein Leben lieb ist. Vor allem nicht in den Oberen Königreichen«, sagte er mit einem geheimnisvollen Lächeln.

»Habt Ihr sie durchsucht?«

Grigán kniff die Augen zusammen. »Warum hätte ich das tun sollen?«

»Ich weiß nicht. Vielleicht hättet Ihr etwas gefunden, was uns weiterhilft. Wart Ihr nicht zumindest versucht, ihre Geldbeutel zu stehlen?«, setzte Yan nach.

Grigán musterte ihn nachdenklich. Trotz des dichten Regens spürte der Junge seinen durchdringenden Blick. Verflixt, jetzt hatte er den Krieger wieder verärgert.

»Hättest du das getan? Einen Toten ausrauben?«

Yan musste nicht lange nachdenken. »Nein, ich glaube nicht. Nein, ganz sicher nicht«, sagte er mit Nachdruck.

»Na siehst du.«

Grigáns Gesicht war ernst. Yan nahm sich vor, künftig seine Zunge im Zaum zu halten. Aus den Augenwinkeln warf er den beiden Frauen einen Blick zu. Ein belustigtes Lächeln umspielte Corenns Lippen, und Léti machte ein verdrießliches Gesicht, hoffentlich wegen des Regens.

Er hatte das Gefühl, Grigán behandle ihn wie ein ungezogenes Kind, und das vor seiner Freundin. In letzter Zeit passierte das eindeutig zu häufig, daher wagte er einen erneuten Vorstoß, obwohl er sich selbst dumm dabei vorkam. »Ich hätte sie trotzdem durchsucht. Ich finde, Ihr hättet sie durchsuchen sollen.«

»Sollen wir vielleicht umkehren?«

Corenn beschloss einzugreifen, bevor sich die beiden ernsthaft in die Haare gerieten. »Wir mussten uns in Sicherheit bringen und hatten keine Zeit, die Leichen zu durchsuchen. Daher ist es müßig, darüber zu streiten.«

»Dame Corenn, ich bewundere Eure Vernunft und Weisheit«, sagte der Krieger. »Ich hoffe, Ihr wisst, was ein solches Kompliment aus dem Mund eines eingefleischten Junggesellen bedeutet.«

»Ich danke Euch, Meister Grigán. Ich hoffe, Ihr erinnert Euch an Eure Worte, wenn ich Euch das nächste Mal widerspreche«, antwortete sie augenzwinkernd.

»Möge es nie dazu kommen. Denn an jenem Tag müsste ich meine Freiheit für die Freiheit einer Frau aufgeben, Dame Corenn. Ich möchte lieber mit Euch im Unrecht sein, als gegen Euch im Recht.«

Yan traute seinen Ohren kaum. Sie hatten ihn völlig vergessen. Und warum redeten sie eigentlich plötzlich so geschwollen daher? Er drehte sich zu Léti um, weil er sehen wollte, was sie davon hielt. Das Mädchen beobachtete ihre

Tante und den Krieger und lächelte verzückt. Ihm war völlig unklar, warum. Aber gut, wenn ihn die anderen ignorierten, würde er sie eben auch ignorieren.

Nach einer Weile gab er es auf. Er hatte ein viel zu sonniges Gemüt, um lange zu schmollen, und wusste selbst am besten, wie lächerlich er sich verhielt. Außerdem beachtete ihn immer noch niemand.

Eine Meile hinter der Wegkreuzung kamen ihnen drei Reiter entgegen. Diesmal befahl Grigán ihnen nicht, sich zu verstecken, auch kundschaftete er nicht länger die Umgebung aus. Offenbar schwebten sie nicht mehr in unmittelbarer Gefahr, da sie sich nun auf einer Nebenstraße befanden.

Einige Meilen lang ritten sie schweigend nebeneinander her. Immer mehr Fußgänger und Reiter kamen ihnen entgegen, überholten sie oder kreuzten ihren Weg. Eine prunkvolle Kutsche rumpelte vorbei. Sie wurde von sechs Pferden gezogen, und auf dem Kutschbock saßen zwei Männer in Livree. Den blasierten Gesichtsausdruck hatten sie sich vermutlich von ihrem Passagier abgeguckt, einem lorelischen Edelmann. Yan folgte der Kutsche mit dem Blick, bis sie am Horizont verschwand. In Kaul hatte er so etwas noch nie gesehen. Würde er wohl je in einer Kutsche reisen?

Sie kamen durch zwei Dörfer, die Jerval und Eza ähnelten. Yan fragte nicht einmal, wie sie hießen.

Als sie gegen Mit-Tag, am Ende des dritten Dekants, abermals ein Dorf durchquerten, zügelte Corenn ihr Pferd vor einem großen Haus. »Grigán, was haltet Ihr von einer Rast in dieser Herberge? Ich bin so durchnässt, dass ich wohl ein Jahrhundert zum Trocknen brauche.«

»Dame Corenn, ich würde Euren Wunsch nur zu gern erfüllen, und ich hätte selbst nichts gegen einen Becher Wein und ein warmes Essen am Kaminfeuer einzuwenden. Doch die Vorsicht rät mir davon ab. Auch wenn wir mittlerweile ohne Scheu die Straße entlangreiten können, fürchte ich doch, dass wir bis Benelia warten müssen, bevor wir uns unter Fremde mischen.«

»Ihr habt recht«, antwortete sie. »Zum Glück gebt Ihr auf uns Acht, Meister Grigán. Ich bin so müde, dass ich nicht mehr klar denken kann.«

»Ich bezweifle, dass es jemals so weit kommen wird, Dame Corenn. Doch es ist mir eine Ehre, für Euer Wohl zu sorgen.«

Sie ritten weiter und fielen in einen leichten Trab. Léti kam an Yans Seite. »Ist es dir aufgefallen? Sie machen sich den Hof!«

Yan schnaubte überrascht auf. Er wollte schon laut losprusten, hielt sich aber gerade noch zurück, als er Létis Blick sah. »Sie machen sich doch nicht den Hof. Sie unterhalten sich.«

»Unsinn. Hör ihnen doch mal zu«, sagte Léti unbeirrt.

Sie sah glücklich aus. Wieder einmal kam sich Yan wie ein dummer Junge vor. Wollte sie etwa auch mit »Dame Léti« angeredet werden? Er hätte es zu gern ausprobiert, aber nur, wenn sie ihn nicht auslachte, was zu befürchten war. In letzter Zeit hatte er ständig das Gefühl, sie nicht mehr zu verstehen.

Verstohlen beobachtete er den Krieger und die Ratsfrau, den Kämpfer und die Diplomatin, den Gesetzlosen und die Frau des Gesetzes. Sie hatten nichts gemein, außer dass sie ungefähr gleichen Alters waren. Wie könnten sie zusammenleben? Dachte Léti etwa, Grigán würde am Tag der Versprechen um die Hand ihrer Tante bitten wie ein schüchterner Junge um die eines verlegenen Mädchens?

Bei dem Gedanken hätte er beinahe losgelacht, und es half ihm, dem schicksalhaften Tag mit etwas weniger Furcht entgegenzusehen. Er nahm sich vor, das Bild jedes Mal heraufzubeschwören, wenn ihm wegen des Versprechens angst und bange war – also eigentlich immer.

Je näher sie dem Fluss kamen, desto mehr Menschen begegneten ihnen: Bauern, Reiter oder Kaufleute mit Lasttieren. Yan nahm jede Einzelheit begierig in sich auf.

Ein Mann scheuchte eine Herde seltsamer Tiere vor sich her, eine Art Mischung aus Hund und Schaf. Ein anderer trug ein Schwert mit zwei Klingen, eine an jeder Seite des Griffs. Wieder ein anderer führte einen Esel am Zügel, der zwei Körbe mit rosafarbenen Früchten trug. Anhänger einer ihm unbekannten Religion marschierten mit gesenkten Köpfen im Gänsemarsch hintereinander her und murmelten unverständliche Worte. Ein Mann trieb seine sechs Frauen, die kaum mit seinem Pferd mithalten konnten, zur Eile an. Zwei Reisende stritten sich in einer eigentümlichen Sprache. Und die Frau dort …

»Hör auf, die Leute anzustarren, Yan«, ermahnte ihn Corenn.

»Ich meine das nicht böse«, versicherte der Junge. »Aber sie sind alle so … so fremd.«

»Du bist für sie genauso fremd. Jeder ist für die anderen fremd. Doch die Höflichkeit gebietet, dass man darüber hinwegsieht.«

»Das ist nicht nur eine Frage der Höflichkeit«, ergänzte Grigán. »Einer der Kerle könnte einen Streit vom Zaun brechen.«

»Nur, weil ich ihn ansehe? Das glaube ich nicht!«

»Mach nur weiter so, und du wirst sehen. Bis heute Abend wird dich jemand beschimpfen oder dir sogar eine Ohrfeige verpassen. Wetten?«

Yan schwieg. Vorsichtshalber beobachtete er die Leute von nun an verstohlener. In der Dämmerung erreichten sie die Gisle. Zahlreiche Menschen warteten auf das Fährboot, das sie ans andere Ufer bringen würde. Der Fluss war breit und das Wasser zu tief, um hindurchzuwaten. Sie saßen ab und vertraten sich die Beine.

»Das ist schon was anderes als die Mèche«, sagte Yan zu Léti.

»Pah«, schnaubte Grigán abfällig. »Die Mèche ist nur ein Bach. Und auch die Gisle ist noch gar nichts. Du müsstest mal den Alt sehen.«

»Das würde ich gern«, sagte der Kaulaner verträumt. »Irgendwann …«

Corenn rief die beiden zu sich. »Dort im Süden, die kleinen Lichter. Seht ihr? Das ist Benelia.«

»Von hier aus sieht die Stadt so schön aus«, sagte Léti. »Aber ich erinnere mich noch gut an den Dreck und den Gestank in den Straßen. Ganz anders als in Kaul!«

»Welchen Weg habt Ihr denn sonst immer nach Berce genommen?«, fragte Yan.

»Wir sind von Benelia aus mit der Fähre nach Lorelia übergesetzt«, antwortete Corenn. »Doch die Überfahrt ist nicht für jeden erschwinglich, vor allem nicht mit Gepäck. Die königliche Steuer ist auf alle Waren doppelt zu entrichten, einmal in jeder Stadt. Daher nehmen viele Händler lieber eine Fähre weiter oben am Fluss. Dann gehen sie bis zum Ufer der Velanese, setzen erneut über und laufen am Fluss entlang bis nach Lorelia. Diesen Weg werden auch wir nehmen.«

»Das ist aber ein großer Umweg.«

»Dafür ist die Route ungefährlicher«, mischte sich Grigán ein. »Wenn ich ein Züu wäre, würde ich alle Anlegestellen Benelias überwachen lassen, aber sie können unmöglich jedes kleine Fährboot im Auge behalten.«

Das Schiff war erst in der Mitte des Flusses. Es würde noch eine ganze Weile dauern, bis es anlegte. Yan beschloss, eine Runde zu drehen, doch Grigán rief ihn zurück, kaum hatte er einen Schritt gemacht.

»Wo willst du hin?«

»Ich sehe mich nur ein wenig um.«

»Kommt nicht in Frage. Du bleibst hier.«

Yan blieb unschlüssig stehen. Er hatte zwar versprochen zu gehorchen, doch jetzt trieb Grigán es zu weit.

»Ich komme mit«, sagte Léti angriffslustig.

»Das ist keine gute Idee«, sagte Corenn. »Die Leute hier sind anders als die Dorfbewohner in Kaul. Ihr würdet mir einen großen Gefallen tun, wenn ihr bleibt.«

Ihre Worte klangen überzeugend. Als Léti spürte, dass Yan nachgeben wollte, zog sie ihn am Ärmel davon, bevor er etwas sagen konnte. »Wir gehen doch nur ein paar Schritte! Ihr müsst uns endlich mal vertrauen!«

Grigán und Corenn sahen ihnen eine Weile ratlos nach.

»Wäre es wohl ein Mangel an Feingefühl, wenn ich sie am Kragen packen und zurückschleifen würde?«

»Die beiden würden das vermutlich so sehen, Meister Grigán. Vielleicht wäre es besser, diesmal ein Auge zuzudrücken und uns die strengen Maßnahmen für echte Gefahren aufzuheben.«

»Ich beuge mich Eurem Urteil. Aber ich hoffe, es passiert etwas, das ihnen die Flausen austreibt!« Er scharrte mit den

Füßen und strich sich über den Schnurrbart, ein Zeichen seiner Unruhe. »Wärt Ihr mir böse, wenn ich Euch einen Augenblick mit den Pferden allein ließe?«, fragte er schließlich. »Ich möchte unseren Schützlingen nachgehen, nur um mich zu vergewissern, dass alles in Ordnung ist.«

»Geht nur, mein Freund«, sagte sie lächelnd. »Ich hätte nichts anderes von Euch erwartet.«

Grigán murmelte einen Dank und ging mit schnellen Schritten davon.

Warum nur hatte er in letzter Zeit ständig das Gefühl, nicht mehr Herr der Lage zu sein?

Um den Anlegesteg drängten sich eine Handvoll Marktbuden. Sie waren weit und breit die einzige Attraktion, vielleicht abgesehen von einer Herberge in einigen Hundert Schritt Entfernung. Léti, die nur ihren Willen hatte durchsetzen wollen, marschierte einfach geradeaus, bis Yan sie zu dem kleinen Markt zog, der seine Neugier weckte. Obwohl sie zunächst nicht besonders interessiert schien, fand Léti rasch Gefallen an den Buden.

Überall wurden Gemüse, Früchte, Fleisch, Fisch, Käse, Brot und Getränke feilgeboten. Die Waren sahen fremdartig aus und waren von zweifelhafter Qualität. An manchen Ständen konnte man magische Talismane, Reliquien, Landkarten der bekannten *und* unbekannten Welt, eigenartige Gegenstände, deren Herkunft und Verwendungszweck Yan und Léti rätselhaft blieb, Kräuter, Salben und Waffen kaufen.

Léti blieb vor dem Stand mit den Waffen stehen und betrachtete das Angebot mit großen Augen. Yan wartete geduldig an ihrer Seite und hoffte, sie würde nicht auf die

Idee kommen, eine solche Waffe zu erwerben. Grigán war auch so schon alles andere als begeistert von ihrem kleinen Ausflug.

Léti interessierte sich ganz besonders für einen Bogen. Verflixt, das roch nach Ärger.

Eine alte, zerlumpte Frau trat auf sie zu und stammelte ein paar unverständliche Worte. Sie war mindestens genauso schmutzig wie der alte Vosder, dachte Yan.

»Kauler!«, sagte sie in gebrochenem Kauli. »Kauler! Ich wisse es gleich.«

»Es heißt *Kaulaner*«, sagte Léti schroff. »Und ich *wusste* es gleich. Wer hat Euch überhaupt gebeten, uns anzusprechen?«

Léti drehte ihr kurzerhand den Rücken zu und widmete sich wieder der Auslage. Yan wollte es ihr gleichtun, doch die Alte zupfte ihn beharrlich am Ärmel.

»Soll ich dir Zukunft vorhersagen? Für drei Ticks ich sage dir alles über dein Morgen.«

Yan versuchte, sich von ihr loszumachen. Die Alte war stärker, als sie aussah. Warum traf es nur immer ihn?

»Nein, danke. Kein Interesse.«

»Doch, Kaulaner, doch. Großes Interesse. Jeder hat Interesse an Morgen.«

Léti wirbelte herum und funkelte die Alte an. Anscheinend wollte ihr heute Abend jeder Vorschriften machen. Hätte sie aufgrund ihrer Erziehung im Matriarchat nicht eine gewisse Achtung vor Älteren, hätte sie der aufdringlichen Alten den Marsch geblasen.

Yan versuchte vergeblich, die Alte loszuwerden, ohne unhöflich zu sein. »Nein, nein, wirklich nicht. Ich interessiere mich nicht für die Zukunft.«

Was redete er da für einen Unsinn?

»Doch, Kaulaner. Großes Interesse an Zukunft. Gib mir drei Ticks, und ich sagte dir Glück und Unglück. Wann du reich bist und wann du Bund schließt. Wann du Kinder hast und wie lang Leben ist.«

Yan dachte kurz nach. Er hatte immer noch den Rest des Geldes, das Grigán ihm gegeben hatte. Er holte es heraus und begann es auf seiner Handfläche zu zählen. Blitzschnell grabschte die Alte nach drei Münzen. Er hatte es nicht genau gesehen, aber war nicht eine der Münzen größer gewesen als die anderen beiden?

Léti schüttelte verächtlich den Kopf. Yan wusste genau, was sie dachte. Trotzdem … Die Alte hatte etwas gesagt, das ihn aufhorchen ließ: *wann du Bund schließt.*

»Sehr schön. Gib mir Sache. Eine, die dir viel bedeutet. Die du schon lange hast.«

Yan zerbrach sich den Kopf. Was könnte er ihr bloß geben? Zu Hause hatte er eine Menge Sachen, an denen er hing, Erinnerungsstücke von seinen Eltern, von Léti, von Norine oder Dinge, die er gefunden oder selbst gebaut hatte, wie seine Armbrust-Harpune. Aber hier?

In Gedanken ging er alles durch, was er bei sich hatte. Dann fiel ihm Létis Muschel ein, die er unter dem Hemd trug. Es war eine kleine blaue Mondkönigin, die sie ihm geschenkt hatte, als er acht gewesen war, und die er seither nicht mehr abgelegt hatte. Sie hatten so getan, als feierten sie das Bekenntnis. Es war zwar nur ein Kinderspiel gewesen, aber er hatte es immer ernst genommen.

Natürlich hatte er den Lederriemen hin und wieder wechseln müssen, doch seit er sie besaß, hatte er nie mehr als einen Tag ohne die Muschel um den Hals verbracht. Sie zu tragen, war ihm so sehr zur Gewohnheit geworden, dass er gar nicht mehr an sie dachte. Ja, wenn es etwas gab, das ihm wichtig war, dann dieser Anhänger. Er zog ihn unter dem Hemd hervor, zögerte und streifte sich das Band dann doch über den Kopf, um sich nicht zu blamieren. Léti warf ihm einen Blick zu, den er nicht deuten konnte. War sie wütend, weil er die Muschel hergab? Fand sie es lächerlich, dass er diesen Firlefanz all die Jahre aufbewahrt hatte? Oder erinnerte sie sich vielleicht gar nicht mehr daran, ihm den Anhänger geschenkt zu haben? Er schob die düsteren Gedanken beiseite und wandte sich der Alten zu.

Diese sah sich die Muschel eine Weile an und wölbte dann ihre Hände darum. Mit geschlossenen Augen und versunkener Miene drehte sie langsam den Kopf. Yan kam die ganze Szene plötzlich seltsam vor, doch jetzt war es zu spät, um der Frau Einhalt zu gebieten. Außerdem war er gespannt, was sie sagen würde, selbst wenn sie das Blaue vom Himmel herunterlog.

Die Alte stieß ein langgezogenes Ächzen aus. Es klang, als leide sie entsetzlich oder aber als stöhne sie vor Glück. Dann schlug die Frau die Augen auf. »Du bist Fischer.«

Geduldig wartete Yan, dass sie weitersprach. Dann merkte er, dass sie auf eine Antwort wartete. Er nickte.

Die Alte lächelte. Ihr Kopf drehte sich immer noch wie ein Karrenrad. »Du willst etwas. Du willst kein Fischer mehr sein, nicht mehr allein.«

Da Yan nicht wusste, was er sonst tun sollte, nickte er erneut.

Die Alte gab ein ersticktes Gegacker von sich. »Du liebst eine Frau, junge Frau, liebst sie sehr. Stimmt?«

Yan zeigte keine Regung. Er wollte die Frage bejahen, hatte aber Angst vor Létis Reaktion.

Die Alte verzog spöttisch das Gesicht. »Jetzt ich sage dir Morgen.« Abermals schloss sie die Augen, stieß einen weiteren Seufzer aus und sprach mit tiefer, eintöniger Stimme. »Nächstes Jahr schließt du Bund mit Frau, die du liebst. Sie wird Anführerin von deinem Dorf. Du bist kein Fischer mehr. Viele Reisen. Du bist sehr reich. Sehr glücklich. Du hast zwei Söhne. Starke Jungen. Du bist stolz. Sehr glücklich. Du lebst lange mit Frau. Willst du wissen, wie lange?«

»Nein!« Yan wollte nicht wissen, wann er starb, ob die Worte der Alten wahr oder erlogen waren.

Die Frau nickte. »Du hast recht. Besser, wenn man Zukunft nicht zu gut kennt.«

Sie gab ihm seine Mondkönigin zurück, drehte sich um und schlurfte davon. Yan wusste nicht, was er davon halten sollte.

›Besser, wenn man Zukunft nicht zu gut kennt.‹ Warum hatte sie ihm dann unbedingt die Zukunft vorhersagen wollen?

»Das ist ja noch mal gut gegangen. Du hast Glück gehabt.«

Yan sah seine Freundin an. Wollte sie ihn auf den Arm nehmen? Nein, ihr Gesicht war ernst. Sie kehrten dem Marktstand den Rücken und schlenderten weiter.

»Wie meinst du das?«

»Sie hätte dir schreckliche Dinge vorhersagen können, Schicksalsschläge, Krankheiten, Tod. Sie hätte dir sogar den genauen Zeitpunkt nennen können. Aber sie hat dir nur Angenehmes prophezeit und nichts als vage Andeutungen gemacht. Deshalb hast du Glück gehabt.«

»Ich dachte, du würdest nicht daran glauben.«

»Doch, das tue ich. Wenn man über die Erben von Ji nachdenkt, meine Tante und die anderen, drängt sich einem der Gedanke auf, dass das, was die meisten für unmöglich halten, vielleicht doch möglich ist. Aber es nützt nichts, sich darüber den Kopf zu zerbrechen. Außerdem hatte die Alte mehr von einer Bettlerin als von einer Seherin.«

»Was hat deine Tante mit dem Unmöglichen zu tun?«

»Vergiss, was ich gesagt habe. Vielleicht erzähle ich es dir eines Tages.«

Yan verzog das Gesicht. Die Worte der Alten hatten ihn enttäuscht, und jetzt erfuhr er zu allem Überfluss, dass Léti und Corenn Geheimnisse vor ihm hatten. Er schob den Gedanken schnell beiseite, da er ihm die Laune verdarb. »Glaubst du, sie hat die Wahrheit gesagt? Glaubst du, so wird mein Leben verlaufen?«

»Vielleicht. Es gibt Schlimmeres, oder?«

»Ich weiß nicht.«

»Du müsstest mal dein Gesicht sehen! Ich sage ja, es ist besser, die Zukunft nicht zu kennen.«

Eine Weile liefen sie schweigend nebeneinander her. Um ihren Freund aufzuheitern, fuhr Léti fort: »Würde es dir nicht gefallen, zwei Söhne zu haben? Zu reisen? Reich zu sein? Lange zu leben? Du hast doch wohl nicht erwartet, dass sie sagt: ›Du wirst König sein, in die Schlacht ziehen, dank einer vergessenen Prophezeiung die Welt retten und allerlei Abenteuer bestehen.‹ Das Leben ist keine Rittergeschichte!«

Yan überhörte ihren Sarkasmus. Ihm fiel auf, dass Léti mit keinem Wort den Bund erwähnte, den die Alte ihm für das folgende Jahr vorhergesagt hatte – zweifellos in voller Absicht.

»Natürlich würde mir das gefallen. Aber ich glaube, sie hat das alles nur erfunden. Was sie über die Gegenwart gesagt hat, war nicht schwierig zu erraten, und den Rest hat sie sich ausgedacht. Deshalb glaube ich, dass ich großes Glück habe, wenn alles so kommt.«

Beide hingen ihren Gedanken nach. Verflixt, jetzt hatte er Léti schon wieder traurig gemacht. Er benahm sich wie ein Trottel!

Schweigend kehrten sie zu Corenn zurück.

»Da sind wir wieder, Tante. Siehst du, es gab keinen Grund zur Sorge.«

»*Erst wenn dich der Hund beißt, weißt du, dass er tollwütig ist*. Ich bin froh, dass euch nichts passiert ist. Aber gebt wenigstens zu, dass es auch anders hätte kommen können.«

»Wenn es sein muss: ja, vielleicht.«

»Gut. Aus diesem Grund dürft ihr die heutige Erfahrung beim nächsten Mal nicht als Argument verwenden. Versteht ihr?«

»Ja, ja«, sagte Léti widerstrebend.

Bei einem Streit mit ihrer Tante zog sie immer den Kürzeren, denn Corenn hatte einfach die besseren Argumente. Sie gab bei unwichtigen Dingen nach, mied heikle Fragen und behielt stets das letzte Wort. Nie erhob sie die Stimme, erzählte Lügen oder übte Zwang aus. Da sie Corenn schon oft auf ihren Reisen durch Kaul begleitet hatte, kannte niemand ihr Verhandlungsgeschick besser als Léti. Allerdings hasste sie es, wenn es sich gegen sie selbst richtete. Bisweilen fragte sie sich, ob ihre Tante nicht ihre magischen Kräfte gebrauchte, um die Gedanken ihres Gegenübers zu beeinflussen. Aber das hielt sie für unwahrscheinlich.

»Wo ist Grigán?«

»Er müsste jeden Augenblick wieder hier sein.«

Tatsächlich kehrte er kurz darauf zu ihnen zurück. Er verlor kein Wort über ihren Ausflug.

Die Fähre hatte inzwischen fast das Ufer erreicht, und die Reisenden belagerten den Anlegesteg, der von drei kräftigen Männern bewacht wurde. Grigán und seine Gefährten gesellten sich zu den anderen Wartenden. Das Boot legte an, spuckte seine Passagiere aus, und diese kämpften sich durch die Menschenmenge zur Herberge oder zum Weg. Dann durften die Wartenden einschiffen.

Yan beobachtete die Menschen vor ihnen und stellte mit Schrecken fest, dass man für die Überfahrt bezahlen musste. Dabei wäre er mit seinem eigenen Ruderboot im Handumdrehen am anderen Ufer! Zugegebenermaßen gab es da das Problem mit den Pferden …

»Meister Grigán?«

Grigán und Corenn konnten sich ein Grinsen nicht verkneifen, als Yan diese förmliche Anrede gebrauchte.

Yan ignorierte es und fuhr fort: »Ich habe immer noch Eure Münzen. Ich werde Euch natürlich alles zurückzahlen, aber … Ich fürchte, ich habe nicht genug Geld für die Überfahrt.«

Corenn konnte ihn beruhigen. »Mit dem Geld, das ich habe, könnten wir uns bis nach Goran einschiffen, wenn es sein müsste.«

»Ich glaube, es würde lange dauern, bis ich Euch eine solche Summe zurückzahlen könnte.«

»Mach dir darüber keine Gedanken.«

Als Mitglied des Ständigen Rats verdiente Corenn so viel wie kaum jemand im Matriarchat, und es lag ihr fern, einem ehrlichen Fischer, der eines Tages zur Familie gehören würde, Schulden aufzubürden.

Das Einschiffen ging zügig voran, und bald waren sie an der Reihe. Corenn wechselte einige Worte auf Lorelisch mit dem Mann am Steg, gab ihm ein paar Münzen, und sie konnten an Bord gehen. Drei Fährmänner machten sich daran, Pferde, Passagiere und Waren zu verstauen, das Gewicht gleichmäßig zu verteilen und das Gepäck festzuzurren. Ein vierter Mann zündete die Öllampen an, die an kleinen Masten an den vier Ecken des Boots und auf der Brücke hingen.

»Soweit ich weiß, ist dies die einzige Fähre, die auch nachts verkehrt«, sagte Grigán. »Und eine der größten.«

Léti senkte die Stimme und fragte: »Ist es nicht gefährlich, ausgerechnet dieses Boot zu nehmen? Wird es den Züü nicht ein Leichtes sein, uns hier zu finden?«

»Nein. Es gibt an der Gisle auf drei oder vier Meilen über dreißig Fähren. Jede fährt am Tag fünf- bis sechsmal hin und her. Um sie alle zu überwachen, bräuchte man eine ganze Armee. Die Züü werden es nicht mal versuchen.«

»Das vermutet Ihr.«

»Ja. Hast du eine bessere Idee, wie wir nach Berce kommen?«

»Bei Eurydis! Was seid Ihr empfindlich.«

»Ich mag es nicht, wenn meine Entscheidungen angezweifelt werden«, sagte Grigán ruhig.

*Das könnte sein Leitspruch sein*, dachte Yan.

Als alle an Bord waren und einen Platz gefunden hatten, lösten die Fährmänner die Leinen und schoben den Kahn mit langen Holzstaken vom Steg weg. Ein lautes ›Platsch‹ unterbrach ihr Manöver. Ein betrunkener Passagier hatte das Gleichgewicht verloren und war ins Wasser gefallen. Alle lachten schallend, außer dem Kapitän, der seinen Männern eine Standpauke hielt, und dem nun wieder stocknüchternen Passagier, der an Bord gezogen wurde.

»Das ist eine Tradition der Fährmänner«, erklärte Grigán. »Ich habe gehört, dass sie bisweilen sogar geheime Wettbewerbe darin veranstalten, Passagiere über Bord zu werfen. Vermutlich haben sie den Kerl absichtlich an die Reling gestellt.«

»Die Lorelier haben seltsame Spiele«, sagte Yan.

»Springt man in Kaul nicht um die Wette vom Kliff? Das erscheint mir auch nicht viel intelligenter.«

»Das ist etwas anderes. Niemand muss dabei mitmachen.«

»Komm schon, Yan, du hast doch auch gelacht«, sagte Léti. »Es war ja nicht böse gemeint.«

»Genau«, pflichtete Grigán ihr bei. »In Romin ist es üblich, ein brünstiges Rotschwein im Haus eines Freundes freizulassen. Natürlich nicht, ohne vorher Fenster und Türen zu verrammeln. Wenn das Opfer den Urheber des Streiches nicht verprügelt, sind sie wahre Freunde.«

»Das kann ich mir vorstellen. Was ist ein Rotschwein?«

Corenn sah Yan überrascht an. »Hast du noch nie eins gesehen? Was ist mit dir, Léti?«

»Nein.«

»Unglaublich. Es sieht aus wie eine Kreuzung aus Haus- und Wildschwein und hat ein tiefrotes Fell. Normalerweise lebt es in Rotten von fünfzig bis sechzig Tieren, aber es sind auch schon welche von über dreihundert Exemplaren gesichtet worden. Sie richten großen Schaden an. In Romin sind sie eine regelrechte Plage, und auch im Westen des Matriarchats mussten wir sie vor ein paar Jahren zur Jagd freigeben, weil es einfach zu viele wurden.«

»Ich höre zum ersten Mal von solch einem Tier. Und was tut ein brünstiges Rotschwein, Meister Grigán?«

»Es grunzt, es schreit, es beißt, es schlägt aus, es rammt alles, was sich bewegt, und eigentlich auch alles, was sich nicht bewegt. Und vor allem stinkt es. Es heißt, man könne es keine Dezille in der Nähe eines brünstigen Männchens aushalten.«

»Hört sich an wie Yan, wenn er vom Schlammaalfischen kommt«, sagte Léti kichernd.

»Sehr witzig. Erinnere mich daran, dass ich dich das nächste Mal mitnehme.«

»Aale sind köstlich«, warf Corenn ein.

»Ihr wollt auch mitkommen? Sehr gern. Ihr werdet sehen, es ist ein Riesenspaß.« Yans schlechte Laune war wie weggeblasen und alle Zukunftssorgen waren vergessen. Er wollte einfach nur die Gegenwart genießen.

Der Kahn glitt leise über den Fluss. Nur die Holzstaken wühlten die spiegelglatte Wasseroberfläche auf, und ab und zu schnappte ein Fisch nach einer Mücke. Dem fahlen Widerschein der Lampen und dem schwindsüchtigen Mond gelang es nicht, die Nacht zu bezwingen, doch ihr Schimmer hatte etwas Beruhigendes. Die Lichter Benelias in der Ferne leuchteten schwächer als die Glühwürmchen, die in der Dunkelheit schwebten. Am Ufer brannten Feuer neben Anlegestellen und Herbergen. Die Aussicht auf ein warmes Bett … Kälte kroch vom Wasser herauf, und Yan wickelte sich fester in seinen Umhang. Er wollte Léti fragen, ob auch ihr kalt war, wagte aber nicht, die friedliche Stimmung zu stören. In der nächtlichen Stille war nichts zu hören als der Gesang der Frösche, das Gemurmel der Reisenden und das Plätschern des Wassers. Yan rückte näher an Léti heran und strich ihr sacht über den Rücken. Sie lächelte ihm dankbar zu. Wäre es doch immer so einfach zwischen ihnen …

Er legte den Arm um Léti, und sie lehnte ihren Kopf an seine Schulter. So standen sie da, schweigend und reglos, gemeinsam im Dunkel der Nacht.

Corenn zog die beiden jungen Leute sanft aus ihren Träumen, da die Fähre bald anlegen würde. Yan hatte das Ufer gar nicht kommen sehen. Widerstrebend löste er sich von seiner Freundin und nahm wie die anderen sein Pferd am Zügel. Nachdem sie von Bord gegangen waren, führte Grigán sie zu der Herberge. An diesem Ufer sah alles genauso aus wie auf der anderen Seite: Es gab einen Anlegesteg, drei Wächter, die das Geld entgegennahmen, Reisende, die auf die Fähre warteten, und ein paar Marktbuden, die mittlerweile geschlossen waren.

Über der Tür zur Herberge hing ein riesiges Schild. Auf Itharisch stand dort: *Herberge zur Fähre*. Der Wirt war offenbar nicht gerade phantasievoll.

»Seid Ihr schon mal hier gewesen?«, fragte Yan Grigán.

»Dreimal, glaube ich. Vielleicht auch viermal. Aber mein letzter Aufenthalt liegt mindestens sechs Jahre zurück. Es ist unwahrscheinlich, dass mich jemand erkennt.«

»Das meinte ich nicht …«

Wieder einmal fürchtete Yan, sich zu blamieren. »Ich … ich war noch nie in einer Herberge. Ich glaube, in der Umgebung von Eza gibt es so etwas gar nicht. Deshalb, äh … wollte ich fragen, ob ich auf etwas Bestimmtes achten muss.«

Seine drei Gefährten lachten gutmütig.

»Solange du bezahlst, kannst du tun und lassen, was du willst«, sagte Grigán augenzwinkernd. »Außer vielleicht den Wirt umbringen oder die Gäste verprügeln. Kannst du dir das merken?«

»Das mit den Gästen wird mir schwerfallen«, sagte Yan grinsend.

»Gut. Ich gehe fragen, ob sie Zimmer frei haben.«

Er öffnete die Tür und bückte sich unter dem riesigen

Schild hindurch. Für einen Moment schlugen den drei Kaulanern Stimmfetzen, Essensgeruch und warme Luft entgegen. Gleich darauf kehrte Grigán in Begleitung eines Jungen zurück, der den Pferden das Gepäck abnahm und sie in den Stall führte.

Als sie durch die Tür traten, kam ihnen ein älterer Mann entgegen. Drei Stufen führten zum Schankraum hinunter, dessen Einrichtung aus groben Holztischen mit Bänken bestand. Ein gewaltiger Stapel Feuerholz, der aussah, als hätte jemand Baumstämme in der Mitte durchgesägt, nahm eine ganze Wand ein. Daneben loderten vier Fuß hohe Flammen in einem großen Kamin. Trotz der Entfernung konnte Yan ihre Wärme spüren. Mehrere Treppen und Türen führten zur Küche, zum Keller, zu den Zimmern oder in andere Teile des Hauses. Yan war beeindruckt von der Größe der Herberge.

Dreißig Augenpaare richteten sich auf die Neuankömmlinge, bevor sich die Gäste wieder ihren Tellern und Krügen zuwandten. Sie saßen allein oder in kleinen Gruppen an den Tischen, und es waren ausschließlich Männer: Bauern, Handwerker, Kaufleute oder Reisende.

Der Wirt begrüßte sie auf Lorelisch und führte sie zu einem freien Tisch. Sie setzten sich, und nachdem sie ein paar Worte gewechselt hatten, gab Corenn dem Wirt drei Münzen, und er verschwand in der Küche.

Kurz darauf servierte der Stallbursche das Essen. Er musste mehrmals hin- und herlaufen und brachte ihnen durcheinander frisches Brot, eine heiße Pastete, einen Gemüseeintopf, ein riesiges Stück Käse, Besteck, Becher, einen Krug Bier und auf Corenns Bitte hin auch einen Krug Wasser. Sie aßen mit Heißhunger und unterhielten sich über die Unterschiede der kaulanischen und lorelischen

145

Küche, ohne sich entscheiden zu können, welche besser war.

»Sind alle Herbergen so wie diese?«, fragte Yan.

»Nein, ganz und gar nicht«, antwortete Grigán. »Hier übernachten nur Leute, die auf der Durchreise sind und ein Essen und ein warmes Bett wollen. In den großen Städten sind es andere Gäste …«

»Eigentlich wollte ich wissen, ob alle Herbergen so groß sind. An diesen Tischen hätten sämtliche Einwohner Ezras Platz!«

»Das ist noch gar nichts. Ich kenne viele Herbergen in den Oberen Königreichen, die noch größer sind, größer als Paläste.«

»Ich frage mich immer, ob Ihr mich für einen Niab haltet, oder ob Ihr es ernst meint.«

»Ich meine es ernst. In Lermian habe ich einmal in einem Gasthaus mit sechshundert Zimmern übernachtet. Und mindestens zwei Drittel waren belegt.«

Yan war immer noch argwöhnisch, aber er beschloss, Grigán zu glauben. Was blieb ihm anderes übrig?

Der Krieger war sein halbes Leben lang auf Reisen gewesen und hatte vermutlich die andere Hälfte mit Reisevorbereitungen verbracht. Er kannte alle Königreiche, war in sämtlichen großen Städten gewesen und Tausenden Menschen begegnet. Der alte Kämpfer mit dem Krummschwert und der schwarzen Lederkluft, der geheimnisvollen Vergangenheit und dem eisernen Willen faszinierte Yan ungeheuer.

An diesem Abend war Grigán ungewöhnlich gesprächig. Jetzt, wo sie das Matriarchat verlassen hatten, war er weniger angespannt. Vielleicht lag das aber auch an dem Krug Bier, den er fast allein geleert hatte. Das war die Gelegenheit, ihn besser kennenzulernen …

»Ihr kommt doch aus den Unteren Königreichen, oder? Euer Akzent klingt so.«

»Ja. Und?«

»Nichts. Ich bin nur neugierig, das ist alles.«

»Du bist nicht nur neugierig, sondern steckst deine Nase in Dinge, die dich nichts angehen.«

»Das sagt unsere Dorfälteste auch immer«, sagte Yan grinsend. »Irgendwann brachte sie mir das Lesen bei, damit ich selbst die Antworten auf die Fragen fand, die ich ihr ständig stellte. Doch sie besitzt nicht mehr als drei Bücher, und ich ließ ihr weiterhin keine Ruhe, bis sie mir eines Tages sagte, sie habe keine Antworten auf meine Fragen. Wie alle Kinder wäre mir das nie in den Sinn gekommen.«

»Ich finde es gut, dass du lesen kannst«, sagte Corenn.

»Nur ein bisschen Itharisch«, sagte Yan bescheiden.

Grinsend mischte sich Léti ein. »Einmal hat er einen ganzen Tag lang versucht, ein Pergament zu entziffern, das er beim alten Vosder gefunden hatte. Als es ihm nicht gelang, war er so enttäuscht, dass ich die Dorfälteste holen ging, damit sie ihn zur Vernunft bringt. Was habe ich über sein dummes Gesicht gelacht, als sie ihm sagte, dass es Goronisch war.«

»Das konnte ich doch nicht wissen. Die Schriftzeichen sind schließlich dieselben«, sagte Yan mürrisch.

»Und dann ist Yan bis nach Assiora gelaufen, um sich das Pergament übersetzen zu lassen, zwei Tagesmärsche hin und zurück. Das alles, um ein paar alte Worte zu verstehen.«

Yan lief rot an und schwieg.

»Du kannst nicht lesen, oder, Léti?«, fragte Corenn mit Unschuldsmiene.

Natürlich kannte sie die Antwort. Sie wollte ihre Nichte

lediglich dazu bewegen, Yan und seinem Lerneifer etwas mehr Achtung entgegenzubringen.

»Nein. Ich finde es vollkommen nutzlos«, entgegnete das Mädchen unbeirrt.

»Du irrst dich«, sagte Grigán. »Früher war ich derselben Meinung, aber ich habe es oft bereut.«

»Es ist nie zu spät, Meister Grigán.«

»So sagt man, Dame Corenn. Doch ich fürchte, ich werde mich nicht mehr ändern. Die Jahre, die mir vom Leben noch bleiben, werden … so sein wie die, die hinter mir liegen.«

Betretenes Schweigen trat ein. Yan brach es als Erster. »Und wo genau seid Ihr geboren?«

Grigán ließ sich Zeit mit der Antwort, als müsste er sie sich erst wieder in Erinnerung rufen oder als wüsste er nicht, ob er sich ihnen anvertrauen wollte. »In Griteh. Damals, vor zweiundvierzig Jahren, war es das glücklichste der Unteren Königreiche. Aber ich war schon lange nicht mehr dort.«

Yan zögerte einen Moment, doch seine Neugier siegte. »Warum?«, fragte er.

Grigán seufzte. »Weil ich dort nicht mehr willkommen bin. Und weil mich nichts mehr an Griteh bindet.«

Die Freunde spürten, dass er log. Grigán vermochte seine Gefühle nicht gut zu verbergen – vermutlich war er deshalb immer so verschlossen.

»Was ist geschehen?«

Auch Léti hing an Grigáns Lippen und wartete begierig darauf, dass er seine Erinnerungen preisgab. Doch das Schweigen zog sich immer mehr in die Länge, und irgendwann begriff Yan, dass der Krieger nicht antworten würde.

»Erzählt es ihnen, Grigán«, sagte Corenn sanft. »Solange sie es nicht wissen, werden sie keine Ruhe geben, und eines Tages werdet Ihr nachgeben oder Eure Wut an ihnen auslassen.«

Er verzog keine Miene. Er musterte Corenn, als sähe er sie zum ersten Mal.

»Erzählt es ihnen und nehmt es endlich hin, oder schweigt und vergesst die Geschichte ein für alle Mal. Aber hört auf, Euch zu quälen«, fügte sie leise hinzu.

Grigán schien einen Moment lang ratlos, dann gab er sich einen Ruck. Er wusste nicht, ob er die richtige Entscheidung getroffen hatte. »Euer Bedauern ist das Letzte, was ich will. Oder, noch schlimmer: euer Mitleid. Das *Allerletzte*. Ich erzähle euch meine Geschichte nur, damit ihr aus meinen Erfahrungen lernt.«

»Einverstanden«, antworteten die jungen Kaulaner im Chor.

»Gut.«

Er nahm einen langen Schluck aus dem Krug, als wollte er sich Mut antrinken. Anscheinend hatte Grigán weniger Angst davor, gegen drei Züu zu kämpfen, als von sich selbst zu erzählen, dachte Léti.

»Habt ihr schon mal von Aleb dem Ersten, Aleb dem Bezwinger oder passender, wie ich finde, Aleb dem Blutrünstigen gehört?«

»Nein«, sagte Léti.

Yan glaubte den Namen zu kennen, war aber nicht sicher. Er gab sich lieber als Yan der Unwissende aus, um die ganze Geschichte zu hören.

»Er war mein Offizier«, fuhr Grigán fort. »Damals hieß er noch Prinz Aleb. An seiner Seite zog ich gegen unsere Nachbarn in den Krieg: Irzas, Quesraba, Tarul und einmal sogar gegen Yiteh. Versteht ihr? Wir zogen in den *Krieg*. Wir kämpften gegen *Krieger*.«

Yan und Léti wechselten einen raschen Blick und nickten. Sie wussten zwar nicht genau, was er damit meinte, wollten ihn aber auf keinen Fall unterbrechen.

»Griteh war lange Zeit schwach gewesen. Jahrzehntelang waren immer wieder feindliche Armeen in das Königreich eingefallen. Dank unserer Siege herrschten wieder Sicherheit und Frieden im Land, doch schon nach wenigen Jahren rief Aleb die Stämme erneut zu sich. Ich folgte seinem Ruf, da es die Pflicht eines jeden Ehrenmannes ist, seine Familie zu verteidigen. Allerdings fragte ich mich, was er vorhatte, denn keine unserer Grenzen wurde von einem feindlichen Heer bedroht.« Grigán hielt inne.

Yan und Léti rutschten unruhig auf der Bank hin und her, bis Léti es nicht mehr aushielt.

»Und dann? Was geschah dann?«

»Ich hätte es gleich wissen müssen. Aleb hielt eine lange Rede und hetzte die Männer gegen Quesraba auf. Er erinnerte sie an die vergangenen Kriege, an den Verrat und Wortbruch unserer Feinde und an verlorene Schlachten, die gerächt werden mussten. Am Ende behauptete er gar, Quesraba sei eigentlich ein Teil *unseres* Königreichs, der von Feinden besetzt sei. Er vermischte Wahrheit und Lüge, erzählte traurige Geschichten und solche, die selbst einen romischen Schäfer in Rage gebracht hätten. Aber was er auch sagte, ist keine Entschuldigung für das, was dann geschah.«

Grigán verstummte und musste schlucken.

»Weiter!«, drängte Léti.

»Auf seinen Befehl hin zogen die Männer nach Quesraba, und ich war in der vordersten Reihe dabei. Bis zur

Grenze brauchten wir einen Tag, doch die Wut und Angriffslust der Krieger ließen nicht nach. Aleb und seine ihm
blind ergebenen Gefolgsleute schürten sie immer wieder
von Neuem. Schließlich erreichten wir das erste Dorf. Ich
gab meinen Reitern den Befehl, einen Bogen um die Sied-
lung zu schlagen, um weiter zur Hauptstadt zu ziehen, wo
wir auf das feindliche Heer stoßen würden. So ist es Brauch.
Doch Aleb der Verfluchte hatte anderes im Sinn.« Abermals
trank Grigán einen großen Schluck. »Er blies zum Sturm
auf das Dorf. In jener Nacht gab es Hunderte Tote. Die Bewohner waren noch nicht einmal bewaffnet. Sie wussten
nichts von Kriegen oder Grenzen. Menschen wie ihr. Menschen wie …«

Er stockte. Dann sprach er weiter: »Und ich tat nichts, um
ihnen Einhalt zu gebieten.«

Grigán starrte auf den Grund seines Bechers. Warum gelang es ihm nur nie, sich zu betrinken? Wie viel er auch
trank, er blieb bei klarem Verstand. Stets blieb er für seine
Taten verantwortlich.

»Ich hätte versuchen können, Aleb zur Vernunft zu bringen. Ich hätte versuchen können, die Krieger zur Vernunft
zu bringen. Ich hätte sogar meinen Männern befehlen können, die Mörder anzugreifen. Doch ich habe nichts getan.
Ich stand einfach da und sah den Gräueltaten zu, die vor
meinen Augen verübt wurden. Ich sah, wie Kinder mit dem
Krummschwert geköpft wurden, wie Alte bei lebendigem
Leib in ihren Häusern verbrannten. Ich sah, wie Frauen vor
den Augen ihrer sterbenden Männer vergewaltigt wurden,
wie Tiere brutal gefoltert wurden. Und nicht nur das …«

»Grigán«, sagte Corenn leise, um der grauenhaften Auf-
zählung ein Ende zu setzen.

Er sah sie an und seufzte. »Es ist keine schöne Geschichte, ich weiß. Doch es ist nun einmal geschehen. Wenn ich daran denke, dass ich mich anfangs auch beinahe in die ›Schlacht‹ gestürzt hätte …« Er verstummte und senkte den Blick. Grigán weinte nicht, doch alle Traurigkeit und alles Leid der Welt schien auf seinen Schultern zu lasten.

Die Kaulaner schwiegen taktvoll. Niemandem war mehr danach, Fragen zu stellen, und dabei wäre es auch geblieben, wenn Grigán nicht von selbst weitergesprochen hätte. Seine Stimme klang jetzt fester.

»Anfangs habe ich noch nach den Feinden gesucht. ›Wo sind sie nur? Warum wurde zum Angriff geblasen? Ist das eine Falle?‹ Dann begann ich zu *hoffen*, es sei eine Falle. Die Ramgriths, meine Brüder, konnten doch nicht unschuldige Dorfbewohner massakrieren. Ich wollte nicht wahrhaben, dass all das grundlos geschah. Ich dachte, Krieger hätten sich in der Umgebung versteckt oder als Bauern verkleidet und Aleb hätte den Überfall nur befohlen, weil er den Hinterhalt gewittert hatte. Weil er *ein guter Offizier* war.

Die ganze Nacht lang klammerte ich mich an diese Hoffnung und verschloss die Augen vor dem Massaker. Erst im Morgengrauen gestand ich mir ein, dass ich mir etwas vorgemacht hatte. Ich hatte meine Ehre und meine Menschlichkeit verloren. Ich floh von diesem verfluchten Ort und zog mich auf meine Ländereien zurück. Ich wollte mir das Leben nehmen und dachte darüber nach, wie ich es anstellen sollte.«

Yan und Léti sahen einander bestürzt an.

Grigán holte tief Luft. »Ich konnte es nicht. Selbstmord wäre nur ein weiterer Akt der Feigheit gewesen, aber weiterzuleben kam mir wie ein Eingeständnis von Schwäche vor. Eine Dekade lang quälte ich mich mit der Entscheidung.

Schließlich beschloss ich, dass es besser war, zu leben und gegen das Unrecht zu kämpfen, als zu sterben, weil ich nichts dagegen getan hatte.

Ich reiste nach Griteh und bat König Coromán um eine Audienz. Er gewährte sie mir gern. Meine Familie dient … diente der seinen schon zu Zeiten des Großvaters von Rafa dem Strategen. König Coromán war ein kaltherziger, strenger und unnachgiebiger Mann, aber er liebte die Gerechtigkeit. Ich konnte nicht glauben, dass er dem Massaker von Quesraba und all den anderen, die darauf folgten, zugestimmt hatte.

Ich erzählte ihm meine Version der Geschichte, die einzig wahrhaftige. Sein eigener Sohn hatte den Thron von Griteh, das Königreich und all seine Untertanen entehrt, indem er sich dem Blutrausch hingab und die Opfer ausplünderte wie ein gemeiner Straßenräuber.

Zunächst reagierte Coromán, wie ich gehofft hatte. Er rief seinen Sohn zu sich, um ihn mit meinen Worten zu konfrontieren. Aleb stritt alles ab und schilderte eine blutige Schlacht gegen das quesrabische Heer. Dann legte er vermeintliche Beweise vor. Er ließ seine Gefolgsleute schwören, dass er die Wahrheit sprach, und zeigte seinem Vater Uniformen und Waffen der Feinde, die er angeblich erbeutet hatte. Sie stammten zweifellos aus einem früheren Krieg. Der König wandte sich an mich und wartete auf meine Antwort.

Was sollte ich sagen? Erst jetzt begriff ich, dass niemand gegen den Prinzen aussagen würde. Ich bin ein einfacher Krieger: Intrigen, List und Tücke gehören nicht zu meinen Stärken. Ich wusste nicht, wie ich beweisen sollte, dass Aleb log. Plötzlich wollte ich nur noch eins: Aleb den Schwindler töten. Das war das Einzige, was ich tun konnte: den Schakal daran hindern, weiteres Unheil anzurichten. Deshalb forderte ich ihn zum Duell heraus.

Der Kampf fand am folgenden Tag statt. In jener Nacht machte ich kein Auge zu, da ich fürchtete, Aleb würde mich im Schlaf ermorden lassen, auch wenn das ein Beweis für seine Niedertracht gewesen wäre.

Wie es der Brauch will, sahen der König und die Stammesführer dem Kampf zu. Noch heute genießt Aleb den Ruf, der beste Zweikämpfer der Unteren Königreiche zu sein. Doch die Wahrheit und der Zorn waren auf meiner Seite. Er traf mich an der Hand und im Gesicht. Ich verletzte ihn am Bein und stach ihm ein Auge aus.

Coromán beendete den Kampf, wozu er als König das Recht hatte. Vielleicht wollte er seinem einäugigen Sohn das Leben retten. Vielleicht hatte er auch genug gesehen.

Er erklärte mich zum Sieger. Doch Aleb lebte immer noch. Der König zwang ihn nur, auf den Thron zu verzichten, und ernannte seinen jüngeren Bruder zum Thronfolger. Ich wurde aus dem Königreich verbannt, da ich mich den Befehlen meines Offiziers widersetzt hatte.«

Den letzten Satz spuckte Grigán voller Abscheu und Hass aus.

Yan war ernüchtert. Auch die anderen sahen ernst und traurig aus. Um sie aufzuheitern, versuchte er, das Gespräch in eine andere Richtung zu lenken. »Habt Ihr daher Eure Narbe?«

»Nein. Die hat mir ein Acor verpasst. Davon erzähle ich dir ein anderes Mal, wenn du brav bist und Dame Corenn gehorchst«, sagte Grigán mit dem Anflug eines Lächelns.

Yan nickte und erwiderte das Lächeln. Er wusste zwar nicht, was ein Acor war, und seine Neugier regte sich, doch er hielt sich zurück.

»Seid Ihr nie mehr nach Griteh zurückgekehrt?«, fragte Léti.

»Nie mehr. Als ich fort war, tötete Aleb eigenhändig seinen Vater und Bruder. Dann bestieg er den Thron und ordnete Massenhinrichtungen an. Als Nächstes begann er mit der Eroberung oder vielmehr mit der Zerstörung des Nordens der Unteren Königreiche. Es bricht mir das Herz zu sehen, wie gut es ihm gelungen ist.«

»Warum verbündeten sich die anderen Könige nicht gegen ihn?«, fragte Yan.

»Manche versuchten es, aber Aleb warb ganze Heerscharen von Söldnern an, Jez, Pleder, Ramyth, sogar Goroner. Er gestattet ihnen, die eroberten Gebiete zu besetzen und nach Herzenslust zu plündern. Sein Ziel ist es nicht, Gritehs Wohlstand zu sichern, sondern einzig und allein, seine Macht zu vermehren. Er machte La Haque zur Hauptstadt. Das liegt nicht einmal in Griteh! Und in seiner Armee dienen doppelt so viele Yussa wie Ramgrith.«

»Was sind Yussa?«

»Söldner. All jene, die sich Aleb angeschlossen haben. In seinem Heer kommen auf einen Kämpfer drei Plünderer.«

»Mutter Eurydis, hoffentlich bleiben sie auf ihrer Seite des Meers!«

»Keine Angst. Aleb verachtet die Oberen Königreiche. Allerdings schickt er mir regelmäßig Auftragsmörder auf den Hals, um sich für sein fehlendes Auge zu rächen. Früher oder später wird mich einer von ihnen erwischen. Es sei denn, die Züü kommen ihnen zuvor. Aber vielleicht stehen auch sie in Alebs Diensten, wer weiß das schon?«

»Warum müsst Ihr Euch auch nur immer mit allen anlegen?«, scherzte Corenn.

»So bin ich nun mal«, antwortete Grigán ernst.

»Und wie lange seid Ihr nun aus Griteh fort?«, fragte Léti.

»Seit über fünfzehn Jahren …« Grigán überlegte. »Nein. Seit neunzehn Jahren«, sagte er dann leise.

»Seit zwanzig Jahren versucht der Kerl, Euch zu töten? *Seit zwanzig Jahren* seid Ihr auf der Flucht?«

»Ich kenne Männer, die ihr ganzes Leben lang auf Rache sinnen. *Dem Willen der Menschen sind keine Grenzen gesetzt. Ihrem Wahnsinn auch nicht.*«

»Für jemanden, der von sich behauptet, nicht gerne nachzudenken, seid ihr bemerkenswert tiefgründig, Meister Grigán.«

»Die Worte stammen von einem Freund aus dem Schönen Land, und ihre Wahrheit hat mich tief beeindruckt. Mein Freund fasste in einem einzigen Satz zusammen, was ich in zwanzig Jahren, die ich nun schon durch die bekannte Welt reise, herausgefunden habe.«

»Ich würde diesen klugen Mann, der die Ehre hat, von Euch ein Freund genannt zu werden, gern kennenlernen«, sagte Corenn.

»Ich hoffe, das werdet Ihr eines Tages, Dame Corenn. Falls wir dieses Abenteuer überleben.«

Sie schwiegen eine Weile.

»Habt Ihr nie daran gedacht, zurückzukehren und es Aleb heimzuzahlen?« Die Frage brannte Yan schon länger auf den Lippen.

Grigán ließ sich Zeit mit der Antwort. »Ich denke an nichts anderes«, gestand er schließlich. »Aber ich wäre wohl schon tot, noch bevor ich überhaupt in die Nähe Gritehs käme …« Dann fügte er hinzu: »Außerdem bin ich verbannt! Ich kann nicht zurück!«

Yan und Léti wussten nicht, ob das ein Scherz oder ein

ernst gemeinter Einwand war. Das Schweigen zog sich in die Länge.

»Ich sehe mal nach unseren Zimmern«, sagte Grigán schließlich und stand auf.

Er wollte allein sein.

Nachdem er fort war, wandte sich Corenn an die beiden anderen: »Ich glaubte, Grigán besser zu kennen als jeder andere. Doch ich hätte niemals gedacht, dass er sich euch so schnell anvertraut.«

»Ich hätte nicht gedacht, dass er überhaupt so viel reden kann«, sagte Léti.

»Er wird euch nicht darum bitten, und ich muss es euch bestimmt nicht eigens sagen, aber … Achtet seine Erinnerung. Er muss vergessen, was geschehen ist, oder es endlich hinnehmen. Erwähnt die Geschichte nicht, es sei denn, er tut es. Und kein Wort darüber zu Fremden.«

»Natürlich«, sagten beide und nickten einhellig.

Yan dämmerte, dass der Krieger seine Offenheit als Schwäche ansah und vielleicht schon bereute. Aber noch etwas war ihm aufgefallen … »Dame Corenn?«

»Ja?«

»Habt Ihr nicht das Gefühl, dass er uns etwas verschweigt? Dass er einen Teil der Geschichte ausgelassen hat?«

Sie musterte den jungen Fischer mit dem wachen Verstand. Dann sah sie zu dem schweigsamen Krieger, der gerade an ihren Tisch zurückkehrte. »Ich hoffe, er wird es uns eines Tages erzählen«, sagte sie leise. »Wenn er Frieden gefunden hat.«

ZWEITES BUCH

# DIE VERGESSENE INSEL

Vier Tage zuvor waren Yan, Grigán, Léti und Corenn vom Ufer der Gisle aufgebrochen. Wie Hunderte andere Reisende hatten sie die Grafschaft Kolimine durchquert und waren auf einer jahrzehntealten Furt durch die Velanese gewatet. Dann waren sie südwärts geritten und hatten sich ein paar Meilen vor Lorelia gen Osten gewandt. Nach Berce war es nur noch ein knapper Tagesritt.

Seit ein paar Tagen war Yan schlecht gelaunt. Abgesehen von dem beharrlichen Dauerregen, der sie am Vorankommen hinderte und ihre Geduld auf die Probe stellte, litt er unter Grigáns Anspannung, Corenns scheinbar unerschütterlichem Gleichmut und vor allem unter Létis ständigen Sticheleien. Sie warf ihm vor, er stelle andauernd sinnlose Fragen, trotte immer wie ein Schaf hinter anderen her, führe sich überhaupt wie ein Niab auf und noch vieles andere, das er lieber gleich vergaß.

Er war klug genug, nicht auf ihre Vorwürfe einzugehen und sie der schweren Zeit zuzuschreiben, die sie durchmachte.

Eines Abends gab Léti zu, dass sie nicht aufhören konnte sich zu fragen, wer von ihren Freunden den Züü entkommen war und ob überhaupt noch andere Erben lebten. Niemand hatte Vermutungen anstellen wollen, und so hatten sie seitdem kein Wort mehr darüber verloren.

Trotzdem, der Tag der Versprechen war schon in zwei Tagen, und Yan hätte sich gern besser mit seiner Geliebten verstanden. Abermals plagten ihn Zweifel. Würde er den Mut aufbringen, sie um ihre Hand zu bitten?

Im Grunde war es keine Frage von Mut oder Feigheit. Bäte Léti ihn, vom höchsten Felsen Ezas zu springen, durch einen Schwarm Orzos hindurchzutauchen oder gegen einen dieser Mörder im roten Gewand zu kämpfen, täte er das, ohne mit der Wimper zu zucken – jedenfalls, wenn es einen guten Grund dafür gäbe. Aber zu ihr gehen und um ihre Hand bitten … Nein!

Missmutig dachte er, dass sie an seiner Stelle keine Dezille zögern würde. Wenn sie etwas wollte, dann tat sie es auch. Wenn sie ihn doch nur wollen würde …

Er schüttelte den Kopf, um den Gedanken zu verscheuchen. Er durfte sich nicht das Hirn darüber zermatern, was sie dachte oder wollte. Das würde er noch früh genug erfahren, und dann vielleicht bitter bereuen, sie überhaupt gefragt zu haben.

Der Antrag würde ihm sehr viel leichter fallen, wenn sie schon einmal über die Sache gesprochen hätten. In all den gemeinsamen Jahren, all den Gesprächen, all der miteinander verbrachten Zeit war nie von einem Bund zwischen ihnen die Rede gewesen.

Jetzt war es zu spät.

Für alle anderen war längst ausgemacht, dass sie füreinander bestimmt waren, und sie hatten sich schon oft von der Gefährtin oder dem Gefährten ihrer Träume erzählt. Léti wünschte sich einen Jungen, der schön, stark und bis über beide Ohren in sie verliebt war, und Yan träumte von einem Mädchen, das schön, geheimnisvoll und fröhlich sein sollte. Doch das war nichts als ein Spiel gewesen. Für Yan war Léti die Gefährtin seiner Träume.

Erfüllte er denn Létis Traum? Abermals schüttelte er den Kopf, energischer diesmal. Er musste endlich aufhören, darüber nachzudenken.

»Alles in Ordnung, Yan?«

Corenn sah ihn mit einem seltsamen Blick an. Sie musste ihn schon seit einer ganzer Weile beobachtet haben. Vermutlich sah es ziemlich lächerlich aus, wie er immer wieder scheinbar grundlos den Kopf schüttelte.

»Ja. Danke. Ich bin nur etwas müde.«

*Unsinn, Yan, du redest Unsinn*, dachte er.

»Wir legen eine Rast ein«, sagte Grigán.

»Nein, nein, das müssen wir nicht. Es geht schon.«

*Völligen Unsinn.*

Sie machten trotzdem Halt. Wie üblich bogen sie vom Weg ab und gingen einige Hundert Schritt in den Wald hinein. Während sich die anderen die Beine vertraten, sich den schmerzenden Rücken rieben oder versuchten, ihre pitschnassen Kleider auszuwringen, lief Grigán nervös auf und ab. Er erstarrte bei jedem verdächtigen Geräusch und schlich lautlos zu der Stelle, die Hand am Griff seines Schwerts.

Bald hatte er die anderen mit seiner Unruhe angesteckt. Corenn hielt es nicht mehr aus. »Glaubt Ihr, wir sind in Gefahr?«

»Ehrlich gesagt, nein«, antwortete er, ohne sie anzusehen. »Aber man kann nie wissen. Ich möchte unser Leben nicht wegen einer Unachtsamkeit aufs Spiel setzen.«

»Bisher war doch alles ruhig, oder?«, fragte Léti.

»Ja. Die Züü haben unsere Spur verloren. Aber jetzt nähern wir uns dem Ort, an dem sie uns erwarten, und das beunruhigt mich.«

»Wenn sie dort auf uns warten, werden sie doch nicht auch noch die Wege überwachen, oder?«, wandte das Mädchen ein.

»Würdest du unser Leben darauf verwetten?«

Léti sah ihn entgeistert an. Nein, natürlich nicht! Sie hatte das einfach so dahergesagt. Mutter Eurydis, was war dieser Mann empfindlich!

»Streng doch mal deinen Kopf an«, sagte Grigán. »Warum warten die Züu nicht, bis alle Erben am Tag der Eule in Berce zusammenkommen, um sie dann auf einen Schlag niederzumetzeln?«

»Grigán!«, sagte Corenn tadelnd.

Doch mehr brauchte es nicht, um Léti aus der Fassung zu bringen. »Glaubt Ihr etwa, darüber hätte ich noch nicht nachgedacht? Vielleicht haben sie Angst, ein paar Erben könnten ihnen entwischen, oder sie wollen die Abwesenden nicht vorwarnen! Vielleicht fürchten sie eine Niederlage! Vielleicht wollen sie ihre Morde nicht an die große Glocke hängen!«

»Oder vielleicht«, sagte Grigán leise, »wollen die Züu verhindern, dass wir zur Insel fahren. Vielleicht wollen sie nicht, dass die Erben in diesem Jahr zusammenkommen.«

Die Worte hatten die beabsichtigte Wirkung.

Léti musste sich eingestehen, dass ihr dieser Gedanke nicht gekommen war.

Wenn dem so war, schwebten sie immer noch in Gefahr, und zwar mehr denn je.

Corenn warf Grigán einen scharfen Blick zu. Für ihren Geschmack war er zu weit gegangen. Ihre Nichte war immer noch verstört, und sie wollte sie nicht mit Vermutungen über eine groß angelegte Verschwörung belasten.

Schweigen trat ein. Alle hingen ihren Gedanken nach und genossen die wohlverdiente Rast. Da die Sonne bald untergehen würde, hätte Yan am liebsten schon jetzt das Nachtlager aufgeschlagen, doch ihm war klar, dass Grigán anderes im Sinn hatte. Vermutlich erwartete er wie so oft, dass sie ihre Müdigkeit vergaßen und noch ein Stück weiterritten.

Tatsächlich mahnte Grigán kurz darauf zum Aufbruch. Inzwischen gewohnt, ihm zu gehorchen, folgten sie ihm ohne Widerspruch.

Zu ihrem Erstaunen schlug er nicht die Richtung zum Weg ein, sondern drang tiefer in den Wald vor.

Immerhin ließ er sich dazu herab, einige Worte der Erklärung zu murmeln: Sie könnten nicht einfach auf offener Straße nach Berce reiten.

So kamen sie noch langsamer voran. Yan fand den Marsch durch den Wald noch anstrengender als seine Nacht im Buschland von Kaul. Der aufgeweichte Boden war rutschig, und überall lauerten Schlammpfützen. Das Regenwasser sammelte sich auf den Blättern und lief ihnen heimtückisch in den Kragen, und die erschöpften Pferde ließen sich kaum noch vom Fleck ziehen.

In regelmäßigen Abständen gebot Grigán ihnen mit herrischer Geste, stehen zu bleiben und sich nicht zu rühren. Dann spitzte er eine Weile die Ohren, schlich ein Stück voraus und forderte sie schließlich zum Weitergehen auf. Sein Verhalten war nicht dazu angetan, ihre Anspannung zu mindern.

Nach dem fünften Erkundungsgang, der sehr viel länger gedauert hatte als die vorherigen, gab Grigán kein Zeichen zum Aufbruch. Er bedeutete ihnen, still zu sein. Dann schlugen sie eine andere Richtung ein und machten einen großen Umweg, der sie mehr als eine Dezime kostete. Endlich entspannte er sich und flüsterte Corenn etwas zu. Yan bekam nicht alles mit, nur so viel, dass der Krieger drei Männer beobachtet hatte, die ein Lager aufschlugen. Vielleicht seien sie völlig ungefährlich, *aber er würde nicht sein Leben darauf verwetten.*

Anscheinend war Grigán kein Spieler – vermutlich war das besser für sie.

Eine ganze Dekade lang stapften sie durch den Wald. Selbst als es dunkel wurde, hielten sie nicht an. Yan fragte sich, warum Grigán nicht die Orientierung verlor. Er selbst hätte noch nicht einmal sagen können, wo Norden war. Auf sich allein gestellt, hätte er sich hoffnungslos verirrt.

Er bemerkte, dass Grigán hin und wieder einen kleinen Gegenstand zu Rate zog, den er in einer seiner zahlreichen Taschen verwahrte. Neugierig schloss er zu ihm auf. »Wie findet Ihr Euch zurecht? Die Sterne sind nicht zu sehen, und Wege oder sonstige Anhaltspunkte gibt es hier auch nicht.«

»Magie«, antwortete der Krieger, ohne die Miene zu verziehen.

»Was?«

»Magie. Wenn ich ganz fest an mein Ziel denke, erscheint der Weg vor meinem geistigen Auge. Alle Männer Gritehs haben diese Fähigkeit.«

Yan blieb der Mund offen stehen. Wollte er ihn auf den Arm nehmen?

»Na gut, es ist keine Magie. Ich benutze diesen Kompass. Siehst du die Pfeilspitze? Wenn sie sich eingependelt hat, zeigt sie immer nach Norden.«

Verzückt betrachtete Yan den kleinen Gegenstand aus Elfenbein, den Grigán ihm reichte. Nach einer Weile zeigte die Metallspitze nach links. Wenn das kein Scherz war, handelte es sich vielleicht wirklich um Magie …

»Wo habt Ihr das Ding her?«, fragte er und gab es seinem Besitzer zurück.

»Ich habe es einem romischen Seemann für viel Gold abgekauft. Dank solcher Erfindungen beherrschte das Alte Land jahrhundertelang die bekannte Welt. Und obwohl diese Zeiten längst vorbei sind, wachen sie immer noch eifersüchtig über ihre Geheimnisse.«

»Und wie funktioniert es? Doch nicht mit Magie, oder?«

»Willst du eine ehrliche Antwort?«

»Ja!«

»Ich weiß es nicht. Es funktioniert, das ist alles. Vielleicht ist es Magie, vielleicht haben die Götter ihre Finger im Spiel, vielleicht gibt es eine natürliche Erklärung. Ich weiß es nicht«, wiederholte er.

»Es ist *ganz bestimmt* keine Magie«, mischte sich Corenn ein.

»Warum nicht?«

»Ich habe solche Nadeln schon öfter gesehen. Sie haben nichts Übersinnliches, sondern beruhen ganz einfach auf einer Naturerscheinung wie Ebbe und Flut, die Jahreszeiten, die Mondphasen und ähnliches.«

»In den Unteren Königreichen und auch anderswo«, sagte Grigán, »kenne ich Völker, die all diese Erscheinungen für ein Werk der Götter halten.«

»Ich glaube, das kommt auf den Standpunkt an. Wie heißt es so schön: *Der Wahn eines Mannes ist die Wahrheit des anderen*«, sagte Corenn.

Yans Neugier war noch lange nicht befriedigt. Ihm fiel ein, was Léti über ihre Tante und das Unmögliche gesagt hatte, oder vielmehr, was sie nicht gesagt hatte. Was hatte sie gemeint? Was verheimlichten sie?

Und überhaupt … Die ganze Geschichte mit den weisen Gesandten, die von einer Insel verschwanden und zwei

Monde später wieder auftauchten … Bislang hatte er ihr kaum Glauben geschenkt, doch nun, da sie der Insel näher kamen und er mehrere Tage in Gesellschaft von drei Erben verbracht hatte, die überzeugt von der Wahrhaftigkeit der Geschichte waren, geriet er ins Nachdenken.

Konnte diese alte Legende tatsächlich wahr sein?

Er spürte den prickelnden Reiz des Unbekannten. Übersinnliche Phänomene. Magie. Legenden.

Als sie Kinder waren, hatte die Dorfälteste ihnen oft Geschichten von Xefalis' Unterwasserreich, vom sprechenden Delphin, von den Abenteuern des Quyl, vom Magier Guessardi und von den Göttern Brosda, Eurydis und Odrel erzählt. Die alten Überlieferungen hatten schon immer seine Phantasie beflügelt.

Mit einem Schlag vergaß er seine Müdigkeit und die Angst vor dem Tag der Versprechen. Worauf warteten sie noch? Warum ging es nicht schneller voran?

Leider musste er seinen Überschwang zügeln, als sie kurz darauf auf einen Weg stießen. Grigán befahl ihnen, umzukehren und zu dem verfallenen Haus zurückzugehen, an dem sie kurz zuvor vorbeigekommen waren. Dort erlaubte er ihnen gnädig, das Nachtlager aufzuschlagen.

Wie üblich erkundete der Krieger gründlich die Umgebung, bevor er sich etwas entspannte. Sie aßen ein wenig und widmeten sich dann den anfallenden Arbeiten, die sie im Verlauf der Reise stillschweigend unter sich aufgeteilt hatten. Grigán versorgte die Pferde, Yan schlug die Zelte auf – was ihm an diesem Abend erspart blieb, da sie in der Ruine schlafen würden und er nur ein paar Steine wegräumen musste – und Corenn und Léti sammelten Feuerholz.

»Heute Nacht sollten wir besser Wache halten«, sagte Grigán. »Yan, kannst du die erste übernehmen?«

»Natürlich. Ich bin ohnehin viel zu aufgeregt, um gleich schlafen zu können.«

»Gut. Weck mich einfach, wenn du müde wirst.«

»Und was ist mit mir?«, fragte Léti. »Wann bin ich an der Reihe?«

»Nicht, solange ich es vermeiden kann. So was ist gefährlicher, als du denkst.«

»Na und? Ich habe keine Angst, wenn Ihr das glaubt, und ich will auch Wache halten!«

»Nein.«

Léti verdrehte die Augen. Grigáns Starrsinn brachte sie zur Weißglut. »Ich brauche Eure Erlaubnis nicht. Wenn ich will, kann ich die ganze Nacht aufbleiben.«

»Das steht dir frei«, erwiderte er.

Léti fiel keine passende Antwort ein, und so schwieg sie eingeschnappt.

»Diese besonderen Glücksmomente werde ich schmerzhaft vermissen«, sagte Corenn spöttisch.

Nur Yan lachte über den Scherz.

Nachdem die anderen schlafen gegangen waren, bezog er mit Pfeil und Bogen an der Stelle Posten, die Grigán ihm gezeigt hatte.

Als er allein in der Dunkelheit und Kälte stand, in die Nacht starrte und die Ohren spitzte, empfand er ein wildes, ungekanntes Glücksgefühl.

Zum ersten Mal vertraute Grigán ihm voll und ganz.

Und zum ersten Mal wachte er über Léti, so als hätten sie schon den Bund geschlossen.


Am nächsten Morgen war ihm weniger tollkühn zumute. Mit Mühe hatte er die Augen bis Mitternacht offen gehalten und dann widerstrebend Grigán geweckt. Eigentlich hatte er ihn schlafen lassen wollen, doch die Müdigkeit hatte ihn übermannt.

Obwohl es schon taghell war und er als Letzter aufstand, hätte er gut noch einen Dekant länger schlafen mögen.

Als er aus dem Haus trat, stellte er mit Freude fest, dass der Himmel wolkenlos war. Die Sonne erwärmte die lorelische Erde, und der Tag versprach schön zu werden. Ein leichter Wind raschelte im noch dichten Blätterdach, und Hunderte Vögel stimmten einen Jubelgesang auf die Jahreszeit des Windes an.

Weder Léti noch Grigán waren in Sicht, da aber keins der Pferde fehlte, dachte sich Yan nichts dabei. Er trat zu Corenn, die gerade einen Kessel von einem kleinen Feuer nahm. Sie begrüßte ihn und reichte ihm einen heißen, stark riechenden Tee.

»Was ist das?«

»Coze-Tee. Das ist eine Pflanze aus Mestebien. Der Geschmack ist gewöhnungsbedürftig, doch man sagt, dass er die größten Schlafmützen wach macht. Jedenfalls würde keine der Mütter eine Ratsversammlung ohne diesen Tee überstehen!«

Yan grinste und nahm einen Schluck von dem Gebräu. Er fand den Geschmack gar nicht schlecht. »Ihr habt viele verborgene Talente, Dame Corenn«, sagte er, ohne nachzudenken.

»Wie soll ich das jetzt verstehen?«, fragte sie in gespieltem Zorn.

»Nein, nein, so habe ich das nicht gemeint. Ich …«

»Ich weiß, ich habe doch nur einen Scherz gemacht. Außerdem würden dir einige meiner Freunde zustimmen«, sagte sie hintergründig.

Yan wusste nicht so recht, was er von ihren Worten halten sollte, und wechselte das Thema. »Was ist eigentlich mit dem Rat, jetzt, wo Ihr fort seid?«

»Da ich nicht offiziell zurückgetreten bin, ersetzt meine Vertreterin mich bis zu meiner Rückkehr. Sollte ich länger fortbleiben, wird die Älteste meinen Posten an eine andere Mutter vergeben, sobald sie es für geboten hält. So, als sei ich tot …«

»Und wie findet Ihr das?«

»Ich bedauere es natürlich. Aber was soll ich tun? Solange die Züü hinter uns her sind, können wir widersinnigerweise nur überleben, indem wir uns tot stellen. In Kaul weiß allein die Mutter der Justiz Bescheid, und das ist schon eine Mitwisserin zu viel. Sollten unsere Feinde davon erfahren, wäre auch sie in Gefahr, und falls die Züü vor ihrem Tod Einzelheiten aus ihr herauspressen, wäre das unser Ende.«

Yan nickte. Wäre ihm bislang noch nicht klar gewesen, wie ernst die Lage war, hätte Corenn ihm damit auf die Sprünge geholfen. »Warum erklärt Grigán uns so etwas nicht? Dann wüsste Léti, was los ist, und vielleicht würden die beiden sich dann besser verstehen.«

»Glaubst du, es wäre gut für Léti, jede Einzelheit zu kennen?«

Vermutlich nicht. Der Tod ihrer Freunde und der Mordversuch, dem sie nur knapp entronnen war, hatten sie schon genug erschüttert. »Und warum erzählt Ihr mir dann davon?«

»Weil ich deine Klugheit schätze. Außerdem brauchst du dieses Wissen, falls Grigán seinen Plan in die Tat umsetzt.«

Yan wollte weiterfragen, doch sie wurden von Grigáns

und Létis Rückkehr unterbrochen. Beide machten mürrische Gesichter, vor allem Grigán. Sie würdigten sich keines Blickes. Der Tag fing gut an.

»Was ist los?«, fragte Yan seine Freundin.

»Der Griesgram ist schuld. Er wollte einen Stehschläfer töten«, fauchte sie. »Ich habe ihn daran gehindert, und da hat er einen Wutanfall bekommen.«

Yan verstand. Einige Jahre lang hatte Léti einen zahmen Stehschläfer als Haustier gehalten, und niemand durfte in ihrer Gegenwart ungestraft Jagd auf die Tiere machen. »Wie hast du das angestellt?«

»Ich habe geschrien, so laut ich konnte. Der Stehschläfer ist aufgewacht und weggerannt. Hast du mich nicht gehört?«

»Nein. Vielleicht war ich noch im Haus.«

Yan versuchte sich Grigáns Gesicht vorzustellen, als Léti ihm ins Ohr kreischte. Er war bestimmt alles andere als begeistert gewesen, wo er doch so sehr darauf bedacht war, dass niemand sie entdeckte.

Vor sich hin schimpfend suchte Grigán alle Waffen zusammen, die er besaß, und verschwand zwischen den Bäumen. Im Vorbeigehen knurrte er Corenn »dummes Gör« und »muss die Umgebung auskundschaften« zu.

Yan hätte um nichts in der Welt in Létis Haut stecken wollen.

Offenbar würden sie heute erst spät aufbrechen. Als sich Yan etwas Wasser ins Gesicht gespritzt, sein Bündel geschnürt, sich um die Pferde gekümmert und andere Arbeiten erledigt hatte, war Grigán immer noch nicht zurück. Yan beschloss, ein paar Schießübungen zu machen, griff sich Bogen und Köcher und ging in den Wald.

Léti folgte ihm, und sie wechselten sich mit dem Bogen

ab. Das Mädchen traf wesentlich häufiger das Ziel, hatte aber nach wie vor Schwierigkeiten, die Sehne zu spannen.

Sie hatten viel Spaß miteinander, und Yan freute sich, endlich einmal mit seiner Geliebten allein zu sein. Für eine Weile vergaß er sogar die Angst davor, von Grigán erwischt zu werden.

Als Léti keine Kraft mehr hatte, gingen sie zurück zu Corenn, die auf einer Decke saß, den Rücken an einen Baum gelehnt, und in ein kleines Büchlein schrieb. Yan brannten tausend Fragen auf den Nägeln, doch er wollte sie nicht stören, sondern begnügte sich damit, ihr ab und zu einen verstohlenen Blick zuzuwerfen.

Endlich kehrte Grigán zurück. Seine Wut schien verraucht, und er hatte Wild geschossen. Glücklicherweise war kein Stehschläfer dabei. Zufall oder Absicht? Niemand fragte, denn sie wollten es gar nicht so genau wissen.

Grigán lud seine Beute ab und begann, die beiden erlegten Meeresfasane zu rupfen. Yan und Léti wunderten sich, dass er ihren Aufbruch hinauszögerte, was sonst nicht seine Art war. Als Nächstes breitete er sämtliche Messer und Schwerter, die er besaß, auf einem Tuch aus – ein eindrucksvolles Schauspiel. Nacheinander schliff er sämtliche Klingen und fettete sie ein.

Léti trat neben ihn und sah ihm eine Weile schweigend zu. »Seid Ihr immer noch wütend?«, fragte sie schließlich zaghaft.

Er hob nicht einmal den Kopf. »Nein. Ich denke nur nach.« Er beschäftigte sich weiter mit seinen Waffen und sah bekümmert aus.

»Ich glaube, ich weiß, worüber Ihr Euch den Kopf zerbrecht«, sagte Yan.

Grigán sah ihn fragend an.

»Wir können nicht alle zusammen nach Berce, weil das zu gefährlich wäre. Ihr wollt aber auch nicht allein gehen und uns hier zurücklassen. Am besten wäre es, wenn ich ginge, denn die Züu kennen mich nicht. Doch Ihr könnt Euch nicht entscheiden.«

Drei aufmerksame Augenpaare richteten sich auf Yan.

»Ihr werdet Euch mit dem Gedanken abfinden müssen. Denn ich werde nach Berce gehen.«

»Das könnte sehr gefährlich werden.«

Yan warf sich großspurig in die Brust. »Ich habe nicht die Absicht, mich in Gefahr zu begeben. Außerdem haben wir doch wohl nicht den ganzen Weg zurückgelegt, um jetzt aufzugeben.«

»Gut«, sagte Grigán und klang plötzlich zuversichtlich. Während er seine Waffen wegräumte, erläuterte er Yan, was er zu tun hatte. »Berce liegt weniger als einen Tagesritt östlich von hier. Du nimmst den Weg …«

»Was? Das wäre Yans Tod!« Léti konnte einfach nicht fassen, dass er diese Möglichkeit auch nur in Betracht zog.

»Nicht, wenn er Acht gibt. Und das wird er. Ich vertraue ihm«, sagte der Krieger.

Yan schwebte im siebten Himmel. Léti, seine Geliebte, machte sich Sorgen um ihn, und Grigán der Unbeugsame hatte ihn soeben gelobt. Unter diesen Umständen würde er es mit einer ganzen Armee Mörder aufnehmen!

»Schließlich«, fuhr Grigán fort, »führt er keinen Ein-Mann-Feldzug. Verstanden?«, sagte er mit einem Blick auf Yan. »Du sollst nur Beobachtungen anstellen und uns später davon berichten. Und in einem Stück zu uns zurückkommen!«

Yans Grinsen fiel etwas verkrampft aus.

»Am Dorfausgang, unten an der Straße zum Meer, gibt es eine Herberge. Den Namen habe ich vergessen …«

»Zum Weinhändler«, soufflierte Corenn, die bisher geschwiegen hatte.

»Genau. Dort übernachten die meisten Erben, wenn sie zur Zusammenkunft kommen. Nimm dir ein Zimmer und halte die Augen offen.«

»Ich soll die Nacht in Berce verbringen?«, fragte Yan überrascht.

»Es bleibt dir nichts anderes übrig! Selbst wenn du jetzt aufbrichst, wärst du nicht vor Einbruch der Dunkelheit zurück! Was ist daran so schlimm?«

»Es ist nur … Nichts«, stotterte Yan.

Was daran so schlimm war? Der folgende Tag war der Tag der Versprechen, und den wollte er unter allen Umständen mit Léti verbringen.

Grigán wechselte einen Blick mit Corenn und fuhr dann fort: »Du kommst morgen oder übermorgen zurück, ganz wie du willst. Pass nur auf, dass dir niemand folgt.«

Yan nickte. Er würde bestimmt nicht bis übermorgen warten. Er hatte fest vor, sich gleich am nächsten Tag auf den Rückweg zu machen.

»Sprich mit so wenigen Leuten wie möglich. Sag, dass du wegen des Tags der Versprechen gekommen bist und aus einem Dorf in Kaul stammst, aber Eza nennst du natürlich nicht. Du bist auf der Suche nach jemandem – das wird erklären, warum du überall herumschnüffelst.«

Bei der Erwähnung des Tags der Versprechen zuckte Yan zusammen. Er beobachtete verstohlen Léti, doch das Mädchen wirkte gedankenverloren. Hatte sie überhaupt zugehört?

»Zu Festtagen kommen viele Bauern von den abgelegenen Höfen der Umgebung nach Berce, das kennst du wahrscheinlich aus deinem Dorf. Du dürftest nicht auffallen. Ein letzter Rat: Vertraue niemandem. Verstanden?«

»Niemandem«, wiederholte Yan mit zittriger Stimme.

Plötzlich erschien ihm die Aussicht, allein nach Berce zu reiten, weniger verlockend.

»Gut«, sagte Grigán abschließend. »Bist du immer noch entschlossen?«

Yan schob seine Bedenken beiseite. »Sicher. Das wird ein netter Ausflug, und morgen bin ich wieder zurück«, sagte er etwas lauter und suchte Létis Blick.

Sie wandte ihm den Rücken zu.

Er hätte schwören können, sie schluchzen zu hören.


Kurz nach Mit-Tag kamen die ersten Häuser von Berce in Sicht. Da Yan es eilig hatte, zu seiner Geliebten zurückzukehren, hatte er den ganzen Weg im Galopp zurückgelegt und das Dorf schneller erreicht, als Grigán vorausgesagt hatte.

Bei seinem Aufbruch hatte Corenn ihm ermunternde Worte mit auf den Weg gegeben, der Krieger ihm letzte Ratschläge erteilt und Léti ihm ein tränenersticktes »Bis morgen« zugeraunt. Dann hatte Yan sein Pferd zu dem Weg geführt, auf den sie am Vorabend gestoßen waren, und war ihm bis zu einer größeren Straße gefolgt.

Die Beklemmung, die ihn auf den ersten beiden Meilen befallen hatte, war allmählich verflogen, vor allem, weil er niemandem begegnete. Doch nun kehrte sie mit voller Wucht zurück und lag ihm wie Blei im Magen, lähmte seine Glieder und schnürte ihm die Brust zu. Yan kannte das Gefühl: Er hatte Angst.

Obwohl er sich manchmal wie ein Niab aufführte und sich öfter einen Trottel schalt, war er alles andere als dumm. Wenn auch nur ein Bruchteil von dem stimmte, was seine Gefährten erzählt hatten – und daran zweifelte er keine Dezille –, war Berce eine wahre Schlangengrube, in der ihm eine mächtige Organisation fanatischer Mörder auflauerte.

Was konnte er schon herausfinden, außer, dass seine Gefährten den Ort besser mieden? Falls er anderen Erben begegnete, würde er sie nicht erkennen, und er durfte ohnehin niemandem vertrauen, selbst wenn jemand behauptete, zu ihnen zu gehören.

Er klammerte sich an den Gedanken, dass er einfach sein Bestes geben und am nächsten Tag zu Léti zurückkehren würde.

Das Dorf war von einer Festungsanlage umgeben – besser gesagt von einem drei Fuß hohen Mäuerchen. Es war sehr viel größer als Eza, im Grunde war es ein richtiges Städtchen. Das Tor war nicht verschlossen, aber vier Männer lungerten in der Nähe herum. Sie saßen mit dem Rücken an die Mauer gelehnt oder lagen im Gras. Es war offensichtlich, zu welchem Zweck sie da waren.

Während Yan langsam weiterritt, musterte er sie verstohlen. Sie sahen nicht wie normale Soldaten aus, denn ihre Haltung war alles andere als militärisch, und sie trugen weder Uniform, noch schienen sie besonderen Wert auf Körperpflege zu legen.

Die vier waren sogar noch schmutziger als der alte Vosder. Sie hatten struppige Bärte, dreckverschmierte Gesichter, pechschwarze Hände und trugen Gewänder, die aussahen, als hätten sie sie seit mehreren Dekaden nicht gewechselt.

Als er das Tor erreichte, stand einer der Männer auf. Yan zügelte sein Pferd und wartete geduldig, bis er bei ihm war. Den anderen drei kam er lieber nicht zu nah.

Der Widerling fragte etwas und griff beiläufig nach seinem Zügel. Yan sah die Bewegung, verstand aber kein Wort. War das ein lorelischer Dialekt?

»Ich verstehe Euch nicht«, sagte er auf Itharisch.

Ein weiterer Mann gesellte sich zu ihnen. Yan unterdrückte den Wunsch, dem ersten die Zügel aus der Hand zu reißen, im gestreckten Galopp davonzureiten und zu seinen Freunden zurückzukehren. Der zweite Mann sprach ihn auf Itharisch an.

»Bist nicht aus Lorelien, was?«

»Nee«, sagte er frech. Dann besann er sich eines Besseren und sagte höflicher: »Nein. Ich komme aus Assiora, einem Dorf des Matriarchats.«

Die beiden Widerlinge starrten ihn mit offenen Mündern an.

»Kaul!«, sagte Yan. »Das Matriarchat von Kaul! Zu Pferd ist das noch nicht einmal eine Dekade entfernt!«

Das Gesicht des zweiten Kerls hellte sich auf. Er grinste und brach in schallendes Gelächter aus. Nachdem er seinem Kumpanen Yans Worte übersetzt hatte, lachte auch dieser.

»Kommst aus dem Land der Frauen, was?«

»Dem Land der Frauen?«

»Na sicher! Da gibt's nur Frauen: Mannweiber und Weibsmänner!«, sagte er prustend.

Yan verstand den Witz zwar nicht, war aber sicher, dass er ihn nicht lustig fand. Am liebsten hätte er seinerseits die Unhöflichkeit und mangelnde Sauberkeit der Lorelier verhöhnt, hielt sich aber gerade noch zurück. Zähneknirschend wartete er, bis die Widerlinge, die ihn nun alle umringten, zu lachen aufhörten.

Es dauerte eine Weile, bis sie sich wieder für ihn interessierten.

»Und warum biste hier?«

»Ich komme zum Tag der Versprechen.«

Nachdem der zweite Mann Yans Worte übersetzt hatte bebten die Schmerbäuche der Widerlinge abermals vor Lachen. In diesem Moment erkannte Yan der Sinn und Zweck eines Waffenarsenals, wie Grigán es besaß. Die Männer würden ihm gewiss mehr Ehrfurcht entgegenbringen, wenn er eine schwarze Lederkluft trüge und ein Schwert mit einer vier Fuß langen Klinge. Stattdessen trug er einen weißen Umhang, der Léti gehörte, und ein Band im Haar. »Damit es auch wirklich so aussieht, als gingst du auf Brautschau«, hatte Corenn augenzwinkernd gesagt. Lächerlich!

»Darf ich jetzt durch oder nicht?«, knurrte er.

»Sicher«, sagte der Mann und wischte sich die Tränen aus den Augen. »Viel Glück, junger *Mann!*«

Yan überhörte das Gelächter in seinem Rücken und ritt durchs Tor. Gefahren und Heldenmut – von wegen! Er würde sich zwei Tage lang zum Gespött der Leute machen, so sah es aus!

Er schluckte Wut und Scham hinunter und sah sich um. Darum war er schließlich hergekommen, und je eher er damit anfing, desto schneller würde er zu Léti zurückkehren können.

In der Stadt herrschte großer Trubel. Die Vorbereitungen für den Festtag liefen auf Hochtouren, und die Dorfbewohner waren in ausgelassener Stimmung.

Berce schien ein nettes Städtchen zu sein. Die Wohnhäuser, Werkstätten und Ställe waren alt, was ihnen einen gewissen Charme verlieh. Anders als in Kaul hatten die meisten Häuser mehrere Stockwerke.

Er ritt die Hauptstraße entlang, vorbei an mehr oder minder geschäftigen Menschen. Zum Glück schenkte ihm kaum jemand Beachtung, nur einige wenige hielten in ihrer Arbeit inne und musterten ihn belustigt. Zunächst tat Yan gleichgültig, aber nach einer Weile konnte er nicht mehr an sich halten und starrte finster zurück. Schließlich riss er sich das Stirnband vom Kopf und zog den makellos weißen Umhang aus.

Kinder jeden Alters rannten in Horden durch die Straßen. Yan nahm sich vor, gut auf den Geldbeutel zu achten, den Corenn ihm mitgegeben hatte. Er hatte aus seinem Fehler gelernt; so etwas wie in Jerval würde ihm nicht noch mal passieren.

Ein Mann, der ein Pferd am Zügel führte, kam ihm entgegen. Yan beschloss, ebenfalls abzusteigen. Zu Fuß würde er weniger Blicke auf sich ziehen.

Kurz darauf erreichte er den Marktplatz. Da es in Lorelien Brauch war, an Feiertagen so wenig wie möglich zu arbeiten, waren die Vorbereitungen für das Fest schon weit fortgeschritten.

Die Einwohner hatten Tische, Bänke, Stühle, Sessel und Hocker zu einer bunten Festtafel zusammengeschoben. Neben einer Feuerstelle, die eigens gebaut worden war, türmte sich ein eindrucksvoller Holzstapel.

Aber am meisten überraschte den Jungen eine Bühne in der Mitte des Platzes. Mussten sich die Versprochenen etwa dort oben aufstellen, den Blicken aller Leute ausgesetzt? Oder, noch schlimmer: Mussten die jungen Männer etwa *allein* von dort oben um die Hand ihrer Angebeteten bitten? Anscheinend beging man die Zeremonie in Lorelien etwas anders als in Kaul. Yan stand vor der Bühne wie ein Kaninchen vor der Schlange und malte sich die furchtbarsten Dinge aus, als ein Mann vor ihn trat. Sein Gesicht war nur einen Fuß von Yans entfernt.

Er hatte den Mann nicht kommen gehört. Lautlos wie eine Raubkatze hatte er sich angeschlichen und starrte ihm unverwandt in die Augen.

Eine Weile hielt Yan dem Blick stand. Der Mann war kleiner als er selbst und trug ein schlichtes Priestergewand mit heruntergezogener Kapuze. Er musste etwa in seinem dreißigsten Jahr sein, aber mit dem bartlosen Gesicht und dem kahl geschorenen Schädel wirkte er jünger. Die Hände hielt er unter dem Gewand verborgen, doch das war nicht das Unheimlichste an ihm.

Das Unheimlichste war sein Blick, der Blick eines Hais. Yan hatte nur ein Mal einen Hai gesehen, den Fischer aus seinem Dorf gefangen hatten, doch diese kalten, gefühllosen Augen hatte er nie vergessen.

Natürlich waren das nur die Gedanken eines Kindes beim Anblick eines toten Tieres gewesen. Jetzt stand er einem lebenden Hai gegenüber, der sich an der Angst seiner Beute zu weiden schien.

»Verzeiht.«

Yan wandte sich so langsam wie möglich ab. Er durfte keine falsche Bewegung machen und hatte doch nur eins im Sinn: um sein Leben rennen.

Ein zweiter Hai lauerte in seinem Rücken. Der Mann stand kaum einen Schritt hinter ihm. Auch er hatte sich lautlos an ihn herangeschlichen, trug ein rotes Gewand und hatte diese Raubtieraugen. Yan erstarrte. Einen Moment lang glaubte er, eine Klinge aufblitzen zu sehen, dann verschwand die Hand des Mannes in den Falten seines Gewands.

Yan ging langsam weiter, ohne sich umzudrehen. Jeden Moment rechnete er damit, die Klinge in seinem Rücken zu spüren. Er zog sein Pferd neben sich, damit der Leib des Tieres ihn schützte. Noch immer meinte er die stechenden Blicke auf seinem Hinterkopf zu spüren.

Am Ende des Platzes blieb er neben einer Schänke stehen, vor der Tische und Bänke aufgebaut waren. Er band das Pferd neben anderen fest und setzte sich auf eine Bank, um die unheimlichen Männer zu beobachten.

Sie waren verschwunden. Vergeblich suchte Yan den Platz ab. Hastig drehte er sich um und vergewisserte sich, dass sie nicht in seinem Rücken lauerten, doch die Haie hatten das Gewässer verlassen.

Eine hohe, näselnde Stimme drang an sein Ohr, und er wäre vor Schreck fast von der Bank gefallen. Er versuchte, sein hämmerndes Herz zu beruhigen. Eine Frau um die fünfzig hatte ihm vom Eingang der Schänke aus etwas zugerufen.

»Wein!«, antwortete er mit zittriger Stimme auf Itharisch.

Einen Moment lang fürchtete er, die Frage falsch verstanden zu haben, doch die Frau nickte ruckartig und brachte ihm kurz darauf einen vollen Becher. Erleichtert gab Yan ihr ein paar Münzen. Im Grunde verabscheute er Wein und hatte das Erstbeste bestellt, was ihm in den Sinn gekommen war, doch nach der ganzen Aufregung kam ihm der starke, süße Trank gerade recht.

Abermals drehte er sich gespielt unbekümmert um. Er dachte an Grigán. Lebte der Krieger immer so – mit dem Rücken zur Wand?

Würde seine Erfahrung ausreichen, um ihnen das Leben zu retten?

Ihm fiel die Klinge ein, die er flüchtig hatte aufblitzen sehen. Die Männer waren zweifellos Züu. Hatten sie ihn töten wollen?

Nein, dann wäre er jetzt wohl schon tot …

Wenn er ein Erbe wäre, hätten sie nicht gezögert, ihn umzubringen.

Woran die Mörder erkannten, ob jemand ein Erbe war oder nicht, war Yan so egal wie der pelzige Hintern eines Margolins. Wichtig war nur, dass er sich nicht verdächtig machte.

Er betrachtete die Menschenmenge und stellte fest, dass die Einwohner insgesamt nicht schmutziger waren als in Kaul. Was aber trieben dann die vier Widerlinge am Stadttor? Waren sie überhaupt von hier?

Er würde sich wirklich in Acht nehmen müssen.

Als er seinen Becher geleert hatte, stand er auf und fragte die Wirtin nach dem Weg zum *Weinhändler*.

Sie schickte ihn in den unteren Teil des Dorfs. Kurz vor dem Tor, das zum Meer führte, stieß er auf die Herberge. Fast wäre er an ihr vorbeigelaufen, denn anders als das Schild der *Herberge zur Fähre* war dieses hier winzig. Neben dem Eingang saß ein Bettler vor einer Blechschale, in der einige Münzen lagen. Yan wollte sein Pferd nicht allein auf der Straße zurücklassen, weshalb er durch die offene Tür rief, damit der Wirt ihm den Stall zeigte. Ein rundlicher Mann mit einem roten, gutmütigen Gesicht trat auf die Straße und nahm ihm das Pferd ab. Er bot Yan an, schon hineinzugehen.

Yan nickte und sah dem Mann nach, bis dieser in einem nahen Gebäude verschwand. Vielleicht würde er überstürzt aufbrechen müssen, und dafür musste er wissen, wo sein Pferd stand.

»Eine milde Gabe, Herr. Ich habe solchen Hunger«, flehte der Bettler mit schwacher Stimme.

Er sah aus wie alle Bettler, denen Yan bisher begegnet war: Er hatte verfilzte Haare und einen langen Bart, war dreckig und in Lumpen gekleidet, die, wenn überhaupt, nur vom Regen gewaschen wurden.

Der Kerl konnte für die Züü arbeiten. Vielleicht war er aber auch nur eine arme Seele, denn er sah eher krank als betrunken aus. Yan zog eine Münze aus seinem Geldbeutel und ließ sie in die Schale fallen. Verflixt, wie der Kerl *stank!* Er musste sich im Mist gewälzt haben. Eilig wandte er sich ab.

»Danke, Herr. Danke«, wiederholte der Bettler immer und immer wieder.

Die Münze hatte er kaum beachtet. Yan zuckte mit den Schultern und betrat die Herberge. Die Schankstube war leer. Kurz darauf kehrte der Wirt zurück.

»Habt Ihr niemanden, der sich um die Pferde kümmert?«, fragte Yan.

»Doch, meinen ältesten Sohn. Aber er feiert morgen den Tag der Versprechen, und es wäre grausam, ihn heute arbeiten zu lassen.«

Der Mann war Yan auf Anhieb sympathisch. Es wunderte ihn nicht, dass die Erben bei ihm übernachteten. Wenn die Küche nun auch noch hielt, was Corenn versprochen hatte …

Yan bezahlte für zwei Nächte im voraus, und da der Wirt gern zu reden schien, nutzte er die Gelegenheit, um ihn etwas auszuhorchen.

»Die Männer draußen am Tor? Nein, die sind nicht von hier. Außer Nuguel, Bertans Sohn. Niemand weiß, wo die anderen herkommen, vielleicht aus der Stadt. Jedenfalls ist das kein guter Umgang, so viel steht fest. Bisher haben sie nichts Schlimmes getan, und deshalb traut sich niemand, etwas zu sagen. Wollt Ihr meine Meinung hören? Sie suchen jemanden, und ich möchte nicht in der Haut des Gesuchten stecken, sollte er sich jemals hier blicken lassen. Obwohl das bestimmt auch nur so ein Tagedieb oder Halunke ist wie dieser Kerl, der vor meiner Tür herumlungert. Meint Ihr nicht? Warum fragt Ihr? Haben sie Euch Scherereien gemacht?«

Yan brauchte eine Weile, um den Redeschwall zu verdauen. Er bekam allein vom Zuhören Halsschmerzen.

»Nein, nein. Sie haben mich nur verspottet. Sind denn viele dieser Fremden im Dorf?«

»Wer kann das schon sagen. Zum Tag der Versprechen kommen so viele Menschen her, die ganzen jungen Leute vom Land mit ihren Familien. Das Dorf platzt aus allen Nähten. Außerdem gibt es eine Art Großfamilie, die hier alle drei Jahre ein Treffen abhält, und in diesem Jahr ist es wieder so weit. Vielleicht suchen die Männer am Tor einen von denen.«

Yan fürchtete, sich mit der Frage verdächtig zu machen, aber solch eine Gelegenheit würde sich so bald nicht wieder bieten, und die Antwort war zu wichtig. »Sind denn schon welche hier?«

»Ihr meint von der Großfamilie?«

»Äh, ja …« Verzweifelt suchte Yan nach einer Erklärung für seine Neugier. Als er keine fand, wollte er schon das Thema wechseln.

Doch dann sagte der Wirt: »Nein, noch nicht. Aber es ist auch noch zu früh. Vielleicht in zwei oder drei Tagen. Sie kommen immer hierher, müsst Ihr wissen, und sie mieten fast die ganze Herberge. Das kommt mir sehr gelegen, weil

ich sonst nicht viele Gäste habe. Im Moment habe ich außer Euch nur ein Ehepaar aus Lermian und fünf Priester, die
sich in zwei Zimmern einquartiert haben. Stellt euch das
nur vor! Zu fünft in zwei Zimmern! Ich habe große Achtung vor Priestern, daher sagte ich zu ihnen: Wenn es eine
Frage des Geldes ist, nehmt Euch jeder ein eigenes Zimmer
für den gleichen Preis. Sie stehen ohnehin leer. Aber das
wollten sie nicht. Ist das nicht seltsam?«

»Doch.«

Sehr seltsam sogar. Nahezu unheimlich. Er würde die
Nacht Wand an Wand mit fünf mordgierigen Züü verbringen.

Wenn er auch nur eine falsche Bewegung machte, würde
er den nächsten Morgen nicht mehr erleben.


Es dauerte eine Weile, bis sich Yan loseisen und zurück
in die Stadt gehen konnte. Erst hielt ihn der geschwätzi-
ge Wirt auf und verstrickte ihn in ein schier endloses Gespräch, und dann besaß der Bettler die Stirn, ihn abermals
um ein Almosen zu bitten. Außerdem sah er plötzlich wesentlich gesünder aus. Seltsam, wie schnell sich so etwas
ändern konnte.

Ohne sein Pferd, auf dem er fliehen, und ohne den Bogen, mit dem er sich verteidigen konnte, kam sich Yan nackt
und schutzlos vor. Er hatte nichts als einen Dolch, den Grigán ihm geliehen hatte, weil er sein eigenes Messer Léti gegeben hatte. Das war nicht gerade viel. Allerdings hätte er
selbst mit einem großen Schwert kaum eine Chance gegen
die Züü gehabt.

Mit Angst im Bauch und wirrem Kopf kehrte er zu dem
Marktplatz zurück, auf dem am nächsten Tag das Fest der

Versprechen stattfinden würde. Rasch vergewisserte er sich, dass kein Zü da war. Es war keiner in Sicht, doch er fragte sich, ob das wirklich ein gutes Zeichen war.

Der Tag neigte sich dem Ende zu, und immer mehr Leute strömten auf dem Platz zusammen. Anscheinend wurden die Versprechen in Lorelia bereits am Vorabend gefeiert. Eine Menge junger Leute – Jungen und Mädchen in seinem Alter – standen in Gruppen beisammen und tuschelten: Jungen mit Jungen, und Mädchen mit Mädchen. Zu den Erwachsenen hielten sie Abstand. Yan lehnte sich neben zwei junge Lorelier an eine Mauer. Sie behandelten ihn wie Luft, da sie den Mädchen hinterhergafften, die sich zur Feier des Tages herausgeputzt hatten.

Er interessierte sich mehr für die Besucher von auswärts. Manche mochten Erben sein, andere arbeiteten vermutlich für die Züu. Aber wer war wer?

Léti, Corenn und Grigán hatten sich bemüht, ihm einige ihrer Freunde zu beschreiben, doch die Liste war lang gewesen, und schon nach kurzer Zeit hatte Yan alle durcheinandergeworfen. Außerdem hatten seine Gefährten an ihren Erinnerungen gezweifelt, da die letzte Zusammenkunft bereits drei Jahre zurücklag. Er konnte sich nicht auf ihre Beschreibungen verlassen.

Erschreckt stellte er fest, dass ihn der Bettler beobachtete, der vor der Herberge gesessen hatte, vermutlich schon seit einer ganzen Weile. Hatte er nicht gerade den Blick abgewandt? Verfolgte er ihn etwa?

Yan nahm sich vor, dem Bettler während seiner Zeit in Berce aus dem Weg zu gehen, und sei es nur, um seinen Geldbeutel zu schonen.

»Seid gegrüßt.«

Zwei Mädchen mit blonden Haaren, die Hände artig auf

dem Rücken, standen vor ihm und lächelten aufdringlich. Er errötete bis in die Haarspitzen. Ihre Kleider waren sehr viel kürzer, als es für eine Kaulanerin schicklich gewesen wäre.

»Äh, seid gegrüßt«, antwortete er lahm.

»Kommst du tatsächlich aus Kaul?«, fragte eins der Mädchen mit Unschuldsmiene. Ihr starres Lächeln wirkte wie in Stein gemeißelt.

Yan runzelte die Stirn. Stand ihm das etwa ins Gesicht geschrieben? Wie sollte er seine Feinde täuschen, wenn ihn schon zwei Dorfmädchen durchschauten? »Woher wisst Ihr das?« Er konnte sich nicht dazu durchringen, sie zu duzen.

»Von meinem Onkel. Er hat es von Nuguels Cousin, und Nuguel hat dich heute am Tor von Lorelia gesehen. Er erzählt überall herum, dass du zum Tag der Versprechen hier bist, und lacht sich halb tot.«

Als sie Yan erbleichen sah, fügte sie eilig hinzu: »Ich finde das überhaupt nicht zum Lachen. Ich finde es sogar entzückend.«

Yan errötete noch tiefer. Zu dumm, er war einfach zu dumm. »Ach ja?«, war alles, was ihm einfiel.

»Kaulaner sind so … romantisch«, fuhr sie fort. »Stimmt es, dass bei euch die Frauen nicht arbeiten müssen? Dass die Männer ihnen alles abnehmen?«

Yan gab einen erstickten Laut von sich. Wollte sie ihn auf den Arm nehmen? Oder erzählte man sich das tatsächlich im Rest der Welt? »Das ist vielleicht etwas übertrieben …«, murmelte er.

»Jedenfalls ist es bestimmt besser als hier. Alle Jungen, die ich kenne, sind Fischer ohne jeden Ehrgeiz. Sie wollen den Bund nur schließen, um Kinder in die Welt zu setzen.

Aber ich sehne mich nach einer richtigen Liebesgeschichte. Ich würde das Versprechen sehr, sehr gern mit einem Kaulaner eingehen …«

Das Mädchen zwinkerte ihm vielsagend zu, wandte sich ab und tänzelte davon, ihre schweigsame Freundin im Schlepptau. Yan sah ihnen nach.

Er machte sich keine Sorgen um die Zukunft der Lorelierin, die genau zu wissen schien, was sie wollte. Was hätte Léti wohl zu der Szene gesagt? Er hatte keinen blassen Schimmer, hoffte aber, dass sie eifersüchtig geworden wäre. Allerdings wäre es dann zweifellos zu einem Streit zwischen den beiden Mädchen gekommen, vielleicht sogar zu einer Prügelei. Es war nicht Létis Art, sich alles gefallen zu lassen.

Laute Rufe rissen ihn aus seinen Gedanken. Mehrere Passanten zeigten in eine Richtung, und Yan folgte ihren ausgestreckten Fingern mit dem Blick. In zwei oder drei Meilen Entfernung blitzte ein Licht in den Hügeln auf, als spiegelten sich Sonnenstrahlen in einem Gegenstand …

Ein Trupp von zehn Reitern sprengte durch die Menge. Mindestens drei von ihnen waren Züu, wie Yan mit Entsetzen feststellte, und die anderen ähnelten den Kerlen, die an den Toren Wache hielten.

Die Mörder hatten blitzschnell reagiert. Falls der Urheber der Blinkzeichen ein Erbe war, schwebte er in höchster Lebensgefahr.

Yan könnte ihn warnen, wenn er sofort in den Sattel springen würde. Allerdings müsste er die Männer unbemerkt überholen, und dafür reichten seine Reitkünste bei Weitem nicht aus. Außerdem müsste er erst noch sein Pferd holen, wodurch er zu viel Zeit verlieren würde.

Aber er musste etwas unternehmen. Er konnte nicht

tatenlos zusehen … Irgendwie spürte er, dass es wichtig war.

Kurzentschlossen hob er eine Handvoll Erde auf und rieb sie sich ins Gesicht. Dann hastete er durch die Gassen. Endlich fand er einen Glaser und erzählte ihm, er sei gestürzt und mit dem Gesicht im Dreck gelandet. Und das an einem so wichtigen Tag! Yan schimpfte über seine eigene Tollpatschigkeit und erstand einen Spiegel. Der Mann lachte gutmütig über sein Pech.

Dann suchte sich Yan eine Stelle, von der aus er seinen Plan in die Tat umsetzen konnte. Vor einem leer stehenden Haus blieb er stehen, warf einen schnellen Blick über die Schulter und stieg durch ein Fenster ein.

Hoffentlich hatte ihn niemand gesehen – vor allem nicht der Bettler!

Das Herz schlug ihm bis zum Hals. Jetzt schwebte er zum ersten Mal richtig in Gefahr. Wenn ihn auch nur der harmloseste seiner Feinde ertappte, wäre es aus mit ihm.

Stück für Stück zog er sich an dem morschen Treppengeländer hoch. Die Stufen wagte er nicht zu betreten, aus Angst, sie würden unter seinem Gewicht einbrechen. Oben angekommen, kletterte er vorsichtig eine wackelige Leiter hoch und schob die staubige Dachluke auf.

Keuchend und schnaufend hievte er sich aufs Dach. Seine Schläfen pochten vor Aufregung. In den Hügeln blitzte immer noch das Licht auf, und wer die Zeichen auch geben mochte, wusste nichts von der Gefahr, die sich ihm im gestreckten Galopp näherte. Yan hob den Spiegel hoch über seinen Kopf und drehte ihn in alle Richtungen. War die Fläche überhaupt groß genug, um die Sonnenstrahlen auf eine so große Entfernung zu spiegeln?

Würden sie ihn erwischen? Wäre er bald tot?

Die Blinkzeichen setzten aus. Dann blitzte das Licht drei Mal kurz auf, bevor es endgültig erlosch.

Yan hörte auf, den Spiegel zu schwenken. Anscheinend war das eine Antwort gewesen. Er hatte es geschafft!

Ein glückliches Lächeln breitete sich auf seinem Gesicht aus. Er hatte es geschafft, vielleicht ein Leben gerettet oder zumindest demjenigen, der dort in den Hügeln stand, etwas Hoffnung gegeben. Ein Erbe … Es *musste* einfach ein Erbe sein.

Hoffentlich verfiel derjenige jetzt nicht auf die Idee, nach Berce zu kommen!

Er schob den Gedanken beiseite und beschloss, sich zunächst um sein eigenes Los zu sorgen. Er rieb sich den Dreck aus dem Gesicht, wickelte den Spiegel in ein Stück Stoff, das er gefunden hatte, und warf das Bündel schwungvoll auf das Dach des gegenüberliegenden Hauses. Dann unternahm er eine waghalsige Kletterpartie an der Außenwand hinunter, weil er Angst hatte, erwischt zu werden, wenn er wieder die Treppe nahm.

*Eine Ratte in der Falle kann den satten Wolf bezwingen …* Niemals hätte er geglaubt, dass er zu so etwas fähig wäre!

*Lebt Grigán immer so?*, fragte er sich abermals, bevor er zu Boden sprang.


Die Reiter kehrten erst spät am Abend zurück, als das Fest bereits in vollem Gang war. Erleichtert bemerkte Yan, dass sie weder Gefangene noch Leichen mitbrachten. Auch hatten sie nicht die triumphierenden und stolzen Mienen von Siegern. Der Unbekannte war ihnen anscheinend entkommen.

Yan warf den drei Priestern nur einen flüchtigen Blick zu,

um keinen Verdacht zu erregen. Trotzdem sah ihm einer der Männer direkt in die Augen. Wieder erstarrte Yan unter seinem Raubtierblick. Glücklicherweise setzte der Zü seinen Weg fort und musterte die Passanten gleichgültig.

War er der Einzige, der Angst hatte? Alle anderen schienen nichts zu bemerken. Er fragte sich, was die Leute sagen würden, wenn sie wüssten, dass sich eine Bande Mörder in ihrem Dorf eingenistet hatte. Wahrscheinlich wäre das Dorf in kürzester Zeit wie leergefegt.

Die Reiter trennten sich, und die drei Züu schlugen den Weg zum *Weinhändler* ein. Yan beschloss, ihnen zu folgen, da er hoffte, noch etwas mehr herauszufinden. Für die Festbesucher, die sich hemmungslos betranken, zum Klang einer Vigola und einer Zimbel tanzten oder einander den Hof machten, interessierte sich Grigán gewiss nicht. Außerdem hörte das lorelische Mädchen nicht auf, ihm zuzuwinken. Es stand zu befürchten, dass sie früher oder später zu ihm zurückkam und ihn in ein Gespräch verwickelte. Ihn vielleicht sogar zum Tanz aufforderte! Auf neuerliche Peinlichkeiten konnte er gut verzichten.

Als sie ihm das nächste Mal zuwinkte, erwiderte er die Geste halbherzig und tauchte dann rasch in der Menge unter. Besonders höflich war das nicht, aber ihm fiel nichts Besseres ein. Außerdem musste er eventuelle Verfolger abschütteln …

Mit schnellen Schritten ging er zurück zur Herberge. Ohne das große Feuer, das auf dem Platz brannte, kroch ihm die nächtliche Kälte rasch in die Knochen.

Auf dem Fest hatte es kein Essen gegeben, doch wie viele andere Besucher hatte er in der Schänke etwas Brot und Pastete gegessen. Er war völlig ausgehungert gewesen. Jetzt war er froh darüber. Wenn er allein mit den Züu in dem riesigen Schankraum der Herberge zu Abend essen müsste, würde er keinen Bissen herunterbekommen.

Bald erreichte er die Herberge. Diesmal saß der Bettler nicht an seinem angestammten Platz. Yan hatte ihn auf dem Festplatz mehrmals gesehen, immer an verschiedenen Stellen. Er war froh, ihm nicht schon wieder zu begegnen.

Mit einem raschen Blick durch das Fenster vergewisserte er sich, dass der Schankraum leer war. Kaum hatte er die Tür aufgeschoben, tauchte der Wirt auf und versuchte vergeblich, ihn in ein Gespräch zu verwickeln. Yan nahm den Kerzenhalter, den der Wirt ihm reichte, wünschte höflich eine gute Nacht und flüchtete die Treppe hinauf in den ersten Stock, denn einem weiteren Redeschwall fühlte er sich nicht gewachsen.

Lautlos schlich er an den Zimmern der Züu vorbei, deren Türen gleich nach der Treppe links und rechts abgingen. Der redselige Wirt hatte sie ihm gezeigt, als er Yan zu seinem Zimmer führte. Anscheinend hatten die Priester darauf bestanden, genau diese Zimmer zu bekommen. Strategisch gesehen waren sie die beste Wahl. Niemand konnte die Treppe hinauf- oder hinuntergehen, ohne von ihnen gesehen zu werden.

Die Tür zur Linken stand einen Spalt offen. Vielleicht hielt einer der Züu Wache oder wollte zumindest hören, was auf dem Flur geschah. Yan ging ruhig weiter. Er durfte auf keinen Fall ihr Interesse wecken. Etwas zu spät kam ihm der Gedanke, wie ein Betrunkener zu schwanken. Vielleicht konnte er sie so täuschen.

Unbeholfen steckte er den Schlüssel ins Schloss und mühte sich damit ab, ihn herumzudrehen. Er musste nicht schauspielern: Das Schloss klemmte tatsächlich. Endlich sprang die Tür auf. Yan trat ins Zimmer und lehnte sich mit einem erleichterten Seufzer an die Tür. Er hatte den Eindruck, die Nacht in einem Wespennest zu verbringen. Oder in einem Haifischbecken.

Eine Nacht, er musste nur eine einzige Nacht überstehen, dann könnte er zu Léti zurückkehren. Die Nachrichten, die er seinen Gefährten überbringen würde, waren alles andere als gut. Das Dorf wurde Tag und Nacht von ihren Feinden überwacht, und die Hoffnung, andere Erben zu finden, beschränkte sich auf einen Unbekannten, der Lichtzeichen gab und vielleicht überhaupt nichts mit ihnen zu tun hatte.

Er konnte nichts weiter tun, als abzuwarten und ein paar Vorkehrungen für die Nacht zu treffen.

Das Zimmer hatte eine Dachluke, die gerade so groß war, dass ein schlanker Mann hindurchpasste – oder der Bolzen einer Armbrust. Er vergewisserte sich, dass sie gut verschlossen war, und knotete den Riegel mit einem Strick fest. Für jemanden, der zu allem entschlossen war, würde das zwar kein großes Hindernis sein, aber es war immer noch besser als gar nichts.

Er würde heute Nacht wohl kein Auge zutun, und bestimmt würde er nicht sofort schlafen können. Obwohl es schon spät war, verspürte er keinerlei Müdigkeit. Kälte und Aufregung hielten ihn wach.

Er beschloss, sich die Kleider für den nächsten Tag zurechtzulegen. Auf keinen Fall würde er noch einmal diesen albernen Mädchenumhang anziehen!

Bei der Gelegenheit fiel ihm auf, dass jemand seine Sachen durchsucht hatte.

Rasch sah er nach, ob etwas fehlte. Nein, es war nichts gestohlen worden. Er besaß jedoch auch nichts, was einen Dieb hätte interessieren können.

Man hatte ihn nicht ausrauben wollen – der Eindringling hatte vielmehr sorgsam darauf geachtet, alles so zu hinterlassen, wie es gewesen war. Es war reiner Zufall, dass Yan überhaupt etwas bemerkt hatte.

Zum Glück enthielt sein Bündel nichts, das ihn hätte verraten können. Das Quälendste war der Gedanke, dass jemand unbemerkt in sein Zimmer eingedrungen war.

Er untersuchte das Schloss, doch es war unversehrt. Allerdings hatte es geklemmt … Hatte sich vielleicht jemand daran zu schaffen gemacht?

Jetzt wusste er, dass er auf keinen Fall schlafen konnte. Am liebsten hätte er sich gleich auf den Rückweg gemacht, doch das wäre zu verdächtig gewesen.

Mit dem Dolch in der Hand setzte er sich auf einen Hocker mitten ins Zimmer. Der erste ungebetene Besucher würde sein blaues Wunder erleben. Der zweite allerdings … Er hatte keine Ahnung, wie er mit dem zweiten fertigwerden sollte.

Wenn er daran dachte, dass er all das noch vor wenigen Tagen aufregend gefunden hätte! Jetzt wünschte er sich sein eintöniges, geruhsames Leben zurück.

Trotz der unbequemen Haltung nickte er immer wieder ein. So verging ein knapper Dekant, der ihm allerdings wie mindestens zwei vorkam.

Stimmen im Flur.

Er brauchte einen Moment, um zu begreifen, dass sie nicht aus einem Albtraum stammten.

Mehrere Männer – zwei, drei, vielleicht auch mehr – unterhielten sich auf dem Treppenabsatz. Yan presste das Ohr an die Tür, konnte aber kaum etwas verstehen. Alles, was er hörte, war: »Ich … fünfzig.« Der Rest war nur Gemurmel.

Er beschloss, das Wagnis einzugehen und die Tür zu öffnen. Ein Gespräch um diese Uhrzeit musste einfach bedeutsam sein. Er stellte die Kerze unter den Hocker, warf ein Tuch darüber und drehte den Schlüssel behutsam im Schloss. Dann schob er die Tür einen winzigen Spalt auf.

Die Scharniere quietschten. Leise zwar, aber in Yans Ohren klang das Geräusch lauter als der gellende Schrei einer Waule. Er stand eine Weile reglos da, die Hand um den Dolch gekrampft, doch niemand kam den Flur entlang. Die Männer unterhielten sich immer noch und schienen ihn nicht gehört zu haben.

»Nein, nein«, rief jemand laut. »Ich will fünfzig Silberterzen, und keinen Tick weniger. Im Voraus.«

»Fünfzig, das ist viel Geld«, antwortete ein anderer Mann ruhig. »Glaubst du wirklich, dass dein Wissen so viel wert ist? Dass wir dir für ein halben Tag zwei Goldterzen zahlen?«

»Dann nehmt doch jemand anders. Aber ihr braucht mich, denn ihr werdet den Kerl mit dem Spiegel ohne mich nie finden. Dazu muss man nämlich die Zeichen lesen, und das könnt ihr nicht. Dabei hilft euch eure Religion nicht. Und deshalb will ich fünfzig Silberterzen. Das ist mein letztes Wort.«

»Schon mal was von der Göttin Zuïa gehört?«, fragte der andere honigsüß.

Der Angesprochene schwieg.

»Zuïa ist die Rachegöttin. Dir ist bestimmt aufgefallen, dass ich nicht *eine*, sondern *die* Rachegöttin sage. Die anderen Götter sind schwach. Sie richten die Menschen erst nach deren Tod. Zuïa ist die Einzige, die hier und jetzt straft. Kein Gott hat so viel Macht wie sie. Sie ist die einzig wahre Göttin.«

Wieder schwieg der Angesprochene. Yan konnte förmlich vor sich sehen, wie der Mann mit der lauten Stimme an Selbstbewusstsein verlor.

»Ich und meine Brüder, wir sind die Boten Zuïas. Wenn du uns deine Hilfe verweigerst, bist du verdammt, und Zuïa wird dich richten.«

*Das war wenigstens deutlich*, dachte Yan.

»Also«, fragte die sanfte Stimme, »wirst du uns nun führen?«

Der Mann mit der lauten Stimme erging sich in Entschuldigungen. Er habe nicht gewusst, dass es sich um eine heilige Mission handele. Natürlich sei er bereit, ihnen zu helfen, und auf die Bezahlung würde er selbstverständlich verzichten!

Die sanfte Stimme sagte: »Gut«, und beendete damit das Gespräch. Sie verabredeten sich für den nächsten Tag zum dritten Dekant auf dem Marktplatz. Dann hörte Yan Schritte auf der Treppe.

Er wartete, bis Stille eingekehrt war. Dann presste er eine Decke auf das Scharnier, um das Quietschen wenigstens etwas zu dämpfen, und schloss behutsam die Tür.

Fieberhaft dachte er nach. Was nun? Was sollte er tun?

Was würde Grigán an seiner Stelle machen?

Unternahm er nichts, würde der Mann mit dem Spiegel am Morgen sterben. Schlich er sich aus der Herberge, würde auch er den Tod finden. Es sei denn, es gelang ihm, ungesehen aus Berce zu fliehen. Aber wie?

Warnen konnte er den Unbekannten nicht. Den Ort in den Hügeln, an dem er die Lichtzeichen gesehen hatte, würde er zwar finden können, allerdings nur bei Tageslicht. Im Dunkeln war es unmöglich.

Ganz zu schweigen davon, dass er irgendwelche ›Zeichen‹ würde lesen müssen.

Was würde Grigán an seiner Stelle tun?

Er musste ihn fragen.

Sei's drum, er würde es wagen. Er musste aus Berce verschwinden, die Nacht durchreiten und zu seinen Freunden zurückkehren. Vielleicht hatte der Krieger eine Idee.

Der Entschluss war gefasst, und Yan machte sich bereit. Er schob die Dachluke auf und warf einen Blick nach draußen. Über das Dach konnte er nicht fliehen, da es viel zu steil war und zudem auf eine breite Straße führte. Die Gefahr, jemandem zu begegnen, war zu groß.

Also blieb nur die Tür. Vielleicht war es das Beste, einfach den Flur entlangzugehen, als habe er nichts zu verbergen.

Er würde ohnehin noch eine Weile warten müssen. Es wäre viel zu verdächtig, gleich nach dem Gespräch aufzubrechen, das er belauscht hatte.

Er rieb sich die Schläfen. Plötzlich musste er wie ein Flüchtling, ein Gesetzloser, ein Verbrecher denken, und dabei war er unschuldig!

Seine Sachen musste er zurücklassen. Falls die Züu Wache hielten und ihn mit seinem Gepäck an ihrer Tür vorbeigehen sahen, würden sie Verdacht schöpfen.

Rasch suchte er zusammen, was er unbedingt mitnehmen wollte. Nur Létis weißer Umhang hatte in seinen Augen einen gewissen Wert, da er nicht ihm gehörte. Er fand sich mit dem Gedanken ab, die anderen Sachen nie wiederzusehen.

Als genug Zeit verstrichen war, verließ er das Zimmer mit der Kerze in der Hand. Die Tür schloss er nicht ab.

Er bemühte sich absichtlich nicht, besonders leise zu sein, da er überzeugt war, dass die Züu ihn ohnehin beobachteten. Er ging den Flur entlang, an den Zimmern der Mörder vorbei und stieg die Treppe hinunter, ohne dass sich ihm jemand in den Weg stellte.

Im Erdgeschoss stieß er auf einen Jungen in seinem Alter, der den Kopf auf die Theke gelegt hatte und tief und fest schlief. Yan schlich an ihm vorbei, stellte die Kerze auf einem Tisch ab und verließ die Herberge.

So weit, so gut. Das nächste Hindernis würde nicht so leicht zu überwinden sein. Wie sollte er um diese Uhrzeit mit dem Pferd aus der Stadt kommen? Die Tore wurden mit Sicherheit immer noch bewacht.

Auf dem Weg zum Stall dachte er fieberhaft nach, doch er sah keine andere Möglichkeit, als einfach im gestreckten Galopp durch das Tor zu preschen. Er war nicht mehr dazu in der Lage, sich eine glaubwürdige Geschichte auszudenken und sie den Widerlingen aufzutischen, die ihn verspottet hatten.

Verflixt! Die Tür zum Stall war mit einem Schloss gesichert. Damit hatte er nicht gerechnet. Nachdem er eine Weile vergeblich mit seinem Dolch in dem Schloss herumgestochert hatte, versuchte er, es mit einem Stein aufzubrechen. Zum Glück sprang es schnell auf.

Eigentlich hatte er vorgehabt, die Tür zuzuziehen, bevor er sein Pferd sattelte, doch im Stall war es stockfinster. Daher ließ er die Tür einen Spaltbreit offen. Er tastete sich durch die Dunkelheit, immer dem Schnauben und Stampfen der Tiere nach. Endlich fand er sein Pferd. Beim Verlassen der Herberge hatte ihn ein ungutes Gefühl beschlichen, und er hatte fast damit gerechnet, dass sein Pferd weg war und die Züu ihm in dem Stall auflauerten.

Rasch zäumte er das Tier auf und führte es zur Tür.

Ein Mann versperrte ihm den Weg.

In der Dunkelheit konnte Yan sein Gesicht nicht sehen, doch Körperbau und Kleider verrieten ihn. Wenigstens war es kein Zü. Der Mann sah eher aus wie einer dieser Widerlinge, die für die Züü arbeiteten. Yan fragte sich, ob er ihm zu dem Stall gefolgt war oder hier auf ihn gewartet hatte.

»Wer seid Ihr?«, fragte Yan.

Würde es zu feindselig wirken, wenn er den Dolch zog? Einen Kampf wollte er um jeden Preis verhindern.

»Ein Freund«, antwortete der Unbekannte. »Ich bin ein Erbe, genau wie du. Oder?«

Yan zögerte mit der Antwort. Grigán hatte ihn aufgefordert, niemandem zu vertrauen, und er fand diesen Rat unbezahlbar. Wenn dieser Kerl ein Freund war, warum versperrte er ihm dann den Weg? Warum schloss er nicht die Tür? Aber vielleicht misstraute er Yan ebenso wie dieser ihm …

»Und wie heißt dieser Freund?« Yan hätte nie gedacht, dass er so unhöflich sein könnte.

»Reyan. Reyan von Kercyan. Ich komme aus Lorelia. Du bist doch ein Erbe, oder?«

Der Ton dieses Freundes war ganz und gar nicht freundschaftlich. Doch auch das konnte daran liegen, dass er ihm nicht traute.

Sollte Yan ihm glauben? Wenn er sich richtig erinnerte, hatte Corenn den Namen Reyan mindestens einmal erwähnt. War er einer der Toten oder der Lebenden gewesen?

»Ich bin kein Erbe«, sagte er schließlich zögernd. »Aber einige von ihnen sind meine Freunde.«

»Sind sie hier? In der Stadt?«, fragte der Mann begierig.

Yan hatte nicht vor, ihm das zu verraten. Der Mann stand immer noch in der Tür, und Yan konnte nur eine seiner Hände sehen. Würde er auf sein Pferd springen und den Mann über den Haufen reiten können, bevor dieser sich rührte?

»Na, was nun? Sind sie in der Stadt oder nicht? Warum antwortest du nicht? Traust du mir etwa nicht?«

Plötzlich war Yan sicher, dass er dem Kerl *nicht* trauen konnte. Er spannte alle Muskeln an, um auf sein Pferd zu springen, als er einen zweiten Mann in der Tür erscheinen sah. Er erkannte ihn sofort. Der Bettler. Er war bestimmt ein Komplize des anderen! Es sah nicht gut für ihn aus.

»Zieh nicht so ein Gesicht! Das bringt doch nichts«, sagte der erste Mann. »Du wirst es mir so oder so sagen, mir oder den irren Priestern. Es ist nur eine Frage der Zeit und der Schmerzen.«

Yan erstarrte vor Entsetzen. Drohte der Kerl ihm etwa mit Folter? Hatte er nicht gerade eben zugegeben, ein Komplize der Züü zu sein? Yan zog seinen Dolch und streckte ihn dem Mann entgegen, den Daumen auf der Klinge, so wie Grigán es ihm gezeigt hatte.

Leider erzielte das nicht die erhoffte Wirkung. Der Widerling brach in schallendes Gelächter aus. Der Bettler zeigte keine Regung und ging weiterhin langsam auf seinen Kumpan zu.

Warum eigentlich langsam?

»Willst du mit mir spielen?«, fragte der erste Mann und zeigte ihm die bisher verborgene Hand, in der er ein Schwert hielt. »Es wird mir eine Freu…«

Der Bettler stand jetzt direkt hinter dem Widerling, packte sein Kinn und zog es nach hinten. Er hielt ein Messer in der Hand und führte einen raschen Schnitt aus. Auf der Kehle des Mannes erschien ein dunkelroter Streifen, der rasch breiter wurde. Er gab ein ersticktes Röcheln von sich und sackte zusammen.

Der Mörder bückte sich und wischte die Klinge an den Kleidern seines Opfers ab. »Noch im Tod sind sie abstoßend. Diese Kerle haben einfach keinen Schneid, dafür aber die Frechheit, mir meinen Namen zu klauen.«

Yan ließ die Hand mit dem Dolch nicht sinken. Was war hier los?

»Oh! Ich hoffe, du bist nicht böse, dass ich dir den Dreckskerl vor der Nase weggeschnappt habe. Die Gelegenheit war gerade so günstig …«

Yan starrte den Bettler verständnislos an. Der Mann steckte das Messer weg und stemmte die Hände in die Hüften.

»Ich sagte: Ich hoffe, du bist mir nicht böse, dass ich dir *das Leben gerettet habe!*«

»Äh, danke«, stammelte Yan.

Ihm ging nicht aus dem Kopf, wie kaltblütig der Mann den anderen getötet hatte. Wie sollte er da dem Neuankömmling vertrauen? »Wer seid Ihr?«, fragte er und hatte das Gefühl, sich zu wiederholen.

»Rey von Kercyan, der echte. Und ich heiße *Rey*, nicht *Reyan*. Der Kerl hätte wissen müssen, dass ich mich von niemandem Reyan nennen lasse. Das klingt viel zu hochgestochen. Und wer bist du? Außer ein Pferdedieb?«

»Yan. Und das Pferd gehört mir!«

»Die Tür auch? Und das Schloss?«

Yan schwieg betreten.

»War doch nur ein Scherz. Komm, wir müssen hier weg.«

Der Mann, der sich Rey nannte, beugte sich abermals über die Leiche, zog einen speckigen Geldbeutel aus der Hosentasche des Toten und wog ihn mit verächtlicher Miene in der Hand. Yan war entsetzt. Er hatte nicht die Absicht, sich diesem skrupellosen Mörder anzuschließen. Er war gewiss auf eine Belohnung aus, die die Züu auf Yans Kopf ausgesetzt hatten, und um mit niemandem teilen zu müssen, hatte er seinen Kumpan umgebracht. So jemand konnte kein Erbe sein!

»Ich muss dann mal weiter«, murmelte Yan. »Nochmals vielen Dank.«

»Warte!«

Es klang eher wie eine Bitte als wie ein Befehl, und der Bettler machte keine Anstalten, ihn aufzuhalten. Yan beschloss, ihn anzuhören, wenigstens einen Moment lang.

»Ich habe gehört, was du gesagt hast. Alles, was du gesagt hast. Ich bin seit über einer Dekade hier, und das ist die erste gute Nachricht. Du musst mir natürlich nicht glauben, aber ich gehöre auch zur Familie. Sehr zu meinem Leidwesen«, fügte er leise hinzu.

Yan wusste nicht, was er glauben sollte. Der Tonfall des Mannes klang aufrichtig, aber es stand zu viel auf dem Spiel. Das alles konnte Teil eines heimtückischen Plans sein, um seine Freunde in die Falle zu locken.

»Ich kann Euch nicht zu ihnen führen. Ich kenne Euch nicht.«

»Ich weiß. Darüber habe mir schon Gedanken gemacht. Also: Du gehst jetzt zu ihnen und sagst ihnen, dass ich lebe. Seit unserer letzten Begegnung bin ich etwas gewachsen, aber sie werden sich gewiss an mich erinnern. Sag ihnen, ich sei der Junge, der vor ein paar Jahren das Zelt angezündet hat. Das können sie nicht vergessen haben«, fügte er grinsend hinzu.

Yan nickte. Er verstand zwar nicht alles, was Rey sagte, aber er schien Yan vorerst nichts Böses zu wollen. Das reichte ihm. »Und dann? Wenn ich sie überzeugen kann?«

»Dann kommt ihr mich holen. Natürlich nicht hier«, sagte er schnell, als er Yans entgeisterten Blick sah. »Ich habe nicht vor, hier noch länger zu verweilen. Wir treffen uns morgen gegen Mit-Tag an dem Strand, an dem die Zusammenkünfte der Erben stattfinden.«

»Der wird doch gewiss von den Züü überwacht«, wandte Yan ein.

»Nein. Ich habe nachgesehen. Bislang ist niemand dort. Vermutlich kommen sie erst am Tag der Eule.«

Yan ließ sich darauf ein. Gern hätte er einen anderen Ort vorgeschlagen, doch er kannte sich in der Umgebung von Berce nicht aus. Grigán würde entscheiden, was zu tun war.

»Eins noch: Sag ihnen, dass die Große Gilde ihre Finger im Spiel hat.«

»Die Große Gilde?«

»Hast du noch nie etwas von der Großen Gilde gehört, oder glaubst du mir nicht?«, fragte Rey erstaunt.

»Ich habe noch nie etwas davon gehört«, sagte Yan herausfordernd.

»Oh, da kann ich mich ja glücklich schätzen, Hilfe gefunden zu haben«, murmelte Rey.

»Ich werde Eure Worte einem Bekannten von mir ausrichten«, zischte Yan. »Ich wette, er hält Euch auch für eine große Hilfe.«

Einen Moment lang schwiegen beide.

»Schnell eingeschnappt, was?«, sagte Rey einlenkend.

»Spöttisch, was?«, gab Yan zurück.

Sie grinsten sich verschwörerisch zu. Rey ergriff Yans Arm und zog ihn behutsam nach draußen.

»Komm! Gleich geht die Sonne auf, und wir stehen hier immer noch neben einer Leiche herum und palavern. Was meinst du, was los ist, wenn uns jemand sieht? Hast du dir eigentlich schon überlegt, wie du mit deinem Pferd aus der Stadt kommst?«

Ein Pfiff gellte durch die Nacht.

Nuguel war nicht nach Spielchen zumute. Die Züü hatten ihn als einzige Wache am Tor von Leem postiert. Seine Kumpel lagen längst in ihren Betten und schliefen oder amüsierten sich mit einer Frau, während er sich die Nacht um die Ohren schlagen und ein verdammtes Tor bewachen musste, das ohnehin niemand passieren wollte.

Wenn der Blödmann nicht bald mit seinem dämlichen Gepfeife aufhörte, würde er ihm das Maul stopfen.

Nuguel hätte ihn längst zum Schweigen gebracht, wenn er nur wüsste, wo die Pfiffe herkamen. In der nächtlichen Stille trugen Geräusche weit; der Störenfried konnte sich in jeder der unzähligen Gassen verstecken, die zum Tor führten.

Das war kein Nachtschwärmer, der sich des Lebens erfreute. Irgendjemand legte es darauf an, ihn zur Weißglut zu treiben. Sobald Nuguel stehen blieb, erstarb das Pfeifen. Tat er einen Schritt, ging es wieder los. Nuguel hätte alles dafür gegeben, seine Wut an dem Kerl auslassen zu können – oder an einem dieser Erben, nach denen sie suchten. Oder an irgendjemanden, solange er ihm nur *wehtun* konnte.

»Wenn ich dich in die Finger kriege, reiße ich dir die Zunge aus dem Hals«, knurrte er vor sich hin.

»Wenn du es schaffst, mich zu fangen, reiße ich sie mir selbst heraus«, schallte es laut und triumphierend zurück.

Nuguel stürzte sich in die Gasse, aus der die Stimme gekommen war, und frohlockte bei dem Gedanken, den Kerl endlich zu erwischen.

Aber die Gasse war leer. Das Einzige, was er sah, war ein Holzbrett, das auf sein Gesicht zuraste.

Rey überlegte, ob er den Bewusstlosen töten sollte. Doch

da der Kerl keinen Alarm geschlagen hatte, brav in die Falle getappt und lautlos zu Boden gegangen war, sodass Yan ungesehen durch das Tor hatte schlüpfen können, beschloss er, sein Leben zu schonen. Er würde ihn nur um seine Geldbörse erleichtern und ihm die Beule als Andenken hinterlassen.

Rasch zog er den leblosen Körper etwas tiefer in den Schatten, dann trat auch Rey durch das Tor von Leem.

Yan war schon nicht mehr zu sehen. Rey hörte nur noch das Hufgetrappel seines Pferdes. Kein Grund, noch länger herumzutrödeln. Forschen Schrittes ließ er die Stadt hinter sich.

Sobald Berce außer Sicht wäre, würde er sich waschen. Selbst nach über einer Dekade hatte er sich nicht an den strengen Geruch gewöhnt, der seiner Verkleidung Glaubwürdigkeit verlieh. Leider war er im Laufe der Zeit kaum schwächer geworden. In regelmäßigen Abständen war Rey sein eigener Gestank in die Nase gestiegen und hatte ihn an den frischen Dung erinnert, den er sich ins Gesicht geschmiert hatte. Jedes Mal hatte sich ihm der Magen umgedreht, aber die Idee war dennoch gut gewesen, denn niemand hatte ihn angesprochen.

Und dann war dieser junge Kaulaner aufgetaucht.

Ihm fiel ein, dass er vergessen hatte zu fragen, mit wie vielen Erben er unterwegs war und wie sie hießen. Der Junge hätte es ihm zwar vermutlich nicht verraten, aber trotzdem. Jetzt würde er als selbstsüchtig dastehen.

Egal, er hatte getan, was er konnte. Wenn sie nicht zu dem vereinbarten Treffen kamen, dann eben nicht. Er würde schon allein zurechtkommen, schließlich war er das gewohnt.

Erst einmal musste er sein Gepäck holen, das er eine halbe Meile vor den Toren der Stadt versteckt hatte, und sich endlich den Dreck aus dem Gesicht waschen.

Schließlich ging er zu einer Art Familientreffen.


Yan durfte keine Zeit verlieren. Dank der Hilfe des Bettlers hatte er die Stadt ohne Zwischenfälle verlassen können, allerdings durch das Osttor, obwohl er nach Westen wollte.

Um nicht von den Wachen der anderen Tore gesehen zu werden und eventuelle Verfolger abzuschütteln, hatte er einen weiten Umweg um Berce gemacht und sich natürlich verirrt. Zu Fuß hätte er weniger Schwierigkeiten gehabt, sich zurechtzufinden, selbst in fremder Umgebung. Aber zu Pferd … Warum konnte das Tier nicht einfach geradeaus laufen? Was war daran so schwierig? Zum Glück stieß er bald wieder auf den Weg. Es konnte jetzt nicht mehr weit sein.

Es war nun doch eine Menge passiert, und er konnte es kaum erwarten, seinen Freunden davon zu erzählen. Vor allem von den Lichtzeichen in den Hügeln und dem Bettler, der, wie er nun wusste, überhaupt kein Bettler war.

In Berce hatte Yan die Gefahr, in der sie schwebten, am eigenen Leib zu spüren bekommen. Jetzt hatten die Züü auch ihn im Visier. Allerdings machte ihm das nicht viel aus, schließlich hatte er gewusst, dass es früher oder später dazu kommen würde. Irgendwie war er sogar froh, dass er Létis Schicksal nun teilte.

Was ihm allerdings Kummer bereitete, war ihre ausweglose Lage. Die Züü würden nicht aufhören, sie zu jagen, und sie schienen unzählige Schergen zu haben. Seine Gefährten und er würden nicht so schnell in ihr altes Leben zurückkehren können, wenn überhaupt jemals wieder.

Es galt also, den Augenblick zu genießen. Bald sah er seine geliebte Léti wieder. In wenigen Dekanten ging die Sonne auf, und der Tag der Versprechen brach an. Zum ersten Mal fieberte er diesem Moment entgegen. Er würde ihn auf andere Gedanken bringen.

Endlich erreichte er die Stelle, wo er den Weg verlassen und sich ins Unterholz schlagen musste. Er schickte ein kurzes Gebet an Brosda, damit der Gott ihn davor bewahrte, sich wieder zu verirren. Sein Flehen schien erhört worden zu sein, denn kurz darauf stand er vor dem verfallenen Haus, in dem sie übernachtet hatten.

Aber irgendetwas stimmte nicht.

Hier sah alles verlassen aus.

Nachdem er sich rasch umgesehen hatte, wurde sein Verdacht zur Gewissheit: Niemand war da. Er fand keine Spur der anderen: keine Pferde, kein Gepäck, nicht einmal die Überreste eines Feuers. Und auch keine Nachricht oder ein Zeichen. Yan setzte sich auf einen feuchten Baumstumpf und lauschte den Geräuschen der Nacht. Er war todmüde.


Léti hatte das Gefühl, ihren Freund zu verraten. Kurz nachdem Yan nach Berce aufgebrochen war, befahl Grigán, das Lager abzubrechen. Wütend begehrte sie auf, beschimpfte und bedrohte ihn, um ihn zum Einlenken zu bewegen. Erst als ihr Zorn etwas verraucht war, war sie bereit gewesen, sich seine Erklärungen anzuhören.

Grigán wollte das Lager ein gutes Stück entfernt aufschlagen, für den Fall, dass Yan verfolgt wurde oder jemand ihn zwang, ihren Aufenthaltsort zu verraten. Trotzdem mussten Grigán und Corenn all ihre Überredungskünste aufbieten, um Léti zum Mitkommen zu bewegen.

Sie verließen das verfallene Haus und ließen sich auf einer Lichtung etwas näher an Berce nieder.

Mittlerweile hatte sich Léti beruhigt und schämte sich der Worte, die sie Grigán an den Kopf geworfen hatte. In dem Glauben, er wolle Yan zurücklassen, hatte sie ihn einen Lügner, Halunken und Verräter genannt. Hätte ihre Tante sie nicht zurückgehalten, wäre sie mit bloßen Fäusten auf ihn losgegangen, so sehr hatte ihr Zorn sie taub für seine Erklärungen gemacht.

Er war aber auch ein Sturkopf! Nie fragte er die anderen nach ihrer Meinung. Immer erteilte er Befehle, als wäre es das Natürlichste der Welt, und das nur, weil er ein Schwert und einen Bogen besaß. Das mochte andere beeindrucken, sie aber nicht.

Sie hatte die Nase voll davon, immer nur alles hinzunehmen. Alle Menschen, die sie liebte, waren tot. Sie, Yan und Corenn befanden sich auf der Flucht. Schlimmer noch: Ihr Leben war in Gefahr. Und sie sollte Däumchen drehen und Grigán gehorchen. Von wegen!

Als Erstes würde sie eine Waffe brauchen. Auf keinen Fall wollte sie den Mördern noch einmal hilflos gegenüberstehen, wie an dem Tag, als sie den Züu kurz hinter Eza in die Hände gefallen waren. Sie erinnerte sich noch gut an die Kaltblütigkeit der drei Männer, ihren zugleich grausamen und gleichgültigen Blick, die Art, wie sie sie eingekreist hatten und allmählich immer näher gekommen waren …

*Nie wieder.* Nie wieder wollte sie jemandem so ausgeliefert sein. Nie wieder würde sie wie gelähmt darauf warten, dass jemand sie tötete.

Sie wollte kämpfen.

Sie holte das Fischermesser hervor, das Yan ihr gegeben

hatte, und schleuderte es immer wieder auf einen toten Baum. Eine Weile lang übte sie beharrlich.

Corenn und Grigán, die sich unterhalten hatten, hielten inne und beobachteten sie.

»Verflucht seien die Züü«, brummte der Krieger. »Die Kleine ist völlig verstört. Es wird eine Weile dauern, bis sie sich erholt hat. Ich weiß, wovon ich rede.«

»Es ist noch viel schlimmer«, sagte Corenn ernst. »Seht Ihr nicht? Sie hat ihre Unschuld verloren, ihren Seelenfrieden, ihre Unbekümmertheit. Sie hat ihre Kinderträume verloren und ihre Lebenslust. Verflucht seien die Züü! Sie musste über Nacht erwachsen werden.«

Nachdenklich sahen sie dem Mädchen eine Weile zu.

»Eines Tages musste das kommen«, sagte Grigán tröstend.

»Natürlich. Aber doch nicht so plötzlich. Sie hat sich in wenigen Tagen völlig verändert. Ich habe meine kleine Léti verloren.«

Er schwieg beklommen. Er konnte es nicht ertragen, wenn Corenn traurig war, lieber ließe er sich ein blaues Auge schlagen. Er suchte nach Worten, um sie auf andere Gedanken zu bringen. »Seht mal«, sagte er fröhlich. »Sie ist gar nicht so schlecht!«

Widerstrebend musste Corenn lächeln. »Es geschehen immer noch Zeichen und Wunder«, sagte sie hintergründig.

Grigán runzelte verständnislos die Stirn.


Den Rest der Nacht verbrachte Yan in dem verfallenen Haus, doch er konnte nicht richtig schlafen. Oft wusste er nicht, ob er träumte oder wachte, und vor seinem geistigen Auge zogen immer wieder wirre Bilder vorbei: Léti, Grigán, der Bettler, der Tote im Stall, die kesse Lorelierin, wieder Léti, die Züu, der Wirt der Herberge, die Lichtzeichen auf dem Hügel …

Wenn er wach lag, dachte er über seine hoffnungslose Lage nach. Er hatte vor, sich einen oder zwei Tage lang nicht von der Stelle zu rühren und auf die Rückkehr seiner Gefährten zu warten. Bei dem Gedanken überkam ihn tiefe Verzweiflung. Wahrscheinlich waren sie den Züu in die Hände gefallen und längst tot. Wenn er doch einmal einschlief, hatte er Albträume, in denen seine schlimmsten Befürchtungen wahr wurden. Er schreckte hoch und lag wieder grübelnd wach, ohne zu einem Entschluss zu kommen.

Als er Grigán nach ihm rufen hörte, glaubte er zunächst, er sei nur eine weitere Gestalt aus seinen Träumen, zumal es draußen noch dunkel war. Doch die Rufe hörten nicht auf und weckten Yan endgültig. Er sprang auf, stürzte zur Tür und riss sie auf. Er machte einen Heidenlärm.

Grigán stand nur wenige Schritte von ihm entfernt, den gespannten Bogen in der Hand. Als er Yan erkannte, senkte er den Arm.

»Was ist passiert? Wo ist Léti?«, fragte Yan und eilte zu ihm.

»Es geht ihr gut. Corenn und Léti sind nicht weit von hier.«

Yan schloss die Augen und stieß einen erleichterten Seufzer aus. Wie war das Leben schön!

Er öffnete die Augen wieder. Grigán ließ den Blick über die umliegenden Büsche schweifen.

»Ich hoffe, Ihr habt eine gute Erklärung«, sagte Yan angriffslustig.

»Wir mussten das Lager verlegen, zu unserer Sicherheit. Ich bin gekommen, um auf dich zu warten.«

»Aha.«

Am liebsten hätte Yan einen Streit vom Zaun gebrochen, um Grigán für seine Albträume büßen zu lassen, aber er war viel zu gutmütig und zu erleichtert, ihn zu sehen.

»Was tust du schon hier? Ich habe erst in einem guten Dekant mit dir gerechnet. Was, wenn ich mich nicht früher als geplant auf den Weg gemacht hätte?«

Na also, Grigán regte sich schon ganz von selbst auf.

»Ich bin gekommen, um Euch zu holen. Ich habe Euch viel zu erzählen. Wir müssen uns beeilen.«

»Hast du andere Erben gesehen?«

»Vielleicht. Am besten erzähle ich alles, wenn wir bei den anderen sind.«

Grigán führte Yan auf dem schnellsten Weg zu ihrem neuen Lager. Als sie die Pferde anbanden, wachten Léti und Corenn auf und kamen ihnen entgegen.

»Yan, du siehst furchtbar aus!«

Das war das Erste, was Léti einfiel. Sie hatte sich schreckliche Sorgen um ihn gemacht. Ihr Freund hatte tiefe Ringe unter den Augen, und die Erschöpfung stand ihm ins Gesicht geschrieben. Dann fiel ihr ein, wie herzlos ihre Worte klingen mussten. Sie gab ihm einen Kuss auf die Wange und sagte: »Aber wir sind natürlich froh, dass du wieder da bist.«

Nach dem Kuss war Yans Müdigkeit wie weggeblasen. Jetzt war er bereit, es mit einem ganzen Heer Züu aufzunehmen. Bald würde die Sonne aufgehen und der Tag der Versprechen anbrechen. Bald, *Léti*, *bald* …

»Also?«

Grigán bebte vor Ungeduld. Yan räusperte sich und begann zu erzählen: »Gut. Zunächst einmal das Wichtigste: Irgendjemand gibt in den Hügeln hinter Berce Lichtzeichen. Ich nehme an, dass es ein Erbe ist, denn gleich nachdem die Zeichen anfingen, ritten mehrere Züu los, um ihn zu jagen.«

»Die Züu sind in der Stadt?«, fiel Léti ihm ins Wort.

»Ja, ein paar. Mindestens fünf, vielleicht aber auch mehr.«

»Und sie haben ihn nicht erwischt?«

»Nein, ich glaube nicht. Bei ihrer Rückkehr machten sie ziemlich mürrische Gesichter.«

»Was waren das für Lichtzeichen?«

»Äh … Sie hatten keine natürliche Ursache. Sie waren regelmäßig, und es gab zwei verschiedene Lichter. Ein helles und ein dunkleres.«

Grigán und Corenn wechselten einen Blick.

»Ein Zyklop«, sagte der Krieger.

»Ein was?«

»Ein Zyklop. Das ist eine ziemlich komplizierte Apparatur, ungefähr einen Fuß lang, auf dem zwei Spiegel und eine Linse angebracht sind. Die Arkarier benutzen es zur Jagd.«

»Bowbaq?«, fragte Léti hoffnungsvoll.

»Er ist es bestimmt«, antwortete Corenn lächelnd. »Mutter Eurydis, mach, dass er es ist.«

»Wer ist das?«, fragte Yan.

»Ein sehr, sehr guter Freund und der gutmütigste Mensch der bekannten Welt«, antwortete Corenn. »Und vermutlich auch der unbekannten Welt.«

»Das ist der, der mit Tieren spricht, weißt du?«, sagte Léti.

Natürlich. Sie hatte ihm schon oft von dem großen Mann mit dem Bart erzählt, der bei einer der Zusammenkünfte der Erben einen Stehschläfer für sie gezähmt hatte.

Yan hatte die Geschichte immer für ein Ammenmärchen gehalten, das die Erwachsenen einem leichtgläubigen Mädchen erzählt hatten, doch er hätte sich lieber die Zunge abgebissen, als ihr das zu sagen. Jedenfalls schienen seine Gefährten den Mann zu mögen, also war er bestimmt kein schlechter Mensch.

»Wer es auch ist, er schwebt in großer Gefahr, wenn wir nicht schnell etwas unternehmen.«

Er erzählte ihnen, wie er von dem Hausdach aus die Lichtzeichen erwidert hatte. Dann schilderte er das Gespräch, das er in der Herberge belauscht hatte. Die bewundernden Blicke, die Léti ihm zuwarf, als er von den durchstandenen Gefahren berichtete, gefielen ihm.

»Bowbaq ist sicher nicht an dem Ort geblieben, von dem aus er die Signale gesendet hat«, sagte Grigán nachdenklich. »Wie ich ihn kenne, hat er eine Fährte zu dem Ort gelegt, wo er jetzt ist.«

»Eine Fährte? Mehr nicht?«

»Eine Fährte mit arkischen Zeichen. Das ist so etwas wie eine eigene Sprache. Jedes Zeichen besteht aus einer Kombination mehrerer Gegenstände: Steine, Zweige, Rindenstücke, Knochen, Stofffetzen, Kerne. Man kann zum Beispiel angeben, in welcher Richtung ein Dorf liegt, wie weit es entfernt ist, zu welchem Klan es gehört und wie viele Einwohner es hat, und zwar mit einem einzigen Zeichen.«

»Und jetzt? Das alles nützt uns nichts, wenn wir nicht schneller sind als die Züu!«

»Die wichtigsten Zeichen kenne ich«, sagte Grigán lässig und stand auf. »Wir haben keine Zeit zu verlieren.«

»Wo habt Ihr das gelernt?«

Yan wusste, dass der Krieger Fragen hasste, doch seine Neugier war stärker.

»Ich reiste zwei Jahre lang durch Arkarien«, antwortete Grigán. »Bowbaq nahm mich für mehrere Dekaden bei sich auf. Falls er auf diesem Hügel ist, können sich die Züü auf etwas gefasst machen.«

Yan geriet wieder einmal ins Staunen. Unglaublich, was Grigán schon alles gesehen und erlebt hatte!

Schnell packten sie ihre Sachen zusammen. Yan hatte noch so viel zu erzählen … doch dafür würde später Zeit sein.

Sie brachen auf und nahmen diesmal den Weg, um schneller voranzukommen, auch wenn das gefährlicher war. Grigán verbot ihnen zu sprechen, weil Stimmen auf eine größere Entfernung zu hören waren als der dumpfe Hufschlag der Pferde auf der feuchten Erde.

Kurz nach Sonnenaufgang hielt Léti das Schweigen nicht mehr aus und fragte Yan: »Was siehst du mich so komisch an?«

Yan errötete bis in die Haarspitzen. Endlich war der Tag der Versprechen gekommen, und er hatte nichts Besseres zu tun, als sie beide in Verlegenheit zu bringen. »Tue ich doch gar nicht. Ich habe nur nachgedacht.«

Im Grunde tat er die ganze Zeit nichts anderes, als darüber nachzugrübeln, *wann*, *wie* und *ob* er Léti um ihre Hand bitten würde. Bei dem Gedanken brach ihm jedes Mal der kalte Schweiß aus, und er wagte kaum noch, sie anzusehen.

In einem Moment fand er, die Umstände seien einfach zu ungünstig. Im nächsten erinnerte er sich an den Blick der Züü und beschloss, das Leben zu genießen, solange er noch konnte.

Als Grigán ihn bat, vorweg zu reiten und sie zu dem Ort zu führen, von dem die Lichtzeichen ausgegangen waren, gehorchte er erleichtert. Er musste unbedingt an etwas anderes denken als an dieses verflixte Versprechen.

Ihre Feinde waren ihnen auf den Fersen, und sie waren stärker, skrupelloser und in der Überzahl. Irgendwo vor ihnen ahnte ein Freund nichts Böses. Sie waren seine einzige Hoffnung und mussten sich beeilen.

Er versuchte krampfhaft, sich an die Stelle zu erinnern. Zum Glück hatte er ein gutes Gedächtnis. Doch es war schwerer als gedacht. Von Berce aus hatte alles ganz anders ausgesehen, und die Landschaft bot kaum Orientierungspunkte. Die bewaldeten Hügel ähnelten sich alle.

Bewaldete Hügel … Natürlich! Bowbaq musste auf einen Baum geklettert sein, um die Signale zu geben! Yan war plötzlich ziemlich sicher. Im Grunde mussten sie nur den höchsten Baum der Umgebung ausfindig machen. Vermutlich hatte Bowbaq den Beginn der Fährte mit einem einfach zu findenden Zeichen markiert.

Rasch erklärte Yan Grigán seinen Gedanken, und dieser räumte ein, dass er Hand und Fuß hatte. Vom Lob des Kriegers angestachelt, stieg Yan von seinem Pferd und kletterte auf einen Quillenbaum, dessen dünnere Zweige sich unter dem Gewicht der süßen Früchte bogen. Mit wenigen Handgriffen erreichte er den Wipfel.

Von oben hatte er eine herrliche Aussicht. Im Süden, hinter Berce, das gerade zum Leben erwachte, erstreckte sich die endlose, spiegelglatte Fläche des Mittenmeers.

Ringsum bestand die Landschaft aus nichts als Blättern in den unterschiedlichsten Grün-, Gelb- und Rottönen, gefärbt von der Jahreszeit des Windes.

Seit fast einer Dekade hatte Yan das Meer nicht mehr gesehen. Sonst lebte er praktisch am Strand. Ihm war nicht klar gewesen, wie sehr es ihm fehlte.

Grigán ›bat‹ ihn, sich zu beeilen. Mit einem kleinen Seufzer begann Yan, nach dem höchsten Baum Ausschau zu halten, und wurde rasch fündig. Der Baum war weniger als dreihundert Schritte entfernt.

Sein Jubelschrei blieb ihm in der Kehle stecken, als er noch etwas anderes sah.

Beim Abstieg rutschte er am Stamm hinunter, statt von Ast zu Ast zu klettern, und sprang das letzte Stück zu Boden. Léti und Corenn sahen ihn erstaunt an. Grigán zog sein Schwert und sah sich hastig um.

»Die Züü«, wisperte Yan und zeigte in eine Richtung. »Sie sind da.«

Grigán sprang von seinem Pferd und stellte sich neben Yan, ohne den Blick von den Büschen abzuwenden. »Wie viele sind es?«

»Ich weiß nicht, mindestens sieben oder acht. Nicht alle sind Züü, aber die anderen Männer arbeiten für sie.«

»Wie weit sind sie entfernt? Haben sie dich gesehen?«

»Nein, ich glaube nicht. Sie starrten alle auf den Boden. Vermutlich suchen sie Bowbaqs Fährte. Sie sind ungefähr vierhundert Schritte entfernt. Zum Glück kommen sie nicht in unsere Richtung.«

Grigán lief auf und ab und strich sich nervös über den Schnurrbart. Dann erklomm er selbst den Quillenbaum.

»Nach meiner Flucht heute Nacht müssen sie ihre Pläne geändert haben«, flüsterte Yan und sprach damit aus, was alle dachten. Doch die anderen kannten noch gar nicht die ganze Geschichte.

»Einer der Männer wurde getötet, als ich mein Pferd aus dem Stall holte«, fuhr Yan fort.

»Hast du ihn getötet?«, fragte Corenn besorgt, während Grigán wieder zu Boden sprang.

»Nein, jemand anders. Ein Bettler, der vielleicht einer der Euren ist. Ein gewisser Rey von Kercyan oder so ähnlich.«

»Rey, sagte er? Nicht Mess?«

»Nein, nein, Rey. Das schien ihm sehr wichtig zu sein.«

»Haltet Ihr das für möglich?«, fragte Corenn Grigán.

»Das sehen wir später«, knurrte Grigán. »He, Yan, gibt es noch mehr, was wir nicht wissen?«

»Ich hätte es Euch später gesagt«, erwidert Yan gekränkt. »Ich dachte, es sei erst einmal wichtiger, Euren Freund zu retten.«

»Was nicht leicht sein wird«, warf Léti ein.

Sie schwiegen bedrückt. Grigán begann wieder, rastlos auf und ab zu laufen und fuchtelte dabei mit seinem Schwert durch die Luft. Er schien sich seiner Geschicklichkeit nicht bewusst. »Nun gut«, sagte er schließlich und blieb stehen.

Dann setzte er sich erneut in Bewegung. Yan dachte, dass sie auf die Entscheidung des Kriegers warteten, als seien sie nicht in der Lage, eigenmächtig zu handeln. Er beschloss, Grigán einen Teil seiner Last abzunehmen.

»Meister Grigán, was würdet Ihr tun, wenn Ihr allein wärt?«

Der Krieger hielt inne und sah Yan mit einem Hoffnungsschimmer in den Augen an. »Ich würde der Fährte folgen. Vielleicht wäre ich schneller als die Züu.«

»Worauf wartet Ihr dann noch?«

»Die Chancen stehen eins zu drei, dass ich dabei den Tod finde. Es geht mir nicht um mich. Um euch habe ich Angst. Ich kann euch nicht allein lassen, aber ich kann auch nicht tatenlos zusehen, wie Bowbaq massakriert wird. Ihr wisst, warum.«

»Und wenn ich mit Euch komme? Stehen die Chancen dann besser?«

Grigán mustere ihn eine Weile unschlüssig. Er war es nicht gewohnt, dass ihm jemand Hilfe anbot, denn normalerweise war *er* es, der anderen beistand. »Du machst mehr Krach als ein brünstiges Rotschwein.«

»Ich habe mich gebessert«, sagte Yan unwirsch. »Zum Beispiel habe ich Euch heute Nacht kommen gehört, noch bevor Ihr nach mir gerufen habt.«

Das war natürlich eine glatte Lüge.

Grigán zupfte sich gedankenverloren den Schnurrbart. Der Gedanke gefiel ihm nicht. Dann seufzte er laut auf. »Einverstanden. Gehen wir«, sagte er und holte Bogen und Köcher vom Rücken seines Pferdes.

Yan tat es ihm gleich. Aus Angst, der Krieger könnte es sich anders überlegen, sprach er kein Wort. Sein Herz klopfte ihm bis zum Hals. Diesmal würde es *richtig* gefährlich werden. Vielleicht würde er sterben. Um sich Létis Bild für immer einzuprägen, wandte er sich zu ihr um.

Der Anblick ließ ihn erstarren. Léti war von ihrem Pferd gestiegen und hielt das Messer in der Hand, das er ihr gegeben hatte.

»Was tust du da?«, stieß er hervor.

Sie sah ihn entschlossen an. »Ich komme mit euch.«

Yans Gedanken überschlugen sich wie Wellen bei einer Sturmflut. Vielleicht würde er sterben. Aber nicht Léti. Sie musste leben. Leben, weil er sie liebte, mehr als alles in der Welt. In Berce war er dem Tod mehrmals knapp entronnen und hatte erkannt, wie wertvoll das Leben war. Léti durfte ihres nicht leichtfertig aufs Spiel setzen.

»Nein«, hörte er sich wie im Traum sagen. »Nein, du kommst nicht mit.«

»Doch.«

Zum ersten Mal widersprach Yan ihr. Der Gedanke machte Léti traurig, doch das war jetzt nicht wichtig. Das Gefühl würde vorbeigehen. Jetzt kam es nur darauf an, in den Kampf zu ziehen. Nicht mehr hilflos zu sein. Ihre Freunde zu rächen.

Das war es: Es ging ihr um *Rache*. Sie wollte es den Mördern heimzahlen. Auge um Auge, Zahn um Zahn. Und wenn sie dabei den Tod fand. Hauptsache, sie riss zumindest einen von ihnen mit.

»Nein!« Entgegen seiner sonstigen Art erhob Yan die Stimme. Egal, wenn es nur half, Léti zur Räson zu bringen. Warum behandelte sie ihn wie einen dummen Jungen? Begriff sie denn nicht, dass er das alles nur für sie tat?

»Ich komme mit euch. Du hast mir keine Befehle zu erteilen«, sagte sie mit tränenerstickter Stimme. »*Niemand* hat mir Befehle zu erteilen.« Sie schluchzte auf.

»Du bleibst hier, verstanden? Und damit basta!« Jetzt sah Yan rot. Verflixt, sie musste es doch einsehen! Und musste sie die ganze Zeit mit diesem verdammten Fischermesser herumfuchteln? Er hatte große Lust, es ihr aus der Hand zu schlagen, doch das hätte die Sache nur noch schlimmer gemacht.

Jetzt weinte sie tatsächlich. Yan schämte sich und war wütend, auf sie und auf sich selbst. Er suchte nach tröstenden Worten. Als ihm nichts einfiel, machte ihn das noch wütender. Pah! Solange sie dablieb und sich nicht in Gefahr brachte, war alles gut.

Er zurrte die Schnürsenkel seiner Stiefel fest und folgte Grigán, der bereits ungeduldig auf ihn wartete.

Jetzt stieg auch Corenn ab und nahm ihre Nichte in den Arm. Sie hatte sich absichtlich aus dem Streit herausgehalten, hätte aber eingegriffen, wenn er einen anderen Ausgang genommen hätte.

Offenbar waren beide Kinder erwachsen geworden.


Kurz darauf standen sie am Fuß der jahrhundertealten Etulie. Trotz ihrer Vorsicht hatten sie sich rasch durch den Wald bewegt. Sie mussten den Züu zuvorkommen.

Grigán hatte schnell eingesehen, dass Yan tatsächlich eine große Hilfe war. Er schickte ihn dreißig Schritte voraus, befahl ihm aber, immer in Sichtweite zu bleiben. So konnten sie sich gegenseitig mit dem Bogen Deckung geben.

Yan fürchtete, die Züu könnten einen Mann bei der Etulie zurückgelassen haben, doch zum Glück war niemand zu sehen. Erleichtert stellte er fest, dass er sich nicht geirrt hatte: Zwischen den Wurzeln des Baumes stießen sie auf ein Zeichen, den Beginn einer Fährte. Yan ging ein paar Schritte weiter und hielt Wache, damit der Krieger das Gewirr aus Steinen, Blättern und Zweigen entziffern konnte.

Die Zeit verging. Grigán starrte auf das Zeichen und rührte sich nicht. Yan wurde unruhig. Verflixt! Was, wenn er es nicht entziffern konnte? Dann würde ihnen nichts übrig bleiben, als die Züu zu verfolgen und sie im letzten Moment zu überholen … Allerdings standen ihre Chancen, mit dem Leben davonzukommen, in diesem Fall um einiges schlechter.

Endlich erhob sich Grigán und winkte Yan zu sich. Neugierig trat der Junge neben ihn.

»Siehst du den Zweig mit den drei Kerben? Zusammen mit den vier Steinen links davon weist er auf einen Ort dreitausend Schritte östlich von hier hin. Drei wegen der An-

zahl der Kerben und tausend, weil vier Steine für eine vier-
stellige Zahl stehen.«

»Ja und?« Yan fragte sich, worauf Grigán hinauswollte.
Es war doch sonst nicht seine Art, Erklärungen abzugeben.
Irgendwas stimmte nicht.

»Das Dreieck aus Zweigen steht für einen Menschen. Der
Stein, der außerhalb des Dreiecks liegt, weist auf einen Lagerplatz hin. Läge der Stein in dem Dreieck, stünde er für
ein Haus. Gäbe es mehrere Steine, wäre das ein Hinweis
auf mehrere Menschen: eine Familie, ein Dorf, eine Stadt,
je nachdem.«

Yan nickte. Alles sprach dafür, dass Bowbaq das Zeichen
gelegt hatte. Er wusste nur immer noch nicht, was Grigán
eigentlich von ihm wollte.

»Doch am interessantesten ist dieser Schädel einer Kori-
ole. Ein Vogelschnabel ist das Zeichen von Bowbaqs Klan.
Aber warum sollte er ausgerechnet *hier* einen Hinweis auf
seinen Klan hinterlassen?«

Yan zuckte mit den Schultern. Vielleicht hatte das überhaupt nichts zu sagen. Doch wenn sie es herausfinden wollten, bevor es zu spät war, mussten sie sich sputen.

»Ich habe da so eine Ahnung«, fuhr Grigán fort. »Sieh
mal hier.« Er hob den Schädel an. Darunter lag ein schwarzer Stein. »In Crevasse hat mir jemand mal von einem Klan
erzählt, der seine Zeichen mit einem versteckten schwarzen
Stein verändert, um seine Feinde zu täuschen. Ich wäre nie
auf die Idee gekommen, dass es sich um Bowbaqs Klan
handeln könnte, oder dass unser gutmütiger Freund gerissen
sen genug ist, um eine solche List anzuwenden!«

Yan verstand immer noch nicht so recht, was das alles
zu bedeuten hatte, doch der Anflug eines Lächelns auf dem
Gesicht Grigáns ließ ihn neuen Mut schöpfen.

»Das ist es! Wenn ich mich nicht irre, müssen wir genau in die entgegengesetzte Richtung gehen.«

Sie grinsten einander an. Falls Grigán recht hatte, ersparte ihnen das eine Menge Ärger.

»Wir müssen uns trotzdem beeilen. Die Züu werden umkehren, sobald sie ihren Irrtum bemerken.«

Der Krieger legte den Vogelschädel wieder zurück an seinen Platz, allerdings nicht, ohne vorher den schwarzen Stein zu entfernen.

»Vielleicht war Euer Freund etwas zu vorsichtig«, sagte Yan, als sie sich auf den Weg machten. »Wenn Ihr nicht gewusst hättet, was ein Zyklop ist, wenn wir den Baum nicht gefunden hätten und wenn Ihr das veränderte Zeichen nicht hättet lesen können, hätte er lange warten können!«

»Noch haben wir ihn nicht gefunden«, sagte Grigán ernst. »Vielleicht irre ich mich. Solche Zeichen sind kompliziert, und ich mag keine Rätsel.«

Yan schwieg. Zum ersten Mal äußerte der Krieger Zweifel. Grigán starrte auf den romischen Kompass und zählte die Schritte. Yan beschloss, ihn besser nicht zu stören.

Sie marschierten zügig voran. Nach einer Weile fragte Yan: »Findet Ihr es nicht seltsam, dass wir kein weiteres Zeichen finden? Ich dachte, sie müssten regelmäßig wiederholt werden.«

»Wenn ich recht habe, werden wir keine weiteren Zeichen finden. Es ist sinnlos, eine falsche Fährte zu legen, wenn ein zweites Zeichen wenige Schritte später alles verrät. Aber vielleicht irre ich mich auch, und Bowbaq ist dort, wo ihn die Züu vermuten.«

Yan sagte nichts mehr. Er fand, Bowbaq könnte durchaus eine Fährte aus mehreren falschen Zeichen gelegt haben. Doch Grigán machte sich auch so schon genug Sorgen.

Sie liefen weiter und richteten sich nach dem Kompass. Hin und wieder zwang sie das Gelände, einen kleinen Umweg zu machen. Yan kam der Gedanke, dass es besser gewesen wäre, Léti und ihrer Tante Bescheid zu sagen oder sie sogar mitzunehmen. Jetzt, wo sie in eine andere Richtung als die Züü liefen, waren sie vorerst außer Gefahr.

Ihm fiel ein, was er zu Léti gesagt hatte. Hoffentlich würde sie ihm verzeihen können.

Plötzlich blieb er wie angewurzelt stehen.

*Wie konnte er unter diesen Umständen heute um ihre Hand anhalten?*

Grigán warf ihm einen fragenden Blick zu. Yan schüttelte den Kopf und marschierte weiter.

Wie konnte er unter diesen Umständen *jemals* um ihre Hand anhalten? Vermutlich verfluchte sie ihn, weil er ihr nicht die gebührende Achtung entgegengebracht hatte. Schlimmer noch, er hatte sie gedemütigt. Er hatte die Frau, die er liebte, *gedemütigt!*

Im besten Fall würde sie einige Tage kein Wort mit ihm reden. Und im schlimmsten Fall? Ihn verachten? Ihm aus dem Weg gehen, sich über ihn lustig machen, ihm die Freundschaft aufkünden, vielleicht für immer?

Vertieft in seine düsteren Gedanken, merkte er erst nach zehn Schritten, dass Grigán hinter ihm stehen geblieben war. Verdrossen schlurfte er zurück. Der Krieger musterte eine Anordnung aus Steinen, Blättern und Zweigen. Das musste ein weiteres Zeichen Bowbaqs sein.

»Anscheinend hattet Ihr recht«, sagte Yan matt.

»Vielleicht. Vielleicht auch nicht. Um ehrlich zu sein, kann ich mir auf dieses Zeichen keinen Reim machen.«

Er schwieg und schien nachzudenken. »Wenn ich es wörtlich übersetze, sagt es: ›Lagerplatz mit einem Menschen in null Schritt Entfernung‹. Aber es gibt ein weit weniger kompliziertes Zeichen, um auf einen Lagerplatz hinzuweisen, deshalb muss es etwas anderes bedeuten. Vielleicht fehlt ein Teil des Zeichens.«

Yan wollte gerade antworten, als im Baum über ihm ein ohrenbetäubendes Krachen ertönte, gefolgt von einem dumpfen Aufprall.

Yan wirbelte herum und tastete fieberhaft nach einem Pfeil. Obwohl er zu Tode erschrocken war, verfluchte er sich, weil er nicht eher daran gedacht hatte, einen Pfeil in die Sehne zu spannen.

Grigán war schneller und zielte bereits auf den Neuankömmling, schoss aber nicht.

Als Yan Grigán zum ersten Mal gesehen hatte, war er beeindruckt gewesen. Damals war er ihm stark, furchteinflößend, unbeugsam und kämpferisch vorgekommen – ein Eindruck, der sich bestätigt hatte.

Aber dieser Mann beeindruckte ihn noch mehr.

Der Mann war ein Riese.

Er war mindestens zwei Köpfe größer als Yan, allerdings hatte er auch in Kaul schon große Menschen gesehen. Nein, das Ungewöhnlichste war sein Körperumfang.

In die Weste, die seinen Brustkorb umspannte, hätten leicht zwei ausgewachsene Männer gepasst. Die Arme waren kräftiger als die eines Bären, und die Beine dicker als Baumstämme. Seine Hände schienen ein Eigenleben zu führen. Solche Pranken konnten einfach nicht zu einem einzigen Menschen gehören.

Er trug riesige Schnürstiefel, die ihm bis unter die Knie reichten, mehrere Felle und Pelze, einen breiten Armreif aus Metall und ein gewaltiges Bündel, das er in einer *einzigen* Hand hielt. Beim Wandern band er es sich vermutlich auf den Rücken. Der Sack war bis zum Rand vollgestopft und mit Metallbeschlägen verstärkt. Yan wäre nicht in der Lage gewesen, ihn auch nur hochzuheben.

Das Gesicht, das hinter einer dichten schwarzen Mähne, einem langen Bart und einer Wollmütze verschwand, zeigte keine Regung. *Ist dieser Riese etwa Bowbaq?*, fragte sich Yan.

Der Mann ließ das Bündel zu Boden plumpsen und stürzte sich mit lautem Gebrüll auf Grigán, der schicksalsergeben den Bogen sinken ließ. Bowbaq warf die Arme um ihn, zerquetschte ihm beinahe den Brustkorb, hob ihn von den Füßen und wirbelte ihn durch die Luft.

Yan betrachtete die Szene stirnrunzelnd. Neben Bowbaq wirkte Grigán so klein und zerbrechlich. Der Riese müsste nur etwas fester zudrücken, und der Krieger würde ersticken.

Glücklicherweise schien das nicht Bowbaqs Absicht zu sein. Lachend gab er sein Opfer frei. »Mein Freund! Mein Freund!«, stieß er zwischen zwei Lachsalven hervor und konnte kaum die Augen von Grigán wenden. Dann zog er ihn abermals in eine Umarmung und drehte sich mit ihm im Kreis.

Halbherzig versuchte Grigán, sich aus der Umklammerung zu befreien – vergebens. Er teilte die Freude des Riesen, auch wenn er etwas zurückhaltender war – sehr viel zurückhaltender.

»Wenn du wüsstest! Wenn du wüsstest! Seit über einem Mond habe ich mit niemandem mehr gesprochen! Mein Freund, mein Freund!«

Geduldig wartete Yan, bis Grigán wieder auf dem Boden stand und die beiden sich ihm zuwandten.

»Äh … Ich freue mich auch, Bowbaq. Sehr sogar.«

»Und wer ist dieser junge Mann?«

»Das ist Yan, Létis Versprochener.«

Das Gesicht des Riesen hellte sich noch etwas mehr auf, während Yan wie gelähmt dastand. Für Grigán war er also Létis Versprochener. Seit wann? Warum? Und wie kam der Krieger überhaupt darauf?

Ihm blieb keine Zeit, darüber nachzudenken. Bowbaq stürzte sich auf ihn, um auch ihn in den Genuss einer Karussellfahrt kommen zu lassen. Verdammt, was war der Kerl stark! Er hatte ihn hochgehoben, als sei er eine Feder!

»Mein Freund! Létis Versprochener«, rief Bowbaq und wirbelte den armen Kaulaner lachend durch die Luft.

Seine gute Laune war ansteckend. Yan mochte den sanftmütigen und gutherzigen Riesen auf Anhieb. Vielleicht würde er die anderen etwas aufmuntern.

Der Nordländer stellte seinen neuen Freund auf den Boden und wandte sich Grigán zu, der zurückwich, weil er weitere Zuneigungsbekundungen fürchtete.

»Ihr seid nur zu zweit?«, fragte Bowbaq in etwas ernsterem Ton.

»Nein, Léti und Corenn sind auch hier. Sie warten ein paar Meilen entfernt auf uns.«

»Léti und Corenn! Meine Freunde! Wie schön!«, rief er freudestrahlend. »Was ist mit den anderen?«

»Das wissen wir nicht. Das heißt … Von einigen wissen wir es schon«, sagte Grigán düster und legte dem Nordländer eine Hand auf die Schulter.

Sie wechselten einen Blick, der alles sagte. Bowbaq gefror das Lächeln auf dem Gesicht. »Etólon? Jasporan? Humeline?«

»Von Humeline haben wir nichts gehört.«

»Und Xan?«, fragte der Riese nach einer Weile hoffnungsvoll.

Grigán schüttelte den Kopf. Bowbaqs Miene verfinsterte sich.

»Von vielen wissen wir es einfach nicht.«

Dem Krieger gingen die Worte aus. Er war es nicht gewohnt zu lügen, um falsche Hoffnungen zu wecken. Dann gab er sich einen Ruck: »Geht es Ispen gut? Und Prad und Iulane?«

Der Arkarier hob den Kopf. Er hatte immer noch seine Familie. »Ja, soweit ich weiß. Ispen ist mit den Kindern in Work, bei ihrem Klan. Mir ist bei ihnen. Wenigstens sind sie so für ein paar Monde außer Gefahr.«

»Schön«, sagte Grigán. Er wusste nichts hinzuzufügen.

Yan brach als Erster das Schweigen. Auch er sorgte sich um die Menschen, die er liebte. »Sagt ... Sollten wir nicht besser wieder zu den anderen gehen?«

Bowbaq fand sein Lächeln wieder. »Ja! Ich kann es kaum erwarten, meine Freundinnen aus Kaul in den Arm zu nehmen!«

Sie brachen sofort auf.

Obwohl sich Yan vor dem Wiedersehen mit seiner Geliebten fürchtete, musste er bei der Vorstellung lachen, wie der Riese eine schmollende und widerspenstige Léti durch die Luft wirbelte.


Léti langweilte sich schrecklich. Yan und Grigán waren seit über einem Dekant fort, und sie wusste nicht, wie sie die Zeit totschlagen sollte. Tatenlos an einen Baum gelehnt dazusitzen, machte sie verrückt, aber sobald sie aufstand und sich ein paar Schritte entfernte, wurde Corenn panisch vor Angst.

Jetzt sah sie ein – auch wenn sie das niemals zugegeben hätte –, dass sie unüberlegt gehandelt hatte. Natürlich konnte sie nicht mit den *Männern* – in Gedanken gab sie dem Wort einen abschätzigen Klang – mitgehen und ihre Tante allein lassen. Auch konnten sie nicht zu viert losziehen und die Pferde zurücklassen, ganz abgesehen davon, dass ein solcher Fußmarsch zu viel für Corenn gewesen wäre.

Doch das alles war keine Entschuldigung für Yans Verhalten. Er, der sie besser als jeder andere kannte, er, auf dessen Hilfe und Unterstützung sie zählte, hatte sie wie ein aufsässiges Kind behandelt. Nein, das hatte sie nicht verdient.

Wenn das der Einfluss war, den Grigán auf Yan hatte, war er verheerend. Sie hatten dem Krieger zwar viel zu verdanken, doch einige Dinge konnte sie ihm einfach nicht durchgehen lassen. Seine Selbstgefälligkeit und seine herablassende Art zum Beispiel.

Früher hatte sie sich stets ihrer Tante anvertraut, aber was »Meister Grigán« anging, ließ sie einfach nicht mit sich reden. Corenn, die die hohe Kunst der Diplomatie beherrschte, verstand sich nun mal nicht darauf, gegen übermächtige Feinde zu kämpfen, weshalb sie diese Aufgabe gern ihrem alten Freund überließ. Sie würde ihm doch nur wieder recht geben.

Außerdem wusste Léti, dass sie bei einem Streit mit ihrer Tante nie das letzte Wort behalten würde. Das schaffte niemand, und auf eine sichere Niederlage verzichtete sie gern.

Sie sah einfach keinen Ausweg. Sie wollte sich doch nur nützlich machen, aber dazu musste sie Grigán überzeugen. Ob sie wollte oder nicht, er hatte die Zügel in der Hand. Doch der Griesgram war nichts als ein verstockter, engstirniger Holzkopf mit dem geistigen Horizont eines Esels.

Sie erhob sich und lief auf und ab. Auf Grigáns Befehl hin hatten sich Léti und Corenn mehrere Meilen von der Etulie entfernt. Vorsichtshalber hatte Corenn noch etwas weitergehen wollen. Vielleicht fanden die Männer nicht mehr zu ihnen zurück?

Allmählich begann sie auf ihre Rückkehr zu hoffen, und auch Corenn wurde langsam unruhig. Sie, die sonst die Ruhe in Person war, hielt immerzu Ausschau nach den Männern und zuckte bei jedem verdächtigen Geräusch zusammen. Dann begann auch sie, auf und ab zu wandern.

Je länger es dauerte, desto mehr flaute Létis Wut ab, bis nichts mehr übrig war als Unmut und leise Angst.

Was, wenn ihnen etwas zugestoßen war?


»Nein, nein und nochmals nein. Ich halte das für keine gute Idee. Bowbaq, du musst einsehen, wie gefährlich das ist!«

»Ich weiß«, sagte der Riese verlegen. »Aber es ist nicht richtig, nutzlose Zeichen zurückzulassen. Man muss immer versuchen, sie zu entfernen.«

»Es ist nicht *richtig*? Aber seinen Feinden geradewegs in die Arme zu laufen und sich von ihrem Dolch durchbohren zu lassen, das ist richtig? Du hättest das Zeichen ja datieren können, wenn es dir so wichtig ist!«

»Ich habe nicht genug Tierzähne gefunden. Außerdem ist das nicht dasselbe. Man muss sich immer auf ein Zeichen verlassen können. Deshalb ist es nicht richtig …«

»Komm schon, tu mir den Gefallen und vergiss es. Wenn du willst, kehre ich in den nächsten Tagen zu der Etulie zurück und entferne das Zeichen. Ich verspreche es dir.«

»Danke, mein Freund«, sagte der Riese und schlug dem Krieger auf den Rücken.

Grigán war Bowbaq gegenüber sehr viel geduldiger und offener. Vermutlich, weil er ihn schon lange kannte. Es gab also noch Hoffnung für Yan …

Nach einem langen Marsch durch den lorelischen Wald stießen sie auf Léti und Corenn. Die Sorgen der beiden waren im Nu verflogen.

Léti rannte dem Riesen entgegen und fiel ihm um den Hals. Yan war enttäuscht, da er sich insgeheim eine ähnliche Begrüßung erhofft hatte.

Bowbaq begrüßte Léti und Corenn auf ebenso akrobatische Weise wie zuvor Grigán. Die junge Kaulanerin wehrte sich nicht gegen die stürmische Umarmung, sondern schien sogar Gefallen daran zu finden.

Als Léti wieder auf dem Boden stand, nahm Yan allen Mut zusammen. »Ist alles gut gegangen?«, fragte er mit seiner versöhnlichsten Stimme.

»Natürlich! Was sollte schon groß passieren?«, fuhr sie ihn an.

Als sie ihn ansah, hörte sie jäh auf zu lächeln. Das verletzte ihn mehr als ihre scharfen Worte. Verflixt, verflixt, verflixt! Es würde Dekaden dauern, bis Léti ihm verzieh.

Einen Moment lang hatte er Lust, sich mit ihr zu streiten, doch gleich darauf schob er den Gedanken beiseite. Einmal am Tag war genug. Er hatte auch so schon genug Schaden angerichtet.

Die Wiedersehensfreude war groß. Bowbaq machte Léti Komplimente über ihre Schönheit und neckte sie, weil sie so schnell gewachsen war. Corenn erkundigte sich nach der Familie des Nordländers und freute sich zu hören, dass es seiner Frau und den Kindern gut ging.

Grigán wartete geduldig, bis sich die Aufregung etwas gelegt hatte, bevor er sie alle zum Aufbruch antrieb. Sie gingen zu Fuß, da Bowbaq kein Pferd besaß. Wahrscheinlich wäre es ohnehin einfacher gewesen, wenn der Riese das Pferd getragen hätte als umgekehrt.

Auf dem Weg erzählte Bowbaq von seiner Wanderung durch die Eiswüste Arkariens und den lorelischen Wald. Dort hatte er seit einigen Tagen auf ein Lebenszeichen anderer Erben gewartet. »Irgendjemand hat aus Berce auf meinen Zyklopen geantwortet. Wart ihr das?«

»Das war ich«, antwortete Yan stolz.

»Nur du?«

»Aber ja doch, nur ich. Sehe ich etwa so untüchtig aus?«, fragte er grinsend.

»Nein, ich meine: Mir haben *zwei* Personen geantwortet, von zwei verschiedenen Stellen.«

Alle überlegten. Dann sagte Grigán: »Vielleicht waren das die Züu, die dich in eine Falle locken wollten.«

»Die wer?«

»Die Züu. Unsere Verfolger! Wir haben dir ganz schön viel zu erzählen.«

»Vielleicht war es aber auch Yans Bettler«, warf Léti ein.

Yan schlug sich vor die Stirn und sah nach dem Stand der Sonne. Der Streit mit Léti hatte ihn alles andere vergessen lassen. »Wir sollen ihn gegen Mit-Tag treffen. Heute.«

Jetzt sahen alle zum Himmel.

»Das ist bald«, sagte Grigán. »Wo ist er?«

»Wir haben uns an dem Strand verabredet, an dem die Zusammenkünfte der Erben stattfinden. Das ist der Strand hinter Berce, oder?«

»Ja. Dorthin ist es nicht weit. Wie kam es dazu?«

Yan erzählte ihnen von dem Vorfall im Stall, seiner Begegnung mit Rey und der Flucht aus der Stadt, bei der ihm der junge Mann geholfen hatte.

Grigán wusste nicht, was er davon halten sollte. »Diesen Kercyan kenne ich nicht. Zatelle schon, und ihren Enkel Mess. Aber keinen Rey.«

»Doch, doch«, mischte sich Corenn ein. »Zatelle hatte noch einen Enkel, den sie ein- oder zweimal mitbrachte.«

»Das stimmt, ich erinnere mich«, sagte Bowbaq.

»Aber niemand kennt ihn als *Erwachsenen*. Jeder könnte sich für ihn ausgeben, ohne dass wir den Unterschied merken würden.«

»Er sagt, er habe ein Zelt angezündet«, sagte Yan.

Die anderen sahen sich an.

»Richtig«, sagte Corenn. »Bei einer der Zusammenkünfte ließ er sich zu diesem dummen Streich hinreißen.«

»Daran erinnere ich mich noch gut«, sagte Grigán mit einem hämischen Grinsen. »Und an die Tracht Prügel, die Zatelle ihm anschließend verpasste. Wenn ich mich richtig erinnere, war ich es, der ihn aus seinem Versteck zerrte. Alle anderen glaubten, er sei nach dem Brand fortgelaufen.«

»Mir tut er leid«, sagte Léti. »Er muss die Erben hassen.«

Grigán ignorierte sie.

»Glaubt Ihr, er ist es?«, fragte Yan Corenn.

»Warum nicht? Zatelle erzählte mir, er sei Schauspieler geworden. Da würde es zu ihm passen, sich als Bettler zu verkleiden.«

Yan nickte. Mit seinem Sarkasmus und dem Sinn für Dramatik musste der Bettler entweder ein Künstler oder ein skrupelloser Verbrecher sein. »Eins noch: Ich soll Euch sagen, dass die Große Gilde ihre Finger im Spiel hat. Was ist die Große Gilde?«

Grigán erstarrte. »Bist du sicher?«

»Das waren seine Worte. Was ist denn?«

Grigán und Corenn wechselten einen finsteren Blick, den die anderen nicht zu deuten wussten.

»Die Große Gilde«, erklärte Corenn, »ist ein mehr oder minder loser Zusammenschluss mehrerer Räuberbanden. Im Grunde heißt das, dass die Züu ein ganzes Heer zu ihrer Verfügung haben. Hunderte Männer, wenn nicht gar Tausende.«

Nun begriff Yan. Zum Glück war Grigán auf dem Weg nach Berce so vorsichtig gewesen. Sämtliche Straßen, Dörfer und Städte wurden vermutlich von ähnlichen Widerlingen bewacht wie Berce.

»Woher weiß er das?«, fragte Grigán und strich sich über den Schnurrbart.

»Keine Ahnung. Das hat er nicht gesagt.«

Die Nachricht machte Grigán und Corenn ziemlich zu schaffen. Ihnen war keine Atempause vergönnt.

»Wir müssen diesen Rey treffen«, sagte Grigán schließlich. »Er ist vielleicht einer der Unseren. Yan?«

Er zuckte zusammen. Ihm war nicht klar gewesen, dass er Grigán abermals würde helfen müssen. Natürlich konnte nur er seinen Retter aus Berce wiedererkennen. Schade, er hätte gern etwas Zeit mit Léti verbracht. Er hatte die Hoffnung, sich noch vor Sonnenuntergang mit ihr zu versöhnen. Schließlich endete dann der Tag der …

Léti! Hoffentlich bestand sie nicht darauf, sie zu begleiten. Natürlich würde er sie wieder daran hindern, aber ihm stand nicht der Sinn nach einem neuen Streit.

Grigán verabredete sich mit den anderen in dem verfallenen Haus, in dem sie zwei Nächte zuvor übernachtet hatten. Léti erhob keinen Widerspruch. Verblüfft stellte Yan

234

fest, dass auch Bowbaq keine Anstalten machte, ihn und Grigán zu begleiten.

Er sah seinen drei Gefährten nach, die in ein Gespräch vertieft waren. Bowbaqs Anwesenheit war vermutlich der Grund für Létis Fügsamkeit, aber dennoch ... Ein Mann von seiner Kraft wäre ihnen eine große Hilfe!

Grigán stieg auf sein Pferd, und Yan tat es ihm gleich.

»Warum kommt Bowbaq nicht mit?«, fragte er.

»Er kämpft nicht gern. Auf geht's.«

»Ich auch nicht! Und er ist viel stärker als ich.«

»Er hat geschworen, nie einen Menschen zu töten.«

»Was? Warum denn das?« Yan kam aus dem Staunen nicht mehr heraus. So etwas hatte er noch nie gehört.

»Ich habe ihn nicht gefragt, und er hat es mir nicht gesagt«, antwortete Grigán unwirsch. »Los jetzt, oder wir schaffen es nicht mehr rechtzeitig!«


Rey hatte schreckliches Lampenfieber. Er spürte nicht nur dieses leichte Kribbeln im Bauch wie vor jeder Vorstellung, sondern eine tiefe Unruhe, wie sie ihn nur selten überkam. An solchen Tagen hatte er Angst, seinen Text zu vergessen, auf der Bühne zu stolpern oder dem Publikum nicht zu gefallen.

Und das war die Frage: Würde er dem Publikum gefallen?

Nicht, dass er es unbedingt nötig hatte, von den Erben gemocht zu werden. Im Grunde war es ihm sogar so egal wie der pelzige Hintern eines Margolins. Für diese Traditionalisten und ihre verstaubten Geschichten hatte er nichts als Spott übrig, doch er war auf ihre Hilfe und ihr Wissen angewiesen.

Er hatte die Züu beobachtet, und er hatte ihre Schergen von der Großen Gilde beobachtet. Nach langem Nachdenken war er zu dem Schluss gelangt, dass sein Heil nicht in der Flucht, sondern im Angriff lag.

Die Erben, die noch am Leben waren, mussten sich zusammenschließen und herausfinden, wer ihnen die Züu auf den Hals hetzte. Dann würden sie etwas unternehmen können, damit die Morde aufhörten.

Hoffentlich stieß er bei den anderen Erben auf offene Ohren, und hoffentlich waren sie nicht allzu engstirnig. Falls doch … Dann würde er sich eben wie immer allein durchschlagen müssen.

Er hatte sich in eine Düne gelegt. Jetzt stand er auf, ging ein paar Schritte und starrte zum Waldrand. Die Sonne hatte ihren Höhepunkt längst überschritten, und er müsste bald Besuch bekommen – jedenfalls hoffte er das.

Er kehrte zu der Düne zurück, setzte sich und beschloss, noch eine Weile zu warten. Seine Geduld wurde belohnt, als kurz darauf der junge Kaulaner, dem er in Berce begegnet war, aus dem Wald geritten kam.

Rey stieß einen erleichterten Seufzer aus und winkte ihm zum Gruß. Obwohl er niemanden brauchte, hatte er keine Lust, noch länger auf sich allein gestellt zu sein.

Der Junge zügelte sein Pferd in zehn Schritt Entfernung. Rey rührte sich nicht.

»Du bist nicht allein, oder? Sag den anderen, sie können sich zeigen. Das ist keine Falle.«

»Erst müsst Ihr Eure Waffen ablegen«, sagte Yan entschuldigend.

Das hätte sich Rey denken können. Er zog das Schwert aus der Scheide auf seinem Rücken und legte das Messer ab, das er am Gürtel trug. Um seinen guten Willen zu beweisen, holte er auch den Dolch hervor, den er im Stiefel versteckt hatte. »Das war's. Sag ihnen, sie sollen sich zeigen. Ich komme mir nackt vor. Am Ende hole ich mir noch einen Schnupfen.«

Yan grinste und winkte zum Wald hin, woraufhin Grigán auftauchte, zu Fuß und mit gespanntem Bogen.

»Huh! Der ist aber zum Fürchten«, sagte Rey. »He, den kenne ich doch. Das ist der Kinderhasser, der keine Feuerteufel mag. Heute ist mein Glückstag!«

Yan musste wieder grinsen. Mit diesem Kerl und Bowbaq versprach es lustig zu werden.

»Ihr seid nur zu zweit?«, fragte Rey. »Er hat zwar einen Bogen, aber das ist vielleicht doch etwas wenig, um Zuïa *und* die Große Gilde in die Knie zu zwingen.«

»Eigentlich sind wir zu fünft, und eine hat ein Messer«, sagte Yan lachend.

»Na, da bin ich ja beruhigt. Ich hatte schon Angst.«

Grigán gesellte sich zu ihnen. Anders als die beiden jungen Männer war er nicht zum Scherzen aufgelegt.

»Ist er das?«, fragte er Yan schroff.

»Ja. Ich musste zwar ziemlich nah rangehen, um sicher zu sein, aber er ist es. Diese Kleider stehen Euch übrigens viel besser als die stinkenden Lumpen!«

»Besten Dank«, sagte Rey mit einer kleinen Verbeugung.

»Ich kenne Euch nicht«, sagte Grigán ernst. »Wer seid Ihr?«

»Wisst Ihr, ich würde Euch auch antworten, wenn Ihr nicht mit dem Pfeil auf mich zielen würdet.«

»Und?«

Rey nannte seinen Namen und überzeugte Grigán, indem er ausführlich von seiner Großmutter Zatelle und seinem Cousin Mess erzählte. Außerdem konnte er mit ein paar Erinnerungen an frühere Zusammenkünfte aufwarten. Endlich senkte der Krieger den Bogen.

»Zündet Ihr immer noch alles an?«, fragte Grigán, bemüht, nun auch einen Scherz zu machen.

»Niemand nahm mir ab, dass es ein Versehen war. Das war die größte Tragödie meines Lebens«, sagte Rey mit gespieltem Ernst. »Heißt das, Ihr glaubt mir jetzt?«

»Ich glaube dir.«

»Gut. Und jetzt bitte keine falschen Reflexe. Ich will nur etwas aufheben.« Rey streckte die Hand nicht nach seinen Waffen aus, wie man hätte annehmen können, sondern bückte sich und hob vorsichtig eine geladene Armbrust auf, die unter einer dünnen Sandschicht verborgen war. »Man kann nie vorsichtig genug sein, findet Ihr nicht auch?«

Grigán sagte nichts, und Yan, der ihn mittlerweile besser kannte, wusste, dass sich Rey mit diesem Täuschungsmanöver unbeliebt gemacht hatte. Er selbst fand, dass Rey sich zu helfen wusste.

»Ihr hättet nur einen von uns beiden erwischt«, sagte Grigán schließlich.

»Stimmt. Wen wohl?«

Grigán musterte den Schauspieler eine Weile. Dieser schien den Blick nicht zu bemerken, da er damit beschäftigt war, sich wieder von Kopf bis Fuß zu bewaffnen. Grigán machte auf dem Absatz kehrt und verschwand im Wald.

Yan wartete auf Rey und ließ dabei den Blick über den Horizont schweifen. Acht Tagesreisen von zu Hause entfernt war das Meer nicht mehr dasselbe. Es war dasselbe Wasser, es waren dieselben Wellen, aber es war nicht dasselbe Meer.

»Ist das die Insel Ji, die man dort sieht?«, fragte er Rey.

»Ja. Sag mal, kennst du nicht vielleicht einen Gott, der bereit wäre, sie gegen eine kleinere Opfergabe in den Fluten versinken zu lassen, sie und ihren Fluch?«

»Ihren Fluch?«

»Ist nur so eine böse Vorahnung, die ich seit sechsundzwanzig Jahren habe«, antwortete er. »Diese Insel bringt Unglück.«

Yan starrte auf den dunklen Fleck im graublauen Wasser. Die Insel schien nichts anderes zu sein als ein Haufen Felsen. »Wart Ihr schon mal dort?«

Rey, der zusätzlich zu seinen Waffen mehrere Bündel trug, die er in der Nähe aufgelesen hatte, warf einen letzten Blick auf Ji. »Nein. Aber ich habe das seltsame Gefühl, dass sich das bald ändern wird.«


Trotz der Verachtung, die Grigán für Rey empfand, rang er sich dazu durch, ihn anzusprechen. Er brauchte Antworten. »Und was ist nun Eure Geschichte?« Er hatte gar nicht so feindselig klingen wollen, doch jetzt war es zu spät.

Rey grinste und ließ sich mit der Antwort Zeit. »Ich will Euch nicht kränken, Grigán, aber ich würde lieber warten, bis wir bei den anderen sind. Wir haben viel zu besprechen, und obwohl ich gerne Geschichten erzähle, würde ich an einem Tag ungern zweimal die gleiche zum Besten geben.«

»Gut«, stieß Grigán hervor. Der Laut klang eher wie ein Grunzen als wie menschliche Sprache. Yan griff schnell ein, ehe die beiden einander an die Gurgel sprangen.

»Seid Ihr schon lange in Berce?«, fragte er.

»Seit über einer Dekade. Allmählich fragte ich mich schon, ob ich nicht vielleicht der einzige Erbe bin, der noch am Leben ist.«

»Ihr seid keinem anderen Erben begegnet?«

»Nein. Jedenfalls habe ich niemanden erkannt, aber das muss nichts heißen. Irgendjemand gibt seit ein paar Tagen Lichtzeichen mit einem Spiegel, irgendwo in den Hügeln. Doch er zieht ständig umher, und weder die Züü noch ich haben es bislang geschafft, ihn zu erwischen.«

»Dann sind wir Euch einen Schritt voraus«, sagte Grigán triumphierend.

»Ihr habt ihn gefunden?«, fragte Rey. Er wirkte nicht besonders überrascht. »Seid ihr etwa versehentlich über ihn gestolpert?«

»Das würde ich niemandem raten«, sagte Yan grinsend. »Vielleicht kennt ihr ihn: Es ist Bowbaq.«

»Anscheinend sagt Euch dieser Name etwas, aber mir sagt er nicht mehr als der meiner zehnten Hure.«

»Ich dachte, alle würden ihn kennen«, erklärte Yan. »Er ist aus Arkarien und ein Riese. Angeblich kann er mit Tieren sprechen. Vielleicht habt Ihr schon von ihm gehört?«

»Jetzt weiß ich, warum er sich mit einigen von euch so gut versteht.«

»Wenn Ihr Euch weiter so aufführt, wird das für Euch nicht gelten«, knurrte Grigán, dem die Anspielung zu missfallen schien. Er baute sich vor ihm auf und sagte: »Bislang halten wir zusammen, und meine Gefährten sind umgängliche Leute. Ich werde eigenhändig jeden verjagen, der Zwietracht unter uns sät oder uns in Gefahr bringt, sei er nun ein Erbe oder nicht. Verstanden?«

»Wenn Ihr dabei an mich denkt, macht Euch keine Sorgen«, antwortete Rey ernst. »Ich habe nicht vor, länger als nötig bei Euch zu bleiben. Nur, bis unser Problem gelöst ist. Vielleicht auch nur, bis wir unser Vorgehen besprochen haben.«

»Schön.«

Grigán beendete das Gespräch wie üblich, indem er seinem Gegenüber jäh den Rücken zuwandte und mit schnellen Schritten davonstapfte. Selbst sein Pferd hatte Mühe, ihm zu folgen.

»Glaubst du, er wird wütend, wenn ich ihm sage, dass sein Akzent schlimmer ist als der eines Seemanns aus Mestebien?«

»An Eurer Stelle würde ich mir das verkneifen«, sagte Yan, den schon allein der Gedanke vor Schreck erstarren ließ. »Er pflegt seine Drohungen wahr zu machen.«

»Da bin ich sicher! Genau deshalb ist es ja umso reizvoller.«

Die nächsten Tage versprachen stürmisch zu werden. Yans Streit mit Léti und die unverhohlene Abneigung zwischen Rey und Grigán würden Corenn ihr ganzes diplomatisches Geschick abverlangen.

»Habt Ihr auf Bowbaqs Lichtzeichen geantwortet?«

»Bei allen Göttern! Nun hör schon auf, mich zu ihrzen! Sehe ich etwa so alt oder engstirnig aus?«

»Nein.«

»Um auf deine Frage zurückzukommen: Ja. Ich habe auf seine Lichtzeichen geantwortet, drei Tage lang. Aber es ist mir nicht gelungen, mit diesem Bowbaq in Verbindung zu treten. Ich bin gespannt, wie er aussieht.«

»Ihr werdet … Du wirst überrascht sein.«

»Na, also! Es geht doch! Und jetzt das Ganze noch mal mit einem Fluch am Ende des Satzes.«

Yan sah ihn verständnislos an.

»War nur ein Scherz. Du bist ziemlich gutgläubig, was? Wir werden uns bestimmt gut verstehen. Sag mal, welcher deiner hochverehrten Vorfahren hat das Glück, dich seinen Urenkel nennen zu dürfen? Vielleicht sind wir ja Cousins?«

»Nein. Ich bin keiner von euch. Noch vor zwei Dekaden wusste ich kaum etwas von der ganzen Geschichte.«

»Du Glücklicher!«, sagte Rey seufzend. »Dann bist du aus reiner Neugier hier?«

»Ich begleite meine Freunde. Alles war gut, bis mir jemand in einem Stall eine Leiche vor die Füße gelegt hat.«

»So ein Zufall! Mir ist genau dasselbe passiert, erst letzte Nacht. Dann haben wir ja etwas gemeinsam!«

Yan grinste. Manchmal wurde er aus den Worten des Loreliers nicht schlau, doch wenn man seinen Humor erst einmal verstanden hatte, machte es richtig Spaß, sich mit ihm zu unterhalten.

Hoffentlich würde es den anderen genauso gehen.


Corenn erzählte Bowbaq von den Züü und ihren Morden. Der Riese wurde immer bekümmerter, und als die Ratsfrau die Namen der Opfer aufzählte, war seine gute Laune endgültig verschwunden. Sie wollte ihn nicht quälen, doch er musste die Wahrheit erfahren.

Nach einigen tröstenden Worten ließ Corenn Bowbaq allein, damit er sich von dem Schlag erholen konnte, und zog Léti mit sich. Der Arme. Er hatte seine Familie verlassen, eine Reise von mehreren Dekaden unternommen und die Einsamkeit ertragen, weil er hoffte, seine Freunde vor der Gefahr warnen zu können, in der sie schwebten. Und jetzt musste er erfahren, dass er zu spät kam.

Auch Léti war bedrückt. Der Gedanke an die Toten betrübte sie alle, doch jetzt war nicht der richtige Moment zum Trauern.

Corenn bemühte sich, Stärke zu zeigen. Sie war eine Ratsfrau, und es war ihre Pflicht, Selbstbewusstsein, Gelassenheit und Autorität auszustrahlen. »Léti, ich brauche deine Hilfe. Wir werden ein solches Festmahl zubereiten, dass sich die Männer fragen werden, wozu sie auf dieser Reise eigentlich nütze sind.«

Das Mädchen nickte, froh über die Ablenkung. Corenn wusste genau, welche Worte sie wählen musste.

»Schließlich ist das hier eine Art Zusammenkunft der Erben, nicht wahr?«, fuhr sie fort. »Das muss gebührend gefeiert werden.«

Sie gingen die Vorräte durch und stellten einen Speiseplan zusammen. Dann schickte Corenn Bowbaq in den Wald, um Wildgemüse, Wurzeln, Kräuter und Pilze zu suchen. Sie wollte ihn davon abhalten, mit dem Rücken an einem Baum dazusitzen, den Kopf in den Händen vergraben, und düsteren Gedanken nachzuhängen. Glücklicherweise hatte Grigán bei seinen Erkundungsgängen am Abend zuvor mehrere Stück Wild erlegt, denn Corenn wusste, dass der Arkarier aus Überzeugung höchstens Fische fing.

Sie gingen an die Arbeit. Als Grigán, Yan und Rey zurückkehrten, stieg ihnen schon von Weitem der Duft gebratenen Fleischs in die Nase.

Corenn, Bowbaq und Léti hatten drei Meeresfasane und mehrere Koriolen mit Kräutern gespickt und gegrillt. In der Glut garten Pilze und Wildgemüse, die nicht minder köstlich dufteten. Bowbaq hatte ein paar Bretter aus dem verfallenen Haus gerissen und einen Tisch und Bänke gezimmert, und Léti hatte die Festtafel mit Kerzen und einem Blumenstrauß verschönert. Sie war gerade dabei, einen Korb mit frisch gepflückten Früchten auf den Tisch zu stellen, als Yan, Grigán und ein Unbekannter eintrafen.

»Seid willkommen, Erben von Ji!«, rief Corenn fröhlicher, als es sonst ihre Art war. Sie wollte verhindern, dass Grigán über die Feuerstellen schimpfte. Ihr gegenüber würde der Krieger nicht wagen, Einspruch zu erheben.

»Danke für den Empfang, doch ich fürchte, ich bin allein gekommen«, scherzte Rey zur Begrüßung.

»Dann hoffe ich, dass Ihr Hunger mitgebracht habt. Ihr seid also Zatelles Enkel?«

»Und Ihr müsst Corenn sein. Meine Großmutter schätzte Euch sehr, und wenn ich meiner Nase glauben darf, nicht zu Unrecht«, sagte er mit einer kleinen Verbeugung.

»Ich danke Euch. Ich hatte anscheinend ein ganz falsches Bild von lorelischen Bettlern«, sagte sie lachend.

»Hoffen wir, dass Ihr Eure Meinung nicht ändert, wenn Ihr mich essen seht. Und wer ist diese junge Frau, deren Existenz man mir bisher verheimlicht hat? Wärt Ihr so nett, uns einander vorzustellen?«

Corenn kam diesem Wunsch mit einem Lächeln nach. »Das ist Léti, die einzige Tochter meiner verstorbenen Cousine Norine. Léti, darf ich dir Reyan von Kercyan den Jüngeren vorstellen, ein Nachkomme des Weisen Reyan von Kercyan.«

»Ich habe die Schwäche, mich lieber Rey als Reyan nennen zu lassen«, sagte er. »Bei allen Göttern, wenn man mir gesagt hätte, dass sich unter den Erben derart reizende Personen befinden, wäre ich den Zusammenkünften um nichts in der Welt ferngeblieben. Sagt, Ihr seid doch hoffentlich noch niemandem verbunden?«

Yan keuchte auf. Während er sich seit Jahren bemühte, Létis Herz zu erobern, und es seine größte Angst war, mit ihr über ein Versprechen vor Eurydis zu reden, machte sein neuer Freund Rey der Kühne ihr gleich bei der ersten Begegnung schöne Augen. Begierig wartete er auf Létis Antwort.

Die junge Frau war völlig gebannt. Die Schönheit des Schauspielers ließ sie nicht unberührt. Der verwirrende Blick seiner tiefblauen Augen ... das lange, leicht zerzauste sandfarbene Haar ... die geschmeidigen Bewegungen ... die extravaganten Kleider, die ebenso modisch wie bequem aussahen ... Das weiße Hemd war aus hochwertigem Leinen, doch er trug es wie einen Arbeitskittel. Seine Stiefel waren maßgefertigt und aus teurem Leder.

Der Mann hatte etwas Außergewöhnliches an sich. Ein Haarband, ein dünner Lederumhang und ein schmaler Ring verliehen ihm eine geheimnisvolle Aura. Während ihn das Schwert, das er auf dem Rücken trug, und das Messer an seinem Gürtel zu einem Beschützer machten, wiesen ihn seine guten Manieren, seine Höflichkeit und sein Humor als Kavalier aus.

Léti war vollkommen gebannt.

»Ich bin niemandem verbunden. Tatsächlich hat mich bislang noch nicht einmal jemand um meine Hand gebeten.«

Das war die Wahrheit, doch sie hatte das seltsame Gefühl zu lügen. Allen außer Rey war ihre Antwort augenscheinlich peinlich.

»Das kann ich nicht glauben!«, rief der. »Es sei denn, die Männer sind so geblendet von Eurer Schönheit, dass sie sich nicht trauen, Euch anzusprechen. Ja, das muss es sein.«

Léti dankte ihm mit einem Lächeln, sagte aber nichts. Zum ersten Mal in ihrem Leben machte ihr jemand solche Komplimente. Rey stürzte sie in tiefe Verwirrung.

Yan hingegen fragte sich, ob der Schauspieler immer so

hellsichtig war. Woher wusste er, dass Léti ihre Verehrer einschüchterte? Oder besser gesagt, *ihn* einschüchterte?

Dann stellte Corenn Rey und Bowbaq einander vor. Bowbaq verzichtete zwar darauf, Rey durch die Luft zu wirbeln,
zog ihn aber dennoch in eine unbeholfene Umarmung.

»Ich weiß nicht, ob du dich erinnerst«, sagte der Riese lächelnd, »aber als du klein warst, waren wir gute Freunde.«

»Ich hoffe, das sind wir immer noch. Ich würde dich ungern zu meinen Feinden zählen«, sagte der Schauspieler mit
einem Blick auf die Muskeln des Nordländers.

»Ich glaube kaum, dass Bowbaq Feinde hat«, scherzte
Grigán.

»Jetzt erinnere ich mich. Du hattest damals noch keinen
Bart. Bei den Zusammenkünften hast du die ganze Zeit mit
den Kindern gespielt, stimmt's?«

»Ja. Und du hast die ganze Zeit geschummelt. Manchmal
vermutlich sogar, ohne dass ich es bemerkte!«

»*Manchmal?* Andauernd!«

Sie brachen in Gelächter aus. Rey war angenehm überrascht. Er hatte befürchtet, ein paar Verrückte vorzufinden,
die ihre toten Vorfahren mit religiöser Inbrunst verehrten,
obwohl diese seit einem Jahrhundert unter der Erde waren.
Und jetzt mochte er diese Leute auf Anhieb, und sie nahmen ihn mit offenen Armen auf. *Von wenigen Ausnahmen
abgesehen*, dachte er, als ihm Grigáns Drohung einfiel.

»Ich schlage vor, wir essen jetzt«, sagte Corenn. »Das
Fleisch ist gar, und ihr sterbt gewiss vor Hunger.«

»Sehr gern«, sagte Rey. »Ich habe seit dem Morgen nichts
mehr gegessen, und ich habe die Absicht, jeder Eurer Spei-
sen meine persönliche Aufwartung zu machen.«

Er warf seine Bündel unter einen Baum und half Léti, das
Wildbret und die Beilagen vom Feuer zu holen.

Yan und Grigán wechselten einen finsteren Blick, banden die Pferde fest und setzten sich zu den anderen an den Tisch. Eilig hatten sie es dabei nicht.

Grigán fürchtete, die Oberhand zu verlieren und damit seine Gefährten in Gefahr zu bringen. Yan fürchtete, Léti zu verlieren und damit alles, was sein Leben ausmachte.

Er war auf niemanden wütend. Léti war nicht verbunden, und es stand ihr frei, sich umwerben zu lassen, von wem sie wollte. Und Rey konnte er nur seine Unerschrockenheit vorwerfen. Dass Léti ihm gefiel, verstand er.

Ihn allein traf Schuld. Er hätte sich ihr schon längst offenbaren müssen. Jetzt war es zu spät. Müsste er mit Rey um Létis Gunst buhlen, hätte er wohl nicht den Hauch einer Chance.

Er konnte nur hoffen, dass es nicht dazu kam.

Das Festmahl, das Corenn, Léti und Bowbaq zubereitet hatten, war ein großer Erfolg. Rey wurde nicht müde, die mit Quillen gefüllten Koriolen zu loben, und Grigán war hellauf begeistert von den in der Glut gegrillten Pilzen.

Bowbaq zog eine fast volle Feldflasche mit Likör aus seinem Quersack und schenkte seinen Gefährten großzügig ein. Dann war Rey an der Reihe. Er stellte eine Flasche mit Grünwein aus Junin auf den Tisch, ohne zu erklären, wie er zu so einem edlen Tropfen kam.

Obwohl er den ganzen Tag nichts gegessen hatte, teilte Yan den Überschwang seiner Gefährten nicht. Er ließ Léti und Rey nicht aus den Augen, und was er sah, verdarb ihm gründlich den Appetit. Es war nicht zu übersehen, dass der Schauspieler seiner Geliebten gefiel. Und er, der einfache Fischer, wusste nicht, was er tun sollte.

Eine grausame kleine Stimme in seinem Inneren flüsterte: *Hättest du sie nur um ihre Hand gebeten. Hättest du nur mit ihr gesprochen.* Es gelang ihm nicht, sie zum Schweigen zu bringen. Alles, was er aß, hatte den faden Beigeschmack der Reue. Er ließ das Essen stehen und war kurz versucht, stattdessen zu trinken, ließ diesen Gedanken jedoch gleich wieder fallen. Schon an guten Tagen vertrug er keinen Alkohol, und sich zu betrinken, würde ihm sicher nicht weiterhelfen. Ihm war nicht nach Feiern zumute, und so lauschte er mit halbem Ohr dem Gespräch seiner Gefährten.

»Ich war lange allein«, sagte Bowbaq. »Es ist so schön, wieder mit jemandem zu sprechen.«

»Das verstehe ich«, sagte Corenn. »Jetzt sind wir zu sechst.«

»Glaubt Ihr, dass sich noch andere Erben in Berce aufhalten?«

»Nein, das glaube ich nicht. Falls jetzt noch welche kommen, dann erst am Tag der Eule. Die anderen sind an einem sicheren Ort, wie Ispen und deine Kinder, oder …«

»Oder sie sind tot«, beendete Grigán den Satz. »Man muss die Dinge beim Namen nennen. Wir sind nur hier, weil wir verdammt großes Glück hatten.«

»Auf das Glück, von den Züü gejagt zu werden, kann ich gut verzichten«, mischte sich Rey ein. »Und ebenso auf das Glück, meinen Cousin verloren zu haben.«

»Dankt lieber dem Schicksal. Denkt nur, was geschehen wäre, wenn Ihr das Haus durch die Tür betreten hättet, statt durchs Fenster. Oder wenn Bowbaq nicht aufgewacht wäre, bevor die Züü sein Haus erreichten. Oder wenn Corenn nicht geahnt hätte, in welcher Gefahr sie schwebt, als sie von Xans Tod erfuhr.«

»Kurz gesagt seid Ihr der Einzige, Derkel, der sein Überleben nur sich selbst verdankt?«

»Mag sein, Kercyan. Und das wird auch so bleiben, wenn mir niemand Steine in den Weg legt.«

»Schön«, fuhr Corenn dazwischen, um das Gespräch zu beenden, dessen Ton hitziger geworden war. »Ich glaube, wir haben jetzt andere Sorgen. Wir sollten in die Zukunft blicken, nicht in die Vergangenheit. Meint Ihr nicht?«

»Ich bin ganz Eurer Meinung«, antwortete Rey.

»Sprecht«, sagte Grigán schroff.

»Da wir nun alle beisammen sind, sollten wir die Gelegenheit nutzen, uns auszutauschen. Wir müssen uns drei Fragen stellen: Wer steckt hinter den Morden? Warum interessiert sich dieser Jemand für die Erben? Und das Wichtigste: Wie können wir dem Spuk ein Ende bereiten? Ich bin überzeugt, dass wir nur die Antwort auf eine der Fragen finden müssen, um alle Antworten zu kennen. Richtig?«

Alle stimmten ihr zu. Auch wenn Corenn bislang Grigán die Führung überlassen hatte, nahm sie die Sache jetzt in die Hand. Solche Gespräche zu führen war ihre Spezialität. Es sah aus, als hätten sie zwei Anführer: einen, der den Kampf, und eine, die die Diplomatie beherrschte.

»Bevor wir Vermutungen anstellen«, fuhr sie fort, »sollten wir uns gegenseitig auf den neuesten Stand bringen. Jeder erzählt den anderen kurz, wie es ihm ergangen ist. Bitte versucht euch zu erinnern: Hat einer der Züü, denen ihr begegnet seid, etwas gesagt, getan oder auch nur angedeutet, das uns weiterhelfen könnte?«

Die Frage richtete sich vor allem an Rey, Bowbaq und Yan. Der Kaulaner hatte noch nicht die Zeit gefunden, alles zu erzählen, was er in Berce erlebt hatte.

»Mein Zü warf mir einen Haufen Schimpfwörter an den Kopf«, sagte Rey. »Ich kann sie Euch gern wiederholen, aber ich bezweifle, dass uns das von großem Nutzen sein wird!«

»Die Männer, die mich angegriffen haben, sagten nicht viel, und ich verstand ihre Sprache nicht. Vielleicht hätte ich einen von ihnen ausfragen können, doch Mir hat ihn auf der Stelle getötet.«

»Ach ja, Mir. Dein Schneelöwe, nicht?«, fragte Rey. »Das hast du doch vorhin behauptet, oder? Und, bleibst du bei der Geschichte?«

»Aber ja«, sagte Bowbaq offenherzig. »Besser gesagt, ist er nicht *mein* Löwe, sondern *ein* Löwe. Mir gehört niemandem.«

»Er bleibt bei seiner Geschichte. Entweder ist dir der Wein zu Kopf gestiegen, was ich bei deiner Größe bezweifele, oder du musst mir demnächst eine Kostprobe deiner Dressurkünste geben.«

»Es ist keine Dressur. Es ist ein Gespräch, eine Art Gedankenaustausch.«

»Das glaube ich erst, wenn ich es sehe.«

»Wir kommen vom Thema ab«, sagte Corenn.

Yan zerbrach sich den Kopf, kam aber zu dem Schluss, dass die anderen schon alles wussten, was er über die Züu zu sagen hatte. Daher hielt er lieber den Mund und litt weiter stumm vor sich hin.

»Ich habe bei einem von ihnen ein Pergament gefunden«, sagte Bowbaq nach kurzem Nachdenken. »Aber es war voller Blut und kaum noch zu lesen, deshalb habe ich es verbrannt. Vielleicht hätte ich das besser nicht getan«, sagte er und senkte den Kopf.

»Geschehen ist geschehen«, sagte Grigán.

»Ich habe auch eins gefunden. Und meins ist in makellosem Zustand.« Rey ging zu seinem Gepäck und holte ein zusammengerolltes Pergament und einen in Samt eingeschlagenen, länglichen Gegenstand hervor.

»Und was ist das?«, fragte Léti, während sich Corenn über das Pergament beugte.

Lächelnd reichte Rey ihr den Gegenstand. Mit einem Stich Eifersucht dachte Yan, dass er jedes Mal lächelte, wenn er sie ansah.

»Gebt Acht, dass Ihr Euch nicht verletzt. Schon der kleinste Schnitt kann tödlich sein.«

Behutsam wickelte Léti den Gegenstand aus. Es war ein Dolch. Ein langer, dünner Dolch, dessen Spitze in einem winzigen Stück Holz steckte.

»Ein Dolch der Züu?«, fragte sie voller Abscheu.

»Ganz recht. Ein echter Züu-Dolch. Leider weilt sein Vorbesitzer nicht mehr unter uns, um das zu bestätigen.«

»Zum Glück«, sagte Léti finster.

Sie packte das Heft und musterte die Waffe im Licht der Flammen. Solch eine Klinge hatte ihre Freunde getötet. Solch eine Klinge wollten die Züu ihr ins Herz stoßen. Sie war spitz wie eine Nadel.

»Leg das wieder hin«, sagte Grigán im Befehlston.

Léti stellte sich taub und nahm das Holzstück ab, das auf der Spitze steckte. Sie ignorierte eine erneute Aufforderung des Kriegers, nahm einen Salzapfel aus dem Korb und schob die Klinge langsam in die Frucht. Der Apfel schrumpelte und färbte sich schwarz, als würde er verbrennen.

»Léti, leg sofort dieses schreckliche Ding hin«, befahl Corenn in einem Ton, den ihr niemand zugetraut hätte.

Rey streckte die Hand aus. Schicksalsergeben gab Léti

ihm den Dolch, nachdem sie ihn zurück auf das Tuch gelegt hatte. Rey reichte ihn an Bowbaq weiter, der nur einen angewiderten Blick darauf warf, und dann an Yan, der ihn vor sich hinlegte, um ihn gründlich zu untersuchen.

»Ich frage mich, warum sie sich nie selbst verletzen«, sagte Bowbaq.

»Das kommt bestimmt hin und wieder vor. Das würde jedem passieren. Doch die Züu haben etwas, das ihre Opfer nicht haben: ein Gegenmittel.« Rey zog ein Döschen aus der Tasche, das eine feuchte braune Paste enthielt. »Vorsicht. Ich bin nicht ganz sicher. Ich habe auch eine Phiole gefunden, die vermutlich das Gift enthält, jedenfalls riecht die Flüssigkeit genauso wie die Klinge. Aber es könnte auch genau umgekehrt sein. Vielleicht hat die Paste gar nichts mit dem Dolch zu tun.«

»Ich habe die gleichen Gegenstände gefunden«, sagte Bowbaq. »Wie dumm von mir, sie nicht aufzubewahren. Verzeiht mir …«

»Nun hör schon auf, dich zu grämen!«, rief Grigán. »Du lebst, und deine Frau und deine Kinder sind in Sicherheit. Was willst du mehr?«

»Danke, mein Freund.«

»Hier in dem Griff sind Einkerbungen«, sagte Yan.

»Die sind mir auch aufgefallen. Außerdem ist dort der Umriss eines Auges eingeritzt.«

»Wie viele Kerben sind es?«, fragte Grigán mit regloser Mine.

Yan beugte sich über den Dolch. »Siebzehn.«

»Reyan, als du den Zü getötet hast, hast du siebzehn seiner Opfer gerächt. Mindestens. Denn sie zählen nur ihre offiziellen Morde. Ihre Aufträge.«

Yan schob den Dolch voller Abscheu von sich.

Die Waffe übte nun überhaupt keine Faszination mehr auf ihn aus, sie war nur noch abstoßend.

»Tante Corenn, ist alles in Ordnung?«

Die Ratsfrau hatte seit einer Weile geschwiegen. Sie war in die Lektüre des Pergaments vertieft.

»Ja«, sagte sie seufzend. »Ich habe nur nachgedacht. Anscheinend ist dieses Pergament eine Liste. Eine grauenvolle Liste. Auf ihr sind alle Erben aus Lorelia und Umgebung vermerkt. Insgesamt vierzehn, und hinter jedem Namen steht ein Kreuz. Außer hinter Reys.«

Alle wussten, was das bedeutete.

»Wie traurig. Aber jetzt wissen wir wenigstens über das Schicksal einiger unserer Freunde Bescheid«, sagte Grigán. »Dame Corenn, würdet Ihr uns die Namen vorlesen?«

Sie nahm all ihre Kraft zusammen. Nach jedem Namen legte sie eine Pause ein, obwohl sie die Sache so schnell wie möglich hinter sich bringen wollte. »Jalandre, Rébastide, Mess, Humeline, Tomah, Braquin, Nécéandre, Tido, Rydell, Lonic, Salandra, Darie, Effene.«

Schweigend gedachten sie der Opfer.

»Die arme Humeline«, flüsterte Bowbaq nach einer Weile. »Es ist so schrecklich.«

Er empfand tiefen Schmerz, genauso wie Corenn, Grigán und Léti. Gleichzeitig war ihnen die quälende Ungewissheit genommen. Sie hatten schon vorher um ihre Freunde getrauert, schließlich wussten sie schon lange von dem Unglück, das ihnen wahrscheinlich zugestoßen war.

»Das Pergament, das du gefunden hast, war vermutlich auch so eine Liste, Bowbaq«, sagte Grigán. »Du und die Kinder, ihr seid die einzigen Erben Arkariens, oder?«

»Ja. Früher gab es noch einen anderen Zweig der Familie, doch der endete mit dem Bruder meines Großvaters.«

»Wie haben die Züu diese Listen erstellt?«, warf Léti ein.

»Gute Frage. Sie passt zu einer unserer drei Fragen: Wer steckt hinter den Morden?«

»Corenn, Ihr habt doch gewiss eine Vermutung?«, fragte Rey.

»Vielleicht. Aber zuerst möchte ich eure hören. Wenn ich euch jetzt meine sagte, wird das eure Antworten beeinflussen.«

»Gut. Ich glaube, wir können ohne Weiteres ausschließen, dass die Züu auf eigene Faust handeln. Sie arbeiten niemals ohne Auftrag.«

»Das stimmt nicht«, wandte Grigán ein. »Es gibt zahlreiche Gegenbeispiele. Die Züu nutzten schon mehrmals ihre Macht, um ihre Landesgrenzen zu verteidigen oder zu erweitern.«

»Ich kenne die Geschichte des Königs Kurdalene. Vergesst nicht, dass ich Lorelier bin. Aber die Erben haben meines Wissens niemals versucht, die Religion der Züu zu bekämpfen oder ihre Insel zu erobern!«

»Das stimmt«, sagte Bowbaq. »Vor zwei Monden wusste ich noch nicht einmal, wer die Züu überhaupt sind.«

»Du nicht«, sagte Corenn ernst. »Aber vielleicht ein anderer Erbe? Oder mehrere?«

»Du glaubst, es könnte einer von uns sein?«, fragte Léti verblüfft.

»Ich weiß nicht. Es wäre möglich. Das würde jedenfalls die Genauigkeit der Listen erklären.«

»Genauso gut könnte die Große Gilde die Namen und Wohnorte herausgefunden haben«, schlug Rey vor. »Ein paar Nachforschungen, ein oder zwei handfeste Verhöre, und die Züu hatten, was sie wollten.«

»Das wäre eine Erklärung. Eine andere, grauenvollere, wäre die, dass ein Erbe hinter den Morden steckt oder zumindest seine Finger im Spiel hat.«

»Es sei denn«, sagte Léti ernst, »es ist tatsächlich ihre Göttin, die uns richtet.«

Sie schwiegen eine Weile. Niemand griff die Idee auf, da sie ihnen zu abwegig und zu furchtbar erschien.

»Lasst uns nachdenken«, sagte Corenn. »Was könnte jemanden dazu bewegen, diese Morde zu begehen?«

»Meine erste Idee war Habgier, das ist der häufigste Grund«, meinte Rey. »Nur ist bei uns nicht viel zu holen.«

»Rache«, sagte Grigán überzeugt. »Ich weiß, dass Ihr anderer Meinung seid, Corenn, aber ich bin fast sicher. Nur Rache kann jemanden zu solchen Taten treiben.«

»Wer sollte sich an uns rächen wollen?«, fragte Bowbaq.

»Und warum?«, sprang Léti ihm bei.

»Mir würden da so einige einfallen. Die Herrscher der Königreiche, die damals den Tod ihres Weisen zu beklagen hatten: Goran und Jezeba. Oder ein Nachkomme Nol des Seltsamen. Oder ein Erbe, der mit seinem Schicksal hadert.«

»Warum sollte einer von denen achtzig oder hundert Menschen ermorden lassen?«, wandte Rey ein.

»Warum nicht? Ich greife mal ein Beispiel heraus, Euer Beispiel. Wir alle wissen, dass Reyan der Ältere Herzog von Kercyan war. Eigentlich hättet Ihr seinen Titel erben müssen, zusammen mit den Ländereien, dem Schloss und den Reichtümern der Familie, doch als Euer Vorfahr von seiner Reise zurückkehrte, wurde ihm alles genommen, und Ihr bekamt nichts. Es ist doch denkbar, dass Ihr oder ein anderer Erbe, dessen Vorfahr in Ungnade gefallen war, jahrelang einen blinden, tödlichen Hass genährt hat?«

»Das hört sich einleuchtend an. Ich wundere mich, warum ich nicht von selbst darauf gekommen bin«, sagte Rey und verzog das Gesicht. »Ihr habt mich überzeugt. Trotzdem hinkt Eure Argumentation: Wie bezahle ich die Züu, wenn ich völlig mittellos bin?«

»Jemand, der so von Rache zerfressen ist, kann über die Jahre hinweg heimlich Reichtümer angehäuft haben. Außerdem habe ich nicht gesagt, dass Ihr es seid.«

»Da bin ich aber froh. Ich begann schon selbst, an meiner Unschuld zu zweifeln.«

»Nehmen wir einmal an, Ihr habt recht, Grigán. Warum wartet dieser Wahnsinnige nicht, bis wir alle beisammen sind? Warum tun die Züu alles, um die Zusammenkunft zu verhindern?«

»Um zu verhindern, was wir hier gerade tun: den Schuldigen zu finden. Ich bin überzeugt, dass wir ihn kennen. Wir müssen nur herausfinden, wer außer uns noch am Leben ist.«

»Er kann genauso gut seinen eigenen Tod vorgetäuscht haben«, warf Yan ein. Er war bemüht, seine Sorgen zu vergessen und etwas zu dem Gespräch beizutragen.

»Wir werden ihn nie finden«, sagte Bowbaq verzweifelt. »Wir wissen nicht, wer es ist, und wir wissen nicht, was er will.«

»Wir finden ihn«, sagte Corenn mit fester Stimme. »Wenn wir mit dem Leben davonkommen wollen, müssen wir ihn zur Rechenschaft ziehen.«

»Zumindest sind wir uns einig, dass eine Flucht sinnlos ist«, sagte Rey. »Wenn wir uns nicht gerade auf dem Gipfel eines hohen Bergs oder mitten in der Wüste verstecken, werden die Züu und die Große Gilde uns über kurz oder lang finden und töten.«

»Wie beruhigend«, sagte Yan.

»Tante Corenn, wir drehen uns im Kreis. Sag uns, was du denkst.«

Fünf aufmerksame Gesichter wandten sich der Ratsfrau zu. Sie nahm sich etwas Zeit, um ihre Gedanken zu sammeln. »Also gut. Auch ich glaube nicht, dass die Züü auf eigene Faust handeln. Sie werden von religiösem Fanatismus angetrieben, und soweit wir wissen, spielt der hier keine Rolle. Es muss sie also jemand beauftragt haben.«

Niemand unterbrach sie. Alle warteten ungeduldig, dass sie weitersprach.

»Es mag naiv sein, doch ich glaube nicht, dass Rache jemanden, auch wenn er den Verstand verloren hat, dazu treiben kann, unschuldige Kinder ermorden zu lassen, die er nicht kennt und niemals kennenlernen wird. Vor allem nicht, wenn sie sein Schicksal teilen und nicht an seinem Unglück schuld sind.«

»Ihr wisst, was ich über Rache und Wahnsinn denke«, warf Grigán ein.

»Ja. Aber jemand, der so wahnsinnig ist, wie Ihr ihn beschrieben habt, wäre nicht in der Lage, einen so ausgefeilten Rachefeldzug zu planen. Ich glaube, sein Verhalten hätte schon vor Jahren unseren Verdacht geweckt.«

»Vielleicht. Aber nicht alle Erben kommen zu den Zusammenkünften.«

»Wer den Zusammenkünften fernbleibt, hat entweder kein Interesse an der Geschichte seiner Vorfahren oder weiß nichts von der Insel Ji. Folglich kann er die Erben auch nicht hassen.«

»Ich glaube trotzdem, dass es sich um einen der Unseren handelt, so grauenhaft dieser Gedanke auch ist. Die Züü kennen unsere Geschichte und unsere Bräuche einfach zu gut. Wie viele Menschen der bekannten Welt wissen, was am Tag des Bären geschah? Hundert? Hundertfünfzig? Jedenfalls nicht mehr. Und wie viele waren je auf der Insel?«

»Glaubst du, die Morde haben mit der Insel zu tun, Corenn?«, fragte Bowbaq.

»Dessen bin ich mir sicher. Es ist die einzige Gemeinsamkeit der Erben, die für jemanden von Interesse sein könnte. Das Geheimnis der Insel.«

»Ich wüsste nicht, warum man uns deshalb töten sollte«, wandte Grigán ein. »Wir wissen noch nicht einmal genau, was es ist.«

»Verzeiht, wenn ich Euch unterbreche«, sagte Rey, »aber könnte mir mal jemand sagen, was genau sich auf dieser Insel befindet?«

Corenn und Grigán wechselten einen Blick. Ihr Entschluss stand bereits fest.

»Leider können wir nicht darüber sprechen«, sagte Corenn. »Wir haben schon zu viel gesagt.«

»Wartet mal. Auch ich bin ein Erbe von Ji. Vergesst das nicht. Endlich einmal ist mir meine Herkunft von Nutzen.«

»Ich war auch noch nie auf der Insel, wisst Ihr«, sagte Bowbaq zu Rey. »Es ist nicht so wichtig. Hinzufahren ist keine Pflicht.«

»Wir haben einen feierlichen Schwur abgelegt«, knurrte Grigán. »So wie unsere Ahnen. Niemand hat ihn je gebrochen. Euch zuliebe werden wir nicht damit anfangen!«

»Schade. Ich hätte nicht gedacht, dass die Erben solche Geheimniskrämer sind.«

»Bald werdet Ihr Eure Neugier stillen können«, verkündete Corenn. »Am Tag der Eule fahren wir zur Insel. Wie jedes Mal.«

Yan, Bowbaq und Léti erstarrten. Das klang so bedeutungsvoll …

»Na also! Das ist nicht mehr lange hin«, sagte Rey. »Ein paar Tage früher oder später, wo ist da der Unterschied?«

»Wir dürfen nirgendwo anders als auf der Insel darüber sprechen«, sagte Grigán und betonte jedes Wort. »Mehr gibt es nicht zu sagen.«

Rey gab seine Überzeugungsversuche auf und bedeutete Corenn mit einem Nicken, weiterzusprechen.

»Wie gesagt, kann der Grund, warum jemand den Erben nach dem Leben trachtet, nur das Geheimnis der Insel sein.«

»Dann werde ich von jetzt an wohl nicht mehr mitreden können«, maulte der Schauspieler.

»Deshalb«, fuhr Corenn fort, »bin ich davon überzeugt, dass einer von uns hinter den Morden steckt. Nur die Erben selbst kennen das Geheimnis von Ji.«

»Wenn überhaupt«, fiel Rey ihr ins Wort.

»Corenn, ich bin neugierig, welchen Zusammenhang Ihr zwischen den Morden und der Insel Ji seht«, sagte Grigán.

»Da wir Rache ausgeschlossen haben, bleiben nur zwei Beweggründe für die Morde: Weltanschauung oder Eigennutz«, sagte Corenn.

»Jetzt verstehe ich gar nichts mehr«, sagte Léti. »Was meinst du mit Weltanschauung?«

»Moralische, politische, philosophische, religiöse oder andere Vorstellungen eines Einzelnen oder einer Gruppe. Einfacher ausgedrückt: bestimmte Überzeugungen.«

»Ich wüsste nicht, warum die Zusammenkünfte der Erben gegen die Weltanschauung unseres geheimnisvollen

Unbekannten verstoßen sollten«, sagte Grigán. »Es sei denn, wir gehen doch von einem Wahnsinnigen aus.«

»Ich glaube auch nicht, dass es um Weltanschauung geht. Eher um Eigennutz.«

»Ich hätte vorhin nicht so schnell klein beigeben sollen«, scherzte Rey. »Gibt es auf der Insel einen Schatz?«

»Schön wär's, dann wäre alles viel einfacher«, sagte Grigán. »Was meint Ihr mit Eigennutz, Corenn? Ein Geheimnis, das jemand eifersüchtig hütet?«

»So etwas in der Art. Ich glaube, dass der Urheber der Morde sehr viel mehr über die Insel weiß als wir.«

Corenn legte eine Pause ein, um ihre Worte wirken zu lassen.

»Vielleicht kennt er das Geheimnis schon immer, oder er hat es erst vor Kurzem entdeckt. Es muss sich um etwas Außergewöhnliches handeln. Unermessliche Reichtümer, grenzenlose Macht, tiefe Weisheit. Es könnte alles Mögliche sein.«

Grigán nickte stumm. Corenns Worte klangen einleuchtend.

»Was auch immer es ist, er will nicht, dass wir davon erfahren. Auf Ji ist etwas geschehen oder wird noch geschehen. Deshalb will unser Widersacher mit aller Macht verhindern, dass wir dort hingelangen. Und genau deshalb müssen wir zur Insel fahren.«

Alle schwiegen, beeindruckt von Corenns Schlussfolgerungen und deren Tragweite.

»Und wer, glaubst du, ist dieser Widersacher?«, fragte Bowbaq schließlich.

»Das weiß ich leider nicht. Es muss jemand sehr Reiches sein.«

»Die einzigen reichen Erben sind die Nachkommen

Arkanes von Junin«, entgegnete Grigán. »Und sie haben nie an den Zusammenkünften teilgenommen, mit Ausnahme von Thomé.«

»Außerdem ist Arkanes Linie so gut wie ausgestorben«, pflichtete Corenn ihm bei. »Königin Séhane wird kinderlos sterben. Die Fürsten streiten jetzt schon um den Thron.«

»Ich war immer der Meinung, dass ein Fluch auf der Insel liegt«, warf Rey ein. »Diese Königin ist also unsere Hauptverdächtige.«

»Mag sein«, sagte Corenn. »Aber ich bin ihr einmal begegnet, und sie hat nichts Heimtückisches an sich. Sie ist eine alte, sanftmütige und höfliche Dame, während die Fürsten um sie herum nichts als Intrigen spinnen. Außerdem weiß sie nichts von dem Geheimnis.«

»Da ich in gewisse Dinge nicht eingeweiht bin, müsst Ihr verzeihen, wenn ich nicht ganz mitkomme«, sagte Rey. »Wissen wir überhaupt, ob sie noch lebt?«

»Sie steht nicht auf meiner Liste, deshalb hoffe ich es.«

»Wir könnten sie um Hilfe bitten«, schlug Yan vor. »Um ihrer Vorfahren willen wäre sie bestimmt dazu bereit.«

»Und wie soll sie uns helfen? In den Kleinen Königreichen ist unser Leben nicht weniger in Gefahr als anderswo«, entgegnete Grigán.

»Als Königin wäre es ihr ein Leichtes, herauszufinden, was aus den anderen Erben geworden ist.«

»Keine schlechte Idee«, sagte Corenn nach kurzem Nachdenken. »Vielleicht wenden wir uns an sie, wenn wir auf der Insel nichts entdecken.«

»Ich habe eine andere Idee«, sagte Rey. »Wir besuchen den Markt des Kleinen Palastes.«

»In Lorelia?«, fragte Grigán. »Und was sollen wir da?«

»Uns mit den Züü treffen. Ihnen eine Auskunft abkaufen. Das war mein Plan, bevor ich Euch begegnete.«

»Ihr müsst meinem Gedächtnis auf die Sprünge helfen«, sagte Corenn. »Ich habe zwar schon von diesem Markt gehört, weiß aber nichts Genaues.«

»In jeder Dekade findet im alten Palast des königlichen Handelskommissars ein etwas ungewöhnlicher Markt statt. Dort werden jegliche Waren feilgeboten, auch verbotene – im Grunde vor allem verbotene. Und die Züü haben dort einen … Wie soll ich es nennen? Eine Art festen Stand.«

»Ihr wollt mit ihnen verhandeln?«, fragte Grigán aufgebracht.

»Warum nicht? Wenn ich die Gelegenheit hätte, mein Leben freizukaufen, würde ich nicht zögern. Das könnt Ihr mir glauben.«

»Sich in die Hände der Züü zu begeben, wäre Selbstmord«, wandte Corenn ein.

»Im Kleinen Palast herrscht Waffenverbot. Der König will den Schwarzmarkt im Auge behalten, und es wimmelt dort nur so von Spionen. An den Eingängen stehen Wachen, die alle Besucher durchsuchen und ihnen die Waffen abnehmen. Meines Wissens ist bislang immer alles gut gegangen.«

»Corenn, ich habe nicht die Absicht, mit Mördern um mein Leben zu feilschen.«

»Auch ich finde den Gedanken abstoßend, doch vielleicht haben wir keine andere Wahl, falls wir auf der Insel keine Antwort finden.«

Grigán schwieg. Er würde seine Meinung geltend machen, wenn es an der Zeit war. »Für den Moment bleibt uns nichts, als auf den Tag der Eule zu warten. Wir haben zwei

Tage zum Nachdenken«, sagte er abschließend und erhob sich vom Tisch.

Seine Gefährten taten es ihm gleich, und alle machten sich daran, das Nachtlager zu bereiten. Nur Léti trat zu dem Krieger.

»Uns bleiben noch drei Tage, oder?«, fragte sie.

»Nein, zwei. Du musst dich verzählt haben.«

Léti erstarrte. »Das kann nicht sein! Das hieße ja, dass heute der Tag der …«

Ein Schluchzen erstickte ihre Stimme. Peinlich berührt sah Grigán weg und hoffte, dass ihm jemand zur Hilfe kam, aber niemand schenkte ihnen Beachtung.

»Heute war der Tag der Versprechen, ja«, sagte er schließlich. »Ich dachte, du wüsstest es. *Alle* dachten, du wüsstest es.«

Sie drehte sich um und musterte jeden ihrer Gefährten. Yan sah aus, als sei er böse auf sie.

»Ich gehe ein bisschen spazieren«, sagte sie mit tränenerstickter Stimme zu Corenn und rannte davon.

Vier fragende Blicke richteten sich auf Grigán.

»Ich bin unschuldig«, knurrte er. »Ich kann doch nicht für *alles* verantwortlich sein.«

Er weigerte sich, weitere Fragen zu beantworten. Am liebsten wäre Yan Léti nachgegangen und hätte sie getröstet, aber er rührte sich nicht vom Fleck.

Sie wollte bestimmt lieber von Rey getröstet werden.

Das Warten auf den Tag der Eule wurde allen lang. Bei dem Gedanken, zur Insel Ji zu fahren und ihr Geheimnis zu lüften, empfanden alle gleichermaßen Furcht und Neugier, und die Querelen untereinander minderten die Anspannung nicht gerade.

Rey und Grigán ließen einander links liegen, außer wenn der Schauspieler einen Scherz auf Kosten des Kriegers machte, was häufig vorkam und jedes Mal ein hitziges Wortgefecht auslöste.

Léti wusste nicht, wie sie sich Yan gegenüber verhalten sollte, und er hatte keine Ahnung, was er denken oder tun sollte. Hin und wieder machte sie Anstalten, sich mit ihm zu versöhnen, aber tat sie das nicht nur aus Mitleid? Da sie weiterhin viel Zeit mit Rey verbrachte, beschloss Yan erst einmal abzuwarten, bis die Lage zwischen ihnen klarer war. Léti gelangte zu einem ähnlichen Schluss, und so kamen sie keinen Schritt voran.

Grigán verbrachte die meiste Zeit damit, in der Umgebung des Lagers Wache zu halten und die Insel zu beobachten. Er verließ das Lager meist im Morgengrauen und kehrte erst nach Einbruch der Dunkelheit zurück, wenn nicht mehr zu erkennen war, ob ein Boot an der Insel anlegte. Seine größte Furcht war, auf Ji in eine Falle der Züu zu geraten. Auch wenn sie nicht darüber sprachen, erging es den anderen genauso.

Anfangs überlegten sie, wie sie zur Insel gelangen würden, aber die Frage war rasch geklärt. Die Fischer von Berce ließen ihre Boote nachts einfach am Strand liegen, und sie mussten sich nur eins ›ausleihen‹. Grigán hatte bereits ein Boot ausgewählt, einen kleinen Einmaster, dessen Besitzer etwas außerhalb des Dorfs lebte. Es lag gut tausend Schritte von den anderen Booten entfernt, und daher hofften sie, dass die Züu es übersahen, falls sie den Strand überwachten.

Abgesehen davon waren keine großen Vorbereitungen zu treffen. Grigán ließ sie ein paar Fackeln herstellen, außerdem nutzten sie den erzwungenen Müßiggang dazu, im

Wald nach Nahrung zu suchen. Grigán übernahm es wie üblich, etwas Wild zu schießen.

Die übrige Zeit vertrieben sie sich, so gut es ging. Rey versuchte, seinen Gefährten verschiedene itharische Würfelspiele beizubringen, doch sie waren keine passionierten Spieler, und so gewann er fast immer.

Einmal überredete Léti Bowbaq, ihnen eine Kostprobe seiner Fähigkeiten zu geben, doch das Ergebnis war alles andere als spektakulär. Das Pferd, das als Versuchstier diente, begann wie wild auszuschlagen und zu wiehern. Zu Létis, Yans und Reys Enttäuschung führte dies nur dazu, dass Grigán ihnen wütend befahl, mit dem Lärm aufzuhören.

Als Nächstes bat Léti ihre Tante um eine Vorführung ihrer magischen Kräfte. Die Frage brachte ihr einen tadelnden Blick ein, und so gab sie die Idee wieder auf. Niemand traute sich, Corenn abermals anzusprechen.

Die Ratsfrau verbrachte ihre Zeit damit, die Listen der Züu auf den neuesten Stand zu bringen. Außerdem befragte sie jeden der Gefährten zu seiner Familie und zeichnete die Stammbäume der sieben Weisen, die die Reise zur Insel Ji überlebt hatten. Sie kam auf einundsiebzig Erben in den drei jüngsten Generationen.

Von mindestens neunundvierzig dieser einundsiebzig kannte sie das Schicksal. Sie selbst, Léti, Grigán, Bowbaq und Rey lebten – Eurydis sei Dank. Vierundvierzig andere, die auf Reys und ihrer eigenen Liste standen, waren von den Züu ermordet worden.

So war nur noch der Verbleib von zweiundzwanzig Erben ungewiss, zu denen vielleicht der eine oder andere dazukam, den sie vergessen hatte. Sie durften sich keine allzu großen Hoffnungen machen – viel größer würde ihre Gruppe nicht werden.

Ihr Verstand sagte ihr, dass ihr Feind den Namen einer dieser zweiundzwanzig Erben trug. Ihr Gefühl sagte ihr, dass dem nicht so war. Corenn hatte es noch eiliger als ihre Gefährten, endlich auf die Insel zu kommen.


»Wie findet Ihr Euch nur zurecht? Der Mond ist nur eine schmale Sichel, und am Himmel ist kein Stern zu sehen!«

Obwohl Bowbaq geflüstert hatte, war seine Angst deutlich hörbar. Yan hingegen war völlig gelassen: Das Meer war spiegelglatt, die Nacht ruhig, und bald würde seine Neugier gestillt werden. Endlich waren die drei Tage endlosen Wartens vorbei.

»Magie«, antwortete Grigán für Yan, der am Steuer saß. »Wenn ich ganz fest an einen Ort denke, erscheint der Weg vor meinem geistigen Auge.«

»Was?«

»Na gut, es ist keine Magie. Ich benutze einen romischen Kompass. Habe ich ihn dir nie gezeigt?«

Mit knappen Worten erläuterte der Krieger das Gerät. Allerdings gelang es ihm nicht, Bowbaq zu beruhigen.

»Bist du sicher, dass er funktioniert? Wir sind schon eine ganze Weile auf dem Wasser, und die Insel ist noch immer nicht in Sicht!«

»Umso besser. Das heißt, dass die Züu uns auch noch nicht sehen können.«

»Mach dir keine Sorgen«, sagte Rey. »Wir können die Orientierung nicht verlieren! Siehst du die kleinen Lichter dort drüben?«

»Ja«, murmelte der Nordländer. »Was ist das?«

»Zélanos und seine Kinder. Besser gesagt, die Leuchttürme Lorelias. Solange wir sie sehen, wissen wir, wo die Küste ist.«

»Die Fahrt dorthin würde einen Tag dauern«, erklärte Yan.

»Einen Tag!«, rief Bowbaq entgeistert. »Einen ganzen Tag! Sind sie so weit weg?«

»Sitzt du zum ersten Mal in einem Boot, oder was?«, knurrte Rey. »Man könnte fast meinen, du warst noch nie auf dem Meer!«

»Das stimmt. Ihr werdet lachen, aber ich habe schreckliche Angst vor dem Wasser. Vor allem nachts! Man kann überhaupt nichts sehen!«

»Bist du deshalb nie mit nach Ji gefahren? Ich dachte immer, du wolltest bei den Kindern bleiben«, sagte Corenn mit mildem Spott.

»Na ja, es war etwas von beidem«, sagte der Riese.

»Und wie fängst du dann jedes Jahr mehrere Hundert Pfund Fisch? Leben die etwa nicht im Wasser?«

»Das ist nicht dasselbe, Freund Grigán. Einem Bach, und sei er noch so reißend, ja sogar einem Fluss kann man vertrauen. Man muss nur ein paar Schritte durchs Wasser waten oder ein paar Ruderschläge machen, um ans Ufer zu gelangen. Aber hier ist weit und breit kein fester Boden in Sicht.«

»Wer weiß, vielleicht kannst du hier ja stehen«, scherzte Rey. »Zehn, zwölf Schritte tiefes Wasser, was ist das schon für einen großen Jungen wie dich?«

»Zwölf Schritte! Zwölf Schritte tief!«, rief Bowbaq, erhob sich schwankend und setzte sich auf den Boden des Schiffs. Léti ließ sich neben ihm nieder. Sie fand keine Worte, um ihn zu trösten, wollte ihren sanftmütigen Freund mit seiner Angst aber nicht allein lassen.

Eine Weile glitten sie schweigend durch die Nacht. Schließlich streckte Grigán den Arm aus und wies auf einen dunklen Fleck. »Da«, sagte er knapp.

Wie vereinbart holte Léti das Segel ein, während Yan, Rey und der Krieger zwei Bogen und eine Armbrust zur Hand nahmen. Die anderen duckten sich auf den Boden, und sie ließen sich das letzte Stück treiben.

Die Insel tauchte aus der Dunkelheit auf, zunächst nur als schwarzer Umriss, der sich vom Wasser abhob. Je näher sie kamen, desto mehr konnten sie erkennen. Die Totenstille wurde nur vom Quaken einer Kolonie Meeresfrösche durchbrochen.

»Die Insel sieht ruhig aus«, flüsterte Rey.

»Vielleicht«, erwiderte Grigán.

»Aber er würde nicht sein Leben darauf verwetten.« Den Satz hatte sich Yan nicht verkneifen können. Er hatte sich den Scherz schon vor ein paar Tagen zurechtgelegt. Grigán warf ihm nur einen hochmütigen Blick aus den Augenwinkeln zu, während Léti, die zwischen Corenn und Bowbaq auf dem Boden kauerte, kicherte.

Der Kiel schrammte über den Sandboden und blieb schließlich stecken. Nach einer Weile gab Grigán Yan ein Zeichen. Der Junge kletterte über die Reling ins Wasser und watete zum Strand. Seine Freunde gaben ihm Deckung. Als Nächstes war Rey an der Reihe. Er bezog am anderen Ende des Strands Posten.

Schließlich folgte Grigán. Er lief an ihnen vorbei, verschwand zwischen den Felsen und kehrte kurz darauf zurück.

»Alles in Ordnung«, rief er. »Ihr könnt an Land kommen und die Fackeln anzünden.«

Bowbaq sprang ins Wasser und zog das schwere Schiff

mit Léti und Corenn an den Strand. Es schien ihm überhaupt keine Mühe zu bereiten.

»Fester Boden, fester Boden«, rief er erleichtert. »Können wir mit der Rückfahrt nicht doch bis zum Morgen warten?«

»Auf keinen Fall. Man könnte uns von der Küste aus sehen.«

»Schade.« Er legte beide Handflächen auf einen Felsen, wie um sich zu vergewissern, dass er echt war. Da gefiel ihm selbst diese düstere Felslandschaft noch besser als das Meer.

Die anderen hatten erzählt, dass die Insel unwirtlich war, aber mit einer solchen Einöde hatte Yan nicht gerechnet. Abgesehen von dem schmalen Streifen Sand, auf dem sie standen, bestand die Insel aus nichts als gewaltigen Felsblöcken, als hätte ein fauler Gott einfach ein paar Felsen im Wasser übereinandergetürmt, um neues Land zu schaffen.

Groß war die Insel nicht. Zu Fuß hätte man sie in vier oder fünf Dekanten umrunden können, aber natürlich nur, wenn der Küstenstreifen passierbar gewesen wäre.

»Niemand hat die Fackeln seit dem letzten Mal angerührt«, sagte Grigán, nachdem er in ein Loch zwischen zwei Felsen gegriffen hatte. »Haltet Ihr das für ein gutes Zeichen, Dame Corenn?«

»Das muss nichts heißen, leider. Es sieht alles noch so aus wie vor drei Jahren, jedenfalls dem äußeren Anschein nach.«

»Und das hier ist dann wohl der Eingang zu dem berüchtigten Labyrinth, was?« Rey zeigte auf einen schmalen Sandpfad, der zwischen zwei gewaltigen Felsblöcken hindurchführte.

»Woher wisst Ihr das?«, fragte Corenn.

»Grigáns Fußspuren. Er muss hiergewesen sein, als er vorhin zwischen den Felsen verschwunden ist.«

»Ihr seid gar nicht so dumm, wie ihr ausseht«, knurrte der Krieger. »Und in welche Richtung müssen wir dann?«

»Ihr seid der Anführer. Ich schlage vor, wir bringen es schnell hinter uns. Ich möchte endlich das verfluchte Geheimnis sehen, das für den Niedergang meiner Familie verantwortlich ist.«

»Sagt das nicht«, herrschte Léti ihn an.

Mehr noch als ihre Gefährten fand sie Gefallen an Rey, seiner guten Laune und seinem Humor. Allerdings missfiel ihr, dass er immer wieder über die Weisen herzog. Für Léti waren sie heilig, und das vor allem jetzt, da die meisten Erben tot waren. Ihr Andenken in den Schmutz zu ziehen, das war, als … als beleidige er Eurydis. Es war einfach nicht *richtig*.

»Gut«, sagte Corenn. »Ich glaube, es ist so weit.«

Yan, Léti, Rey und Bowbaq scharten sich ungeduldig um sie.

Grigán trat neben sie. »Zunächst, und obwohl ich jedem von euch vertraue, müsst ihr den Schwur ablegen.«

»Muss das sein?«, murrte Rey. »Können wir die Formalitäten nicht überspringen und gleich zur Sache kommen? Am Ende verpassen wir noch etwas.«

»Wir haben genug Zeit«, sagte Grigán zähneknirschend. »Wem das nicht passt, der bleibt hier. So einfach ist das.«

»Schon gut, schon gut. Hiermit gelobe ich feierlich, alle Pflichten, Zwänge, Bürden und sonstige Lasten zu tragen, die Ihr mir auferlegt«, leierte Rey herunter. »So, das hätten wir. Können wir dann?«

»Reyan, darum geht es nicht«, sagte Corenn ruhig. »Der Schwur an sich ist wertlos, da wir nicht überprüfen können, ob ihr ihn einhaltet. Ich möchte nur, dass wir uns kurz sammeln, bevor wir losgehen. Ihr sollt Euch vor Augen halten, wie wichtig dieses Ereignis und Euer Schweigen sind. Versteht Ihr?«

Rey dachte eine Weile nach. »Meine Großmutter hatte recht«, sagte er schließlich. »Eure Überzeugungskraft ließe einen lorelischen Juwelier vor Neid erblassen. Ihr habt gewonnen, Corenn. Ich höre Euch an.«

Corenn nickte und dankte ihm mit einem Lächeln. Dann begann sie zu sprechen. Ihr Tonfall war ernst und getragen.

»Verzeih, dass ich dich unterbreche, Corenn«, sagte Bowbaq. »Aber eins habe ich noch nicht verstanden, und ich glaube, jetzt ist der richtige Moment für diese Frage. Warum haben unsere Vorfahren das Geheimnis nicht mit ins Grab genommen? Und warum gibst du es an uns weiter?«

Die Ratsfrau hielt einen Moment inne. »Weil es für unsere Schultern allein zu schwer ist, so wie es auch für unsere Vorfahren zu schwer war. Sie hatten das Bedürfnis, einen Teil des Geheimnisses an die nächste Generation weiterzugeben, so wie ich es jetzt mit Léti tue. Wir sind gewissermaßen die Hüter des Geheimnisses von Ji, auch wenn wir es nicht vollständig kennen.«

»Ich hätte da einen kleinen Einwand«, sagte Rey. »Es liegt mir fern, unseren Freund Yan ausschließen zu wollen, aber er ist keiner von uns. Brecht Ihr nicht den Schwur?«

»Ich vertraue ihm mehr als anderen hier«, sagte Grigán scharf.

»Yan gehört zur Familie oder wird es eines Tages tun«, sagte Corenn. »Daher stellt sich die Frage für mich nicht. Aber wir können ja abstimmen …«

»Das ist nicht nötig«, fiel Rey ihr ins Wort. »Die Frage war rein theoretischer Natur.«

Yan hatte wohlweislich geschwiegen. Er brannte darauf, das Geheimnis von Ji zu erfahren, und freute sich sehr über Grigáns Fürsprache, vor allem aber über Corenns Worte. Hatte sie auf einen Bund zwischen Léti und ihm angespielt? Oder bildete er sich das wieder nur ein?

»Ihr müsst versprechen, über das, was ihr sehen werdet, euer Leben lang Schweigen zu bewahren«, fuhr Corenn fort. »Auch wenn es Leid, Schande und Einsamkeit bedeutet. Ihr dürft nur mit nahen Verwandten oder anderen Erben über das Geheimnis sprechen. Denkt einen Moment nach, und sagt dann, ob ihr dazu bereit seid.«

»Ich bin zu allem bereit«, sagte Rey sofort.

Yan schloss die Augen und ließ Corenns Worte auf sich wirken. »Ich bin dazu bereit«, sagte er schließlich.

Alle sahen Léti an, die immer noch schwieg.

Die junge Frau stand da wie vom Donner gerührt. Seit ihrer frühsten Kindheit hatte sie diesem Augenblick entgegengefiebert. Schon immer hatte sie das Geheimnis ihrer Vorfahren kennen wollen, um endlich ganz und gar zu den Erben zu gehören. Doch jetzt zögerte sie.

Alle, die auf der Insel gewesen waren, waren seltsam traurig zurückgekehrt.

Und sie hatte in den letzten Tagen schon so viel Schmerz ertragen müssen.

War das Geheimnis nicht schöner, wenn es ein Geheimnis blieb?

»Léti?«

Als ihre Tante sie ansprach, öffnete das Mädchen die Augen. »Ich bin dazu bereit«, sagte sie und verfluchte ihre zittrige Stimme.

Eine plötzliche Eingebung hatte für sie entschieden.

»Gut«, sagte Grigán. »Lasst uns gehen. Ich möchte euch

bitten, im Labyrinth nicht zu sprechen. Das gilt vor allem für diejenigen, denen es schwer fällt, ihr Mundwerk stillzuhalten.«

»Dürfte ich einen leisen Schmerzensschrei ausstoßen, falls ich stürze?«, fragte Rey spitz.

»Nur, wenn Ihr die Schmerzen kaum noch aushaltet«, antwortete Grigán im gleichen Tonfall. »Falls das nicht zu viel verlangt ist.«

Grigán verschwand in dem schmalen Durchgang, so wie Nol der Seltsame ein Jahrhundert vor ihm. Rey folgte, dann Léti, Corenn und Bowbaq. Yan kam als Letzter.

Sein Herz schlug ihm bis zum Hals. Er war noch aufgeregter als bei seinem Ausflug nach Berce, doch diesmal war er nicht allein.

Jede Einzelheit übte eine seltsame Faszination auf ihn aus. Das flackernde Licht der Fackeln auf den Felsen. Der hohle Widerhall jedes Geräuschs. Die sonderbare Anordnung der Felsblöcke, die tatsächlich einen Irrgarten bildeten.

Nach einer Dezime schweigenden Fußmarschs führte Grigán sie in eine Höhle. Yan hielt den Atem an. Sie mussten am Ziel sein.

»Sind wir da?«, fragte Rey.

»Nein. Haltet den Mund.«

Die Höhle verengte sich zu einem unterirdischen Gang, an dessen Ende sie sich durch eine niedrige Öffnung zwängten. Sie mussten die Köpfe einziehen und gelangten wieder nach draußen. Bowbaq musste beinahe kriechen.

Grigán ließ sie einen Moment warten, spannte einen Pfeil in die Sehne seines Bogens und zielte auf die Öffnung. Anscheinend wollte er überprüfen, ob sie verfolgt wurden, doch es rührte sich nichts. Bald darauf gab er das Zeichen zum Aufbruch.

Yan war ganz versunken in die Betrachtung der Landschaft und dachte nicht daran, sich den Weg zu merken. Schon bald hatte er völlig die Orientierung verloren. Sie waren mindestens zwanzigmal abgebogen und mehrmals an Abzweigungen zur Rechten und Linken vorbeigegangen, nur um an der nächsten Kreuzung einen Weg einzuschlagen, der in die gleiche Richtung führte. Im Notfall würde er vielleicht zum Strand zurückfinden, aber bestimmt nicht auf demselben Weg.

Eine Begegnung mit einer riesigen Schleimschildkröte zwang sie zu einem Umweg. Sie störten das Reptil bei der Eiablage, und es schien ihnen feindlich gesonnen. Auch wenn es sich wie all seine Artgenossen recht behäbig fortbewegte, war es für die Kraft seiner Kiefer berüchtigt, und Grigán ließ seine Gefährten lieber umkehren, als sie der Gefahr auszusetzen, einen Arm oder ein Bein zu verlieren.

»Bowbaq hätte vielleicht mit ihr reden können, damit sie uns durchlässt«, wisperte Rey. »Vielleicht hätte sie uns sogar eine Auskunft geben können.«

»Das hätte nicht funktioniert«, sagte der Riese geduldig. »Ich kann nur mit Säugetieren sprechen.«

»Schade. Vielleicht finden wir ja eine einsame Ziege oder Kuh, mit der wir einen Plausch halten können.«

»Es reicht, ihr zwei«, fuhr Grigán sie an. »Würdet ihr bitte den Mund halten?«

»Eine Frage«, fuhr Rey unverfroren fort. »Was bringt es zu schweigen, solange die Fackeln brennen?«

»Überlasst das nur mir. Ihr habt Euch uns angeschlossen, also haltet Ihr Euch an unsere Regeln.«

»Zu Befehl. Hoffen wir, dass unsere Feinde eher blind sind als taub.«

Grigán schwieg. Er hatte es längst aufgegeben, mit Rey

zu streiten, da er es offenbar nur darauf anlegte, ihn herauszufordern.

Wäre er allein gewesen, hätte er selbstverständlich auf die Fackeln verzichtet, doch wenn sie sich zu sechst im Dunkeln durch das Labyrinth tasteten, würden sie mehr Krach machen als ein brünstiges Rotschwein. Der ewige Zank kam ihm kindisch vor. Manchmal hatte er den Eindruck, dass sich niemand bemühte, ihn zu verstehen.

»Wartet hier auf mich. Wenn's geht, schweigend«, sagte er mit einem finsteren Blick zu Rey.

Lautlos wie ein Panther verschwand er in der Dunkelheit. Seine Gefährten sahen ihm nach. Bowbaq dachte, dass er selbst einen sehr guten Grund gebraucht hätte, um einen solchen Erkundungsgang zu wagen. Der Krieger hatte nicht einmal eine Fackel mitgenommen.

Kurz darauf kehrte Grigán zurück, allerdings auf einem anderen Weg. Er tauchte plötzlich einfach hinter Yan auf, der erschrocken zusammenzuckte.

»Ich habe nichts gesehen«, sagte Grigán zu Corenn. »Alles ist wie immer.«

»Fast hätte ich gesagt: Schade«, erwiderte sie. »Das wäre vielleicht der Anfang einer Lösung gewesen.«

»Es kann immer noch etwas Ungewöhnliches geschehen. Vielleicht später, nachdem es vorüber ist. Es dürfte übrigens nicht mehr lange dauern. Wir müssen uns sputen.«

Die Gefährten setzten sich wieder in Bewegung und folgten dem Krieger. Ihre Neugier wuchs. Grigán führte sie zu einer Höhle, die genauso aussah wie die erste, die sie durchquert hatten, oder mehrere andere, an denen sie vorbeikommen waren.

Ein natürlicher Torbogen bildete den Eingang, durch den man in einen kleinen Saal gelangte. Erst als sie ganz am Ende angelangten, entdeckten sie auf der rechten Seite einen Gang, der mit leichtem Gefälle tiefer in den Berg führte. Ohne seine Schritte zu verlangsamen, ging Grigán hinein.

»Jetzt sind wir am Ziel«, sagte Rey. »Hier am Fels sind Rußspuren von den Fackeln.«

»Danke für den Hinweis, Reyan. Das ist mir noch nie aufgefallen. Wir müssen dran denken, die Spuren zu entfernen«, sagte Corenn.

»Falls wir noch die Gelegenheit dazu haben«, murmelte Grigán.

Er hatte es mittlerweile aufgegeben, diesen undisziplinierter Haufen zum Schweigen bringen zu wollen.

Alle waren nun in heller Aufregung. Sein Herzschlag dröhnte Yan in den Ohren, er kam ihm lauter vor als seine Schritte. Léti hatte Angst, eine schaurige Entdeckung zu machen, und der Abstieg in die Untiefen des Bergs trug nicht gerade zu ihrer Beruhigung bei. In Bowbaq löste der unterirdische Gang Beklemmung aus. Das Rauschen eines Bachs in der Tiefe und das Wasser, das von den Wänden tropfte, verstärkten sein Unbehagen. Rey versuchte sich vorzustellen, was am Ende des Gangs auf sie wartete. Sicher etwas Rätselhaftes, das ihr Leben für immer verändern würde.

»Ich hoffe nur, wir müssen nicht schwimmen«, brummte Bowbaq. »Da mache ich nicht mit. Ich kehre sofort um.«

»Keine Angst. Du bekommst höchstens etwas nasse Füße.«

Der Gang endete an einem riesigen unterirdischen See, das andere Ufer war in der Dunkelheit nicht zu erkennen. Grigán wartete, bis alle zu ihm gestoßen waren.

»Wie schön«, sagte Léti. Sie war froh, nichts Unheimliches zu entdecken.

Yan ging in die Hocke, schöpfte etwas Wasser und führte die Hand an die Lippen. »Es ist salzig.« Er verzog das Gesicht. »Das ist Meerwasser.«

»Eigentlich führt der See Süßwasser, aber sein Ufer besteht aus Salz«, erklärte Corenn.

»Grigán, mein Freund«, sagte Bowbaq flehend. »Bitte sagt nicht, dass wir da rüber müssen.«

»Hab keine Angst. Wir gehen am Ufer entlang.«

Hintereinander marschierten sie den schmalen, unebenen Pfad zwischen See und Felswand entlang. Bald war der Gang, durch den sie gekommen waren, außer Sicht.

Yan schätzte, dass die Höhle in Länge und Breite etwa hundertzwanzig Schritte maß, vielleicht sogar mehr. Um die genaue Größe herauszufinden, hätten sie einmal um den See herumgehen müssen, da die Fackeln nicht ausreichten, um die Höhle vollständig auszuleuchten. Er musste sich auf seine Füße konzentrieren, um nicht das Gleichgewicht zu verlieren und in das schwarze Wasser zu fallen.

Alle gelangten trockenen Fußes ans Ziel. An einer Stelle war der Uferpfad eingestürzt, und sie mussten über eine Lücke springen, die etwa einen Schritt breit war. Nur Corenn tat sich schwer, da sie wenig Vertrauen in die Kraft ihrer Beine hatte. Schließlich trug Bowbaq sie kurzerhand über die Spalte.

»Es ist ein Jammer, dass wir keine Spuren hinterlassen dürfen«, sagte die Ratsfrau, als sie wieder mit beiden Füßen auf dem Boden stand. »Seit Jahren schon will ich an dieser Stelle eine kleine Brücke bauen.«

»Ihr könntet irgendwo einen Balken verstecken«, schlug Yan vor. »Und ihn jedes Mal hinlegen und wieder wegnehmen.«

»Keine schlechte Idee. Ich werde darüber nachdenken.«

Kurz darauf endete der unwegsame Pfad am Fuß einer Wand, in der ein drei Schritt hoher Riss klaffte. Grigán bat um eine Fackel, zog sein Schwert und betrat den schmalen Gang, gefolgt von Rey mit einer Armbrust.

Bowbaq hatte das Gefühl, die Erde verschlinge ihn. Um durch die enge Felsspalte zu passen, musste er sich seitlich vorwärtsschieben. Er konnte sich kaum bewegen und fürchtete, jeden Moment stecken zu bleiben und nie wieder Tageslicht zu sehen. Da war ihm sogar das Meer lieber.

Allmählich wichen die Wände immer mehr zurück, und der Spalt verbreiterte sich zu einem Gang. Schließlich gelangten sie in eine weitere Höhle.

»Stehen bleiben«, befahl Grigán.

Er durchbohrte die Dunkelheit mit seinem Blick. Léti fand das ziemlich lächerlich, schließlich war es stockfinster. Oder lauschte er etwa? Sie spitzte die Ohren, hörte aber nichts als das entfernte Rauschen des Meers.

Grigán machte einen Erkundungsgang. Die Szene hatte etwas Unwirkliches an sich: Ein von Kopf bis Fuß in Schwarz gekleideter Mann irrte im Lichtschein einer flackernden Fackel durch die Finsternis. Schließlich kam er zurück.

»Alles ruhig. Da ist niemand, Corenn.«

»Dann habe ich mich geirrt …«

»Vielleicht, vielleicht auch nicht. Das werden wir später sehen …«

»Da wir gerade darüber sprechen«, mischte sich Rey ein. »Wäre es jetzt vielleicht möglich, zu erfahren, worum es hier geht?«

»Ich will euch die Überraschung nicht verderben«, antwortete Grigán. »Aber ich will euch etwas zeigen. Kommt mit, aber passt auf, wo ihr hintretet.«

Die Gefährten folgten ihm. Nur Corenn ließ sich auf dem Boden nieder und lehnte sich an die Wand, nachdem sie ihre Fackel in einen Felsspalt geklemmt hatte. Yan schloss daraus, dass sie am Ziel waren. Sie standen in einer gewöhnlichen Höhle, die vielleicht etwas kleiner war als die mit dem See. Doch auch hier war es schwierig, die Größe zu bestimmen, ohne einen Rundgang zu machen.

Sie gelangten an das Ufer eines kleinen Teichs. Grigán watete ohne zu zögern ins Wasser, und Léti, Yan und Rey taten es ihm gleich. Bowbaq riss sich zusammen und setzte widerstrebend einen Fuß ins Wasser, um nicht als Einziger zurückzubleiben. Zum Glück waren es nicht mehr als fünfzehn Schritte bis zum gegenüberliegenden Ufer. Grigán wartete auf der anderen Seite auf sie. Von hier aus war das Meeresrauschen deutlicher zu hören.

Sie tasteten sich weiter vor. Schließlich blieb Grigán am Rand eines Abgrunds stehen, der auf der ganzen Länge der Höhle vor ihren Füßen klaffte.

»Hier ist es. Ich wollte nicht, dass ihr aus Versehen im Dunkeln hineinfallt.«

»Ich dachte schon, Ihr würdet mich nicht mögen«, sagte Rey. »Und jetzt bemuttert Ihr mich sogar.«

»Von mir aus könntet Ihr euch den Hals brechen, das wäre mir herzlich egal. Mir ging es um die anderen.«

»Wie tief ist es denn?«, fragte Bowbaq scheu.

»Zwanzig bis dreißig Schritte, das hängt vom Meeresspiegel ab. Das Wasser hat sich bis hierher vorgearbeitet – fast die ganze Insel ist vom Meer unterspült.«

»Unsere Ahnen sind doch wohl nicht von hier aus in See gestochen, oder?«, fragte Léti.

»Nein. Sie sind nie weiter als bis in diese Höhle vorgedrungen. Und jetzt habe ich einen Auftrag für dich: etwas zu finden, das nicht hierher gehört.«

Grigán stellte ihr eine Aufgabe. Nichts hätte das Mädchen mehr anstacheln können. Sogleich begann sie, jeden Winkel der Höhle abzusuchen, und zog Yan mit sich, der nicht minder neugierig war. Bowbaq kehrte zu Corenn zurück, und Rey hielt seinerseits so unauffällig wie möglich Ausschau nach etwas Ungewöhnlichem.

Bald mussten sie sich geschlagen geben. Sie hatten den Boden und sämtliche Wände der Höhle abgesucht und nichts gefunden. Léti wurde immer gereizter. Corenn, die sie beobachtet hatte, beschloss einzugreifen, ehe das Mädchen vor Wut platzte.

»Bowbaq, würdest du bitte mitkommen?«

Gehorsam stand der Riese auf, und sie traten zu Léti, die gerade einen Riss im Fels untersuchte. Die anderen gesellten sich zu ihnen.

»Komm, ich helfe dir ein bisschen. Setz dich auf Bowbaqs Schultern. Nur, wenn er nichts dagegen hat, natürlich.«

»Im Gegenteil. Das erinnert mich an früher.«

Er hob sie ohne viel Federlesens hoch und setzte sie sich auf die Schultern. Alle außer Grigán waren zum Zerreißen gespannt.

»Und jetzt sieh dir die Wände in der Nähe des Teichs mal etwas genauer an«, sagte Corenn mit einem hintergründigen Lächeln.

Bowbaq stapfte sogleich dorthin, angetrieben von Léti, die ihre gute Laune wiedergefunden hatte. Obwohl Bowbaq mit den Füßen im Wasser stand, befand sich das Mädchen nun auf einer Höhe, die bislang außer Sichtweite gewesen war.

Jetzt begriff sie. Das Licht der Fackeln reichte nicht bis zur Decke hinauf – darauf war sie nicht gekommen.

Rey trat einen Schritt zur Seite und schleuderte seine Fackel in die Luft. Sie flog nicht bis zur Decke, doch für einen Moment wurde der obere Teil der Wand erleuchtet. Sie war mindestens fünfundzwanzig Schritte hoch.

»Ich habe es!«, rief Léti.

Sie hatte es fast sofort entdeckt. Da war es, direkt vor ihren Augen – sie musste nur die Hand ausstrecken. Auch wenn sie nicht wusste, um was es sich handelte, spürte sie, dass sie das Gesuchte gefunden hatte.

Yan und Rey traten näher, in der Hoffnung, etwas erkennen zu können. »Ich sehe nichts«, beschwerte sich Rey. »Zeig mal mit dem Finger darauf.«

»Da«, rief Léti. »Und da! Und da auch, es reicht bis ganz nach oben«, sagte sie und wies auf mehrere Stellen an der Wand.

»Von hier unten sieht man nichts als Felsen«, sagte Yan.

»Ich sehe es«, rief Bowbaq, dessen Augen mit Létis fast auf einer Höhe waren. »Da ist ein Muster in den Fels gemeißelt.«

»Ganz genau«, sagte Corenn.

»Yan!«, rief Rey. Er verschränkte die Hände zu einer Räuberleiter.

Mit Reys Hilfe untersuchte der Kaulaner das Relief. Es konnte tatsächlich keine natürliche Erscheinung sein. Verschiedene geometrische Formen waren in den Fels gehauen, auf einem Streifen, der etwa einen Fuß breit war und über ihren Köpfen in der Dunkelheit verschwand.

Die untersten Ornamente waren recht grob gearbeitet und fast vollständig verwittert, doch je weiter es nach oben ging, desto feiner und genauer wurde das Muster.

Yan sprang zu Boden und hievte seinerseits Rey hoch, der es kaum erwarten konnte.

»Was ist das?«, fragte Rey schließlich. »Eine Art Schrift? Oder einfach nur eine Verzierung?«

»Wir wissen es nicht«, antwortete Corenn. »Vor über einem Jahrhundert entdeckte der Weise Maz Achem eine Ähnlichkeit zwischen diesem Muster und ethekischen Schriftzeichen.«

»Die leider niemand mehr lesen kann, weil die Sprache längst ausgestorben ist«, sagte Rey spöttisch, als er wieder auf dem Boden stand. »Aber was soll man von einem Maz anderes erwarten als eine religiöse Spinnerei.«

Léti runzelte die Stirn. Seine Respektlosigkeit gegenüber den Weisen ging ihr wirklich gegen den Strich.

»Und die Zeichen reichen bis zur Decke?«, fragte Bowbaq.

»Nicht nur das«, antwortete Grigán mit einem rauen Lachen.

Yan und Rey wechselten einen kurzen Blick und eilten zur gegenüberliegenden Wand. Wortlos machte Rey eine Räuberleiter, und Yan stellte einen Fuß hinein.

Auch auf dieser Seite entdeckten sie Zeichen.

»Mir persönlich gefallen die auf der linken Seite besser«, sagte Corenn augenzwinkernd. »Sie sind feiner gearbeitet.«

Léti ließ sich von Bowbaq zur gegenüberliegenden Wand tragen, um selbst einen Blick darauf zu werfen. »Es muss Jahre gedauert haben, sie in den Fels zu meißeln«, sagte sie bewundernd.

»Läuft der Streifen die Decke entlang?«

»Ja.«

»Was sind das für Zeichen, Tante Corenn? Magische Runen oder so etwas?«

»In der Tat«, sagte sie ernst. »Die Zeichen besitzen Macht, aber wir wissen nicht, wie sie wirkt.«

Schweigen trat ein. Alle versuchten, Ordnung in ihre Gedanken zu bringen.

In Arkarien war es üblich, alles, was den menschlichen Verstand übersteigt, zu achten und zu fürchten. Deshalb hatte Bowbaq es eilig, aus diesem finsteren Loch zu kommen, das verdammte Meer zu überqueren und sich endlich wieder *gewöhnlichen* Dingen zuzuwenden.

Léti hatte seit Langem akzeptiert, dass es so etwas wie Magie, Götter, Legenden und andere unerklärliche Dinge gab. Die Kräfte ihrer Tante und das Geheimnis ihrer Vorfahren waren der Beweis. Doch zum ersten Mal erlebte sie so etwas hautnah, zum ersten Mal steckte sie mittendrin. Der Gedanke erfüllte sie zugleich mit Schrecken und Begeisterung.

Yan hatte das Gefühl, ein völlig anderer Mensch zu sein. Noch zwei Dekaden zuvor hätte er niemals geglaubt – selbst wenn man es ihm prophezeit hätte –, dass er bald vor einer Bande Mörder auf der Flucht sein würde.

Und doch war es so gekommen. Er hätte niemals geglaubt, dass er in einem lorelischen Städtchen, von dem er noch nie gehört hatte, sein Leben aufs Spiel setzten würde. Und doch war es geschehen. Er hätte nicht gedacht, dass er sich mit Fremden auf eine gefährliche Reise begeben würde, nicht, dass er sich mit Léti streiten würde, nicht, in all diese irrsinnigen Ereignisse verstrickt zu werden. Und doch war es so.

Jetzt ging es um Magie. Yan war bereit, die verrücktesten Dinge zu glauben, um seine Abenteuerlust zu stillen, die von Tag zu Tag größer wurde. In diesem Augenblick war Yan der Glücklichste in der Runde.

Nur Rey zweifelte. Seine Erfahrung mit Magie beschränkte sich auf die Taschenspielertricks selbsternannter Zauberkünstler auf den Märkten der großen Städte, und diese Vorführungen waren nichts als Täuschungen. Er hatte das leise Gefühl, jemand triebe Schabernack mit ihm. Außerdem war er es leid, darauf zu warten, dass er gnädigerweise in das Geheimnis eingeweiht wurde. »Schluss mit den Rätseln«, sagte er fest. »Corenn, ich flehe Euch an. Gebt mir eine Erklärung, *irgendeine* Erklärung.«

Die Ratsfrau überlegte einen Augenblick. »Was ist das hier Eurer Meinung nach? Selbst wenn es Euch abwegig erscheint?«

»Meiner Meinung nach? Ich würde sagen: eigenartige Zeichen, die irgendjemand irgendwann irgendwie in einer verlassenen Höhle auf einer unbewohnten lorelischen Insel hinterlassen hat.«

»Ein Tor«, sagte Yan leise.

»Was?«

»Ich glaube, es ist eine Art Tor. Die Zeichen auf den Höhlenwänden bilden einen Bogen.«

»Und wo ist dann die Türklinke?«, fragte Rey gehässig.

»Yan hat recht«, mischte sich Grigán ein. Es war ihm ein Vergnügen, Rey widersprechen zu können.

»Damit ich Euch diese Geschichte abkaufe, müsst Ihr mir schon gute Argumente liefern.«

»Nicht nötig. Jetzt dürfte es nicht mehr lange dauern. Kommt alle her«, verkündete Corenn und winkte sie zu sich.

»Wir dürfen nicht in dem Tor stehen, wenn es sich öffnet, richtig?«, fragte Yan.

»Nein, das spielt keine Rolle. Aber ich bekomme kalte Füße!«

Richtig, sie standen immer noch in dem Teich. Yan hatte nicht mehr viel von seiner Umgebung wahrgenommen.

»Woher weißt du, dass es bald so weit ist?«, fragte Léti, die von Bowbaq wieder abgesetzt worden war.

»Es geschieht immer ungefähr um diese Zeit. Schon lange habe ich vor, eine Wasseruhr mitzubringen, um den genauen Zeitpunkt zu bestimmen, aber irgendetwas ist immer dazwischengekommen.«

»Sag, Freundin Corenn«, murmelte Bowbaq scheu. »Dieses … dieses Ereignis, auf das wir warten, ist doch nicht gefährlich, oder? Ich meine, ein Frevel oder so?«

»Dann hätten wir dich nicht hergebracht«, antwortete Grigán für sie. »Vertraust du uns nicht?«

»Doch, natürlich«, sagte der Riese mit Nachdruck.

Doch ganz wollte seine Furcht nicht verfliegen.

Nach und nach verstummten alle. Gespannt starrten sie in die Finsternis zu der Stelle, an der gleich etwas passieren sollte.

Selbst Rey hörte auf, die anderen mit Fragen zu löchern. Nach einer Weile setzte sich Bowbaq auf den Boden. Den kalten, feuchten Stein zu spüren, tat ihm gut, denn es erinnerte ihn an die Eiswüste Arkariens.

Kurz darauf ließ sich auch Corenn erschöpft auf dem Boden nieder. Die anderen blieben stehen. Grigán gestattete sich keinen Moment der Unachtsamkeit, und Yan, Léti und Rey waren viel zu aufgeregt, um sich zu setzen.

Sie wussten nicht, was sie erwartete. Yan ließ seiner Phantasie freien Lauf. Léti wartete einfach ab, während ihre Aufregung wuchs, und Rey dachte über seine Überzeugungen nach und fragte sich, worauf sie eigentlich beruhten.

Er ging immer wieder zu dem Torbogen, starrte zu den Zeichen hinauf und hielt nach der kleinsten Veränderung

Ausschau. Mit jedem Mal wuchsen seine Ungeduld und sein Missmut.

Als er zum achten Mal zurückkam, baute er sich vor Grigán auf. »Sollen wir uns hier etwa die ganze Nacht um die Ohren schlagen? Ihr seht doch, dass nichts passiert«, zeterte er und wies in die Dunkelheit.

Wie als Antwort auf seine Worte erhob sich ein leises Sirren, das allmählich lauter wurde und schließlich zu einem schrillen Pfeifen anschwoll.

»Was ist das?«, fragte Bowbaq. Er musste fast schreien, um das Pfeifen zu übertönen.

»Keine Angst, das gehört dazu«, beruhigte ihn Corenn.

Noch während sie sprach, verstummte das Pfeifen abrupt. Tiefe Stille trat ein.

Niemand rührte sich, zum einen, weil sie überwältigt waren, zum anderen, weil alles so schnell ging.

Unter dem Torbogen blieb es dunkel. Dann schien die Finsternis zu erzittern, und ein Licht flackerte auf. Es war nicht mehr als ein winziger Punkt, der sich allerdings rasch ausdehnte und bald die gesamte Höhle erfüllte.

Der Anblick war beeindruckend. Vor ihnen schwebte ein strahlend helles Licht; es sah aus, als versuchte die Sonne, durch eine Pforte in die Höhle einzudringen.

Eine fünfundzwanzig Fuß hohe Pforte.

Allmählich wurde das Licht schwächer und wich einem Bild, das wie durch einen Rauchschleier verzerrt war. Dann lichtete sich der Nebel und gewährte Yan, Léti, Rey, Bowbaq, Corenn und Grigán einen klaren Blick.

Sie sahen alles wie durch eine Wasseroberfläche. Das Bild schien ganz nah, zugleich aber außer Reichweite zu sein. Es war leicht verschwommen und dreidimensional.

Yan rieb sich erst die Augen und riss sie dann auf. Er sah

eine *Landschaft*. Er stand immer noch auf dem Steinboden der Höhle. Vor ihm lag der Teich, doch nach drei Schritten ging das Wasser plötzlich in eine Wiese über. Dort wuchs Gras. Der Rest der Höhle war verschwunden, völlig verschwunden!

Die Pforte bildete eine Grenze zwischen der Stelle, an der sie standen, und der anderen Seite, wo die Sonne über einer wunderschönen Landschaft aufging, einem grünen, von Bergen umgebenen Tal.

Yan konzentrierte sich auf die Grenze zwischen den beiden Welten. Sie war etwas Unerklärliches.

Bowbaq wagte nicht, sich zu rühren. Auch er war von der Schönheit der Vision gebannt und fürchtete, ihr mit der kleinsten Bewegung ein Ende zu setzen oder sie in etwas Unheilvolles zu verwandeln.

Rey suchte nach dem Trick, der diese raffinierte Illusion erzeugte, fand aber nichts. Er ging näher heran, um sich die Sache anzusehen, und trat einen Schritt vor, in den Teich.

»Hört mal«, sagte Léti lächelnd und legte den Finger an die Lippen.

Sie vernahm ein Geräusch. Da war noch etwas außer den Stimmen ihrer Gefährten. Was konnte das sein?

Vogelgezwitscher. Sie konnte die andere Welt *hören*, wenn auch nur leise!

Die anderen lächelten ihr zu. Auch sie hörten es.

Rey trat ganz nah an die Erscheinung heran und zog einen Dolch aus der Lederscheide an seiner Wade.

»Tu das nicht«, flehte Bowbaq.

Rey stellte sich taub und schob die Klinge langsam in die wässrige Oberfläche. Als er keinen Widerstand spürte, stieß er die Waffe bis zum Griff hinein. Nichts geschah, und so zog er sie wieder heraus und stach nach einer Blume, die dem Anschein nach unmittelbar vor seinen Füßen wuchs.

Enttäuscht hielt er inne. Es war doch nur ein Trugbild.

Léti wollte nicht länger tatenlos zusehen. Sie trat neben Rey, starrte auf die Landschaft und holte tief Luft.

»Léti?«, rief Yan leise.

Was auch immer sie vorhatte, er zweifelte daran, dass die Idee gut war.

Plötzlich trat das Mädchen einen großen Schritt vor. Eigentlich hätte sie auf der Wiese landen müssen, doch für die anderen war sie verschwunden!

Gleichzeitig ertönte ein lautes Klatschen, gefolgt von einem leiseren Plätschern. Einen Augenblick später tauchte Léti wieder aus der Vision auf. Sie war bis zu den Knien nass.

»Du hättest mich warnen können«, fuhr sie ihre Tante an.

»Ich versichere dir, dass mir nicht klar war, was du vorhattest«, sagte Corenn ernst.

»Von der anderen Seite ist das Bild bestimmt dunkel«, verkündete Rey. »Es ist doch nichts als eine Täuschung, ein dummer Zaubertrick.«

Er trat nun seinerseits vor, verschwand in der Vision und kehrte kurz darauf zurück. Sein Gesicht war ernst, und er schwieg. Dann war Yan an der Reihe.

Er hatte erwartet, irgendetwas zu spüren, doch das war nicht der Fall. Er ging los und starrte auf einen Punkt in der Landschaft. Im nächsten Moment erschien der Teil der Höhle vor ihm, der vorher von dem Bild verdeckt gewesen war.

Neugierig drehte er sich um. Er sah immer noch ein wunderschönes Tal, aber nicht mehr dasselbe. Genauer gesagt war es dasselbe, aber aus dem Blickwinkel, den man hätte, wenn man durch die Pforte getreten wäre und sich umgedreht hätte.

Langsam tauchte eine riesige Hand aus dem Himmel auf, bewegte sich kurz hin und her und verschwand dann wieder. Als Nächstes folgte ein Fuß, dann ein Bein, und dann Bowbaqs ganzer Körper.

Der Riese machte ein Gesicht wie ein staunendes, leicht verschrecktes Kind. Er wusste nicht, ob er lachen oder weinen sollte. Was diese Vision auch bedeutete, sie war schön. Und unwirklich.

Er hatte das Gefühl, etwas Verbotenes zu tun. Als sähe er etwas, das nicht für seine Augen bestimmt war, als lüfte er ein Geheimnis. Und das erinnerte ihn schmerzlich an etwas aus seiner Vergangenheit, das er um jeden Preis vergessen wollte.

Er kehrte zurück auf die andere Seite und ließ Yan allein.

Die Landschaft sah so friedlich aus, so ruhig. Sie war umso schöner, da sie unerreichbar war. Als gäbe es sie gar nicht wirklich.

Und doch konnte er jede Einzelheit sehen, jeden Laut hören. Wenn er sich anstrengte, sah er sogar, wie ein leichter Wind durch die Blumen strich und ein Vogel am Himmel entlangflog.

Yan konzentrierte sich und streckte die Hand aus, um über die Blätter einer fremden, prächtigen Pflanze zu streichen, doch seine Finger griffen ins Leere. Das machte ihn trauriger, als er gedacht hätte.

Er richtete sich wieder auf und schickte sich gerade an, zu seinen Freunden zurückzukehren, deren Gelächter von der anderen Seite zu hören war, als er aus den Augenwinkeln eine Bewegung erhaschte.

Da war jemand im Tal.

»Kommt her, schnell! Das müsst ihr sehen!«

Die anderen folgten dem Ruf, und die Entdeckung verschlug ihnen die Sprache.

In zweihundert Schritt Entfernung – könnten sie die Wiese betreten – spazierte ein kleiner Junge durchs Gras und betrachtete den Himmel.

Er war vielleicht vier oder fünf Jahre alt und sah aus wie ein Bewohner der Oberen Königreiche. Aber ob er nun Lorelier, Itharer oder Rominer war oder woher er sonst stammen mochte, war nicht zu erkennen. Sein blondes Haar und sein nackter Körper verrieten nichts über seine Herkunft.

Léti winkte ihm unwillkürlich zu, bevor sie merkte, dass er nicht in ihre Richtung sah. Dann begann sie, laut nach ihm zu rufen.

Das Kind setzte sich in gut hundert Schritt Entfernung mit dem Rücken zu ihnen ins Gras. Entweder hatte es sie nicht gehört oder es ignorierte sie.

»Yan, hilf mir!«, sagte Léti.

Er nickte. Gemeinsam schrien sie aus Leibeskräften.

Der Junge hob den Kopf und wandte sich ihnen zu. Er schien sich weder zu freuen noch Angst zu haben. Er sah sie einfach nur mit großen Augen an.

Léti winkte ihm zu. Alle hielten den Atem an. Bowbaq lächelte, ohne so recht zu wissen, warum.

Das Kind stand auf und spazierte langsam auf sie zu. Ab und zu blieb es stehen, betrachtete eine Blume oder ein Grasbüschel und lief nur weiter, wenn Léti es rief.

In weniger als zehn Schritt Entfernung blieb es stehen, musterte sie ruhig und lutschte an seinen Fingern. Léti winkte ihm abermals zu, bestimmt zum zehnten Mal.

Der Junge lächelte und ahmte ihre Geste unbeholfen nach. Er sah glücklich aus.

Léti empfand eine unbändige Freude, die sie nicht erklären konnte.

Yan war indes zu einem Schluss gekommen: Wenn das Kind sie sehen konnte und sie selbst ebenfalls in die andere Welt blicken konnten, war das der Beweis, dass es sie gab. Sie war real!

»Hallo!«, sagte Léti lächelnd. »Wie heißt du?«

Der Junge sah sie an, ohne zu reagieren. Dann richtete er seinen Blick auf Grigán, der sich bislang nicht gerührt hatte. Linkisch hob der Krieger die Hand. Das schien dem Kind zu gefallen, denn es winkte ihm ebenso begeistert zu wie zuvor Léti.

Nacheinander winkten sie ihm nun reihum zu, und stets erwiderte das Kind die Geste. Doch der Junge sprach immer noch kein Wort.

Plötzlich wandte er den Kopf und sah nach links. Etwas, das sie nicht sehen konnten, schien ihn abzulenken. Léti versuchte verzweifelt, ihn zurückzuhalten, doch er tappte los und war bald aus ihrem Blickfeld verschwunden.

Als wäre die Vorstellung damit beendet, trübte sich das Bild, verschwamm zu einem undurchsichtigen Schleier und zog sich schließlich zu einem grellen Licht zusammen, das immer schwächer wurde und schließlich den Blick auf die dunkle Höhle freigab. Ein Pfeifen ertönte, dann war alles wieder still.

Das Bild war verschwunden.

Reglos und stumm standen sie da. Die andere Welt war fort, die Magie entschwunden.

Léti spürte, wie ihr eine Träne über die Wange rann, dann eine zweite, dritte und vierte. Sie weinte stumm, ohne so

recht zu wissen, warum. Als sie sich zu den anderen um-
wandte, sah sie auch in ihren Augen Tränen glitzern, selbst
in denen des stolzen, unbeugsamen Grigán.

Jetzt wusste sie, warum die anderen Erben nach der Rückkehr von der Insel seltsam traurig gewesen waren.

»Ist es immer so?«

»Vor allem beim ersten Mal«, antwortete ihre Tante.
»Dann gewöhnt man sich daran, wie an alles. Später erinnert man sich nur noch an die Schönheit.«

»Was haben wir da eigentlich gesehen?«, fragte Rey.
»Wisst Ihr, wo dieser Ort ist?«

»Ihr gebt also endlich zu, dass es ihn gibt«, sagte Grigán bissig.

»*Der Weise ist so klug, seinen Irrtum zu erkennen*, sagt das
Sprichwort. Ich möchte hinzufügen, dass Ihr Euch nicht gerade große Mühe gegeben habt, mich zu überzeugen.«

»Der Anblick sagt mehr als alle Worte«, bekerkte Corenn.
»Und um Eure Frage zu beantworten: Nein, wir wissen leider nicht, wo dieser Ort ist. Aber Nol der Seltsame nahm
unsere Ahnen dorthin mit.«

»Und?«, fragte Léti und wischte sich die Tränen fort. »Was
haben sie gesehen?«

Corenn seufzte, bevor sie antwortete. In ihrer Stimme lag
tiefes Bedauern. »Diesen Teil des Geheimnisses nahmen sie
mit ins Grab. Nie haben sie ein Wort darüber verloren.«

Alle waren in Gedanken versunken. Bowbaq war vor allem erleichtert, dass nichts Schlimmes passiert war. Léti
und Rey empfanden Enttäuschung, weil sie nicht mehr
über die andere Welt erfuhren. Yan hatte den Eindruck,
nichts sei mehr wie zuvor. Er würde keine Ruhe finden, bis
er das Rätsel der Pforte nicht gelöst hatte.

»Haben die Weisen denn verraten, wie sie auf die andere

Seite gelangt sind? Ich meine, wir waren so kurz davor. Vielleicht benötigt man einen bestimmten Gegenstand oder eine magische Formel?«

»Der Überlieferung zufolge nahmen sie sich einfach an der Hand und traten auf die Wiese«, antwortete Corenn. »Doch das haben wir schon versucht – vergebens«, sagte sie, als die jungen Leute sie verblüfft anstarrten. »Seit einem Jahrhundert haben die Erben nichts unversucht gelassen, um auf die andere Seite zu gelangen – stets ohne Erfolg.«

»Mit einer Ausnahme«, verbesserte Grigán sie.

»Richtig, mit einer Ausnahme. Queff, Bowbaqs Großvater, hielt einem kleinen Jungen aus der anderen Welt eine Quille hin. Der Junge kam auf ihn zu, so wie der vorhin, streckte die Hand aus und nahm die Frucht.«

»Heißt das, der Junge kam aus der Vision heraus, schnappte sich die Quille und machte sich wortlos davon?«, rief Rey.

»Nur seine Hand kam heraus«, sagte Corenn. »Aber ich kann es nicht beschwören, denn damals war noch keiner von uns geboren.«

»Vielleicht kann man die Pforte nur in eine Richtung benutzen?«, schlug Léti vor.

»Nein, dann hätten die Gesandten nicht hindurchgehen können«, entgegnete Grigán.

»Ist Euch eigentlich klar, dass man mit diesem Ding einen Haufen Gold verdienen könnte?«, fragte Rey mit einem frechen Grinsen.

Fünf strafende Blicke trafen ihn.

»Nur ein Scherz«, sagte er beschwichtigend. »Keine Angst, ich habe nicht vor, meinen Schwur zu brechen.«

»Und, habt Ihr etwas erfahren, Dame Corenn? Ich meine, über unseren Widersacher?«

»Leider nein, Yan. Wir können uns glücklich schätzen, eins der Kinder gesehen zu haben. Das kommt nur selten vor. Aber anders als ich vermutet hatte, ist nichts Außergewöhnliches geschehen.«

»Ich glaube«, sagte Rey, »wer auch immer uns die Züu auf den Hals hetzt, ist dahintergekommen, wie man auf die andere Seite gelangt. Und jetzt will er uns daran hindern, es ebenfalls herauszufinden. Warum, das weiß nur er.«

»Das glaube ich auch«, sagte Corenn. »Aber ich hatte erwartet, ihn heute Nacht zu Gesicht zu bekommen. Es kann natürlich auch sein, dass er diese oder eine andere Pforte durchschreiten kann, wann immer er will.«

»*Eine andere Pforte?*«, riefen vier Stimmen im Chor.

Corenn sah sie nacheinander an und begriff, dass niemand außer Grigán wusste, wovon sie sprach.

»Ich muss euch noch viel erzählen«, sagte sie. »Wir wissen von dieser Pforte, und wir vermuten, dass es auf der anderen Seite eine Pforte mit ähnlichen Zeichen gibt. Deshalb kamen unsere Ahnen auf den Gedanken, es könnte noch weitere geben. Sie machten sich heimlich auf die Suche, denn damals spionierten ihnen ihre eigenen Herrscher und Regierungen noch nach. Im Archiv einer geographischen Gesellschaft stießen sie auf die Spur zweier weiterer Pforten. Eine soll sich in Jerusnien befinden, der östlichsten Provinz des Königreichs Romin. Doch der Ort war nur ungenau beschrieben und wurde nie gefunden. Bei der zweiten Pforte war es einfacher, denn sie ist in den Oberen Königreichen weithin bekannt. Es handelt sich um den Sohonischen Bogen.«

»Der Große Bogen?«, rief Bowbaq verblüfft. »Der Große Bogen von Arkarien ist eine Pforte?«

»Was ist der Große Bogen?«, fragte Léti.

»Eine Brücke mitten im Nichts«, antwortete Rey. »Man sagt, sie sei eines der fünf ältesten Bauwerke der bekannten Welt, neben den Stufen des Crépel-Bergs, dem Tempel von Kenz, den Versteinerten Pyramiden und den Säulen von Corosta. Trotzdem ist es nichts als eine nutzlose Brücke mitten in der Schneewüste!«

»Es ist keine Brücke«, entgegnete Corenn. »Eine Brücke würde anders aussehen, sonst wäre sie eine Fehlkonstruktion. Es ist eine Pforte.«

»Ich war selbst dort«, sagte Grigán. »Auf der Innenseite trägt der Bogen die gleichen Zeichen wie hier. Allerdings sind sie an einigen Stellen verwittert oder herausgebrochen.«

»Das ist alles etwas viel für eine Nacht«, murmelte Rey. »Wenn man Euch so hört, könnte man meinen, es gäbe überall Magie …«

»Es gibt sie überall! Ich bin die Mutter der Tradition im Ständigen Rat des Matriarchats von Kaul«, sagte Corenn pompös. »Mein Posten verlangt mir Vernunft, logisches Denken und Weisheit ab. Aber habe ich deshalb eine Erklärung für die Ezomin-Steine? Die Lianen von Karadas? Den Kalkbaum? Nein. Und doch gibt es diese Dinge, selbst wenn unser Verstand sie nicht begreifen kann. Habe ich eine Erklärung für die Pforte von Ji? Nein. Aber auch sie gibt es, genau wie die anderen Pforten.«

Rey dachte einen Moment nach, bevor er antwortete. »Gut, ich glaube Euch. Was bleibt mir auch anders übrig, nach allem, was ich gesehen habe.«

Yan ließ sich die rätselhaften Namen, die er soeben gehört hatte, auf der Zunge zergehen. Er nahm sich vor, Corenn bei Gelegenheit nach all diesen Dingen zu fragen. Die Welt erschien ihm mit einem Mal so viel größer als zuvor.

»Ich schlage vor, wir verschieben dieses Gespräch«, sagte Grigán. »Wir müssen die Insel noch vor Sonnenaufgang verlassen.«

Da seine Vorschläge eher Befehle waren, setzten sie sich widerstrebend in Bewegung, nachdem sie sich vergewissert hatten, dass sie keine Spuren hinterließen. Nacheinander traten sie in den Gang, der sie nach draußen führen würde.

»Tante Corenn, was glaubst du? Was ist auf der anderen Seite?«

»Ich weiß nicht … Vielleicht etwas, das es in allen Religionen gibt. Das Paradies?«


Auf dem Rückweg blieben sie stumm. Doch lange hielt Rey das Schweigen auch diesmal nicht aus.

Auch er empfand diese seltsame Traurigkeit, deshalb beschloss er, etwas Dampf abzulassen, indem er seiner Lieblingsbeschäftigung nachging: Grigán zu ärgern.

»Müssen wir so schnell gehen? Ich wäre jetzt zum zweiten Mal fast hingefallen!«

»Sagt mir Bescheid, wenn es so weit ist, Kercyan«, knurrte der Krieger. »Die Damen beschweren sich schließlich auch nicht.«

»Oh, wie ungemein rücksichtsvoll«, sagte Léti ironisch. »Dürfte ich erfahren, warum wir eher einen Grund haben sollten, uns zu beschweren als die *Männer*?«

Grigán schwieg. Inzwischen ignorierte er Létis Aufbegehren und Reys Sticheleien. Es erleichterte das Leben, schlug ihm aber dennoch auf den Magen.

Doch jetzt gab es erst einmal Wichtigeres. Sie mussten die Insel so schnell wie möglich verlassen und das Festland noch vor Sonnenaufgang erreichen. Wenn sie weiterhin so herumtrödelten, kämen sie nicht rechtzeitig zu ihrem Boot zurück.

Corenns Verdacht hatte sich nicht bewahrheitet. Es war nichts Ungewöhnliches vorgefallen, und ihrem Widersacher waren sie auch nicht begegnet. Auf Ji hatten sie keine Antworten gefunden, sondern allenfalls ein paar Vermutungen entkräftet.

Grigáns Instinkt täuschte ihn selten. Da in der Höhle niemand auf sie gewartet hatte, würden die Züü sie bestimmt auf dem Rückweg abfangen. Er wusste nicht, woher er die Überzeugung nahm, doch sein Gespür hatte ihm schon mehrmals das Leben gerettet.

»Grigán, mein Freund«, sagte Bowbaq. »Man könnte meinen, du wärst auf dieser Insel aufgewachsen. Du bewegst dich mit schlafwandlerischer Sicherheit, so als würdest du den Weg seit Jahren kennen.«

»Das tue ich auch. Ich war jetzt zum neunten Mal in der Höhle und habe die andere Welt gesehen.« Er verstummte jäh und zögerte. »Ich hoffe, es war nicht das letzte Mal.« Um seine Worte herunterzuspielen, fügte er hinzu: »Ich mag keine krummen Zahlen.«

»Und wie viele Menschen habt Ihr in Eurem Leben getötet?«, fragte Léti.

»Ich habe nicht mitgezählt«, knurrte Grigán. »So etwas überlasse ich den Züü.«

»Ich habe eine Idee«, sagte sie. »Wir könnten einem Zü den Auftrag geben, uns die anderen vom Hals zu schaffen.«

»Die Kleine ist nicht auf den Kopf gefallen.«

»Ich bin nicht *klein*.«

»Ich bitte Euch vielmals um Verzeihung, aber das Kompliment war ernst gemeint.«

Rey konnte zugleich charmant und unerträglich sein. Léti wusste nicht, ob sie sich in ihn verlieben oder ihn verabscheuen sollte. Ihre Gefühle für Yan waren wenigstens eindeutig. Wäre ihr Freund nur nicht so zurückhaltend …

»Löscht die Fackeln«, befahl Grigán. »Wir sind gleich am Strand. Von jetzt an dürft ihr kein Wort mehr reden. Und haltet euch diesmal daran.«

Sie gehorchten. Grigán kletterte auf einen Felsen und starrte eine Weile zu ihrem Boot hinüber. Rey folgte seinem Beispiel.

»Könnt ihr etwas sehen?«, wisperte Bowbaq.

»Ich glaube, wir sind auf einer Insel«, antwortete Rey. »Ringsum ist nichts als Wasser.«

»Ich weiß, dass wir auf einer Insel sind«, sagte der Riese. »Manchmal verstehe ich Euch nicht, Freund Rey.«

»Das war ein Scherz, Freund Bowbaq«, erwiderte dieser und sprang zu Boden. »Nur ein Scherz. Es ist niemand in Sicht.«

»Was nicht heißt, dass dort niemand ist«, sagte Grigán. »Kommt, aber vorsichtig.«

Sie folgten ihm, bis er ihnen bedeutete, stehen zu bleiben.

»Ich gehe vor«, wisperte er. »Wartet hier.«

Er verschwand in der Dunkelheit, den Bogen in der Hand, wie schon so oft in dieser Nacht. Doch diesmal sollte alles anders kommen.


Grigán wollte es sich nicht eingestehen, weil ihm der Gedanke selbstsüchtig erschien, aber er war wesentlich schneller und unauffälliger, wenn er allein unterwegs war.

Obwohl sich die anderen große Mühe gaben und er

selbst alles Menschenmögliche zu ihrem Schutz unternahm, waren sie eine leichte Beute. Sie waren zu viele, sie waren nicht leise genug, und kaum einer seiner Mitstreiter hatte Erfahrung im Kampf.

Grigán hatte das Gefühl, für sie verantwortlich zu sein wie ein Vater für seine Kinder. Sie standen unter seinem Schutz. Diese Bürde hatte er sich selbst auferlegt, und er war stolz darauf, trotz der Gefahren, die überall lauerten. Mit Gefahren kannte er sich aus.

Wie ein Schatten huschte er von einem Felsblock zum anderen. Die Abstände zwischen den Steinen wurden immer größer, zum Strand war es nicht mehr weit. Er konnte bereits das Meer hören.

Er duckte sich unter einen Überhang und machte mit eingezogenem Kopf ein paar kleine Schritte. Schon lange störte es ihn nicht mehr, wenn er lächerlich aussah. Viele Kämpfe wurden von Männern gewonnen, die man zunächst für lächerlich oder übervorsichtig gehalten hatte.

Er presste sich an den Felsen, die Sinne hellwach, und prägte sich das Gelände ein. Wo würde sich jemand verstecken, der einen Hinterhalt plante? Sicher dort drüben, hinter den beiden Felsblöcken, die einen Winkel bildeten.

Er arbeitete sich langsam vor, indem er sich in jeden Spalt, jeden Vorsprung, jede dunkle Ecke drückte. Bald war er nur noch wenige Schritte von seinem Ziel entfernt.

Er legte den Bogen und Köcher ab und zückte einen Wurfdolch. Dann schob er seinen Kopf langsam vor und spähte um die Ecke.

Er hatte sich nicht geirrt, aber so richtig freuen konnte er sich darüber nicht.

In dem Versteck lehnte ein Mann am Felsen, ein Schwert in der Hand. Ab und zu warf er einen gelangweilten Blick auf den Weg. Den Weg, den er, Corenn und die anderen entlanggekommen wären …

Der Mann war kein Zü, eher einer der Kerle, die für die Gilde arbeiteten, denn er sah genauso aus, wie Yan und Rey die Männer beschrieben hatten. Jedenfalls schien er sich nicht auf seine Aufgabe zu verstehen. Grigán hätte ihn in weniger als zwei Herzschlägen töten können.

Aber wie hieß es so schön: *Wo einer ist, da sind noch mehr.* Wenn nicht sogar viele. Und vermutlich waren sie besser versteckt.

Unter diesen Umständen konnte er den Strand nicht auskundschaften, denn es gab zu viele Möglichkeiten für einen Hinterhalt. Außerdem musste er seine Gefährten warnen. Sie durften keinen Mucks von sich geben.

Am besten wäre es, ihre Feinde in das Labyrinth zu locken. Dort würde er sie vielleicht einer nach dem anderen erledigen können. Bei Sonnenaufgang würden sie weitersehen.

In dumpfe Grübeleien versunken machte er sich auf den Rückweg, als ein gellender Schrei die Stille zerriss.

Léti.


Grigán war schon lange fort, und Rey verlor allmählich die Geduld. Er ertrug den Alten, wie er ihn insgeheim nannte, und seinen ewigen Verfolgungswahn ohnehin nur schwer. Dass sie sich nun seinetwegen die Beine in den Bauch standen, war der Gipfel.

Die anderen lehnten mit dem Rücken an einem Felsen oder saßen im Sand, brav wie die Schäfchen. Seine Gefährten waren ganz nett, aber etwas zu unterwürfig für seinen Geschmack. Abgesehen von Léti vielleicht, befolgten alle die Befehle des Kriegers, als hätten sie noch nie etwas anderes getan.

Er kletterte auf einen Felsen und starrte eine Weile in die Finsternis. Doch er sah nichts als das Meer, das um ein paar Schattierungen dunkler war als die Insel, und gab bald auf.

Er war eindeutig ein Stadtmensch. Rey war bislang nur durch die Natur gewandert, um von einer großen Stadt in eine andere zu gelangen, und zwar auf dem kürzesten Wege. Diese verlassene Insel jagte ihm Angst ein, so als hätte er sich dem Tod genähert. Seinem eigenen Tod.

Er versuchte, diesen unerfreulichen Gedanken zu vergessen. In Lorelia waren die Straßen immer beleuchtet und nur selten menschenleer. Das lebhafte Treiben, die Festtage und Wirtshäuser vertrieben alle schwarzen Gedanken. Hier hingegen …

Endlich gestand er es sich ein: Er vermisste das Bild von der anderen Welt, die ihnen erschienen war. Er empfand tiefe Traurigkeit und eine seltsame Enttäuschung, wie er sie noch nie gekannt hatte, und wenn er die wehmütigen Gesichter der anderen betrachtete, war er nicht der Einzige.

Es war ihm gleich, was der Alte sagte. Er hielt das Schweigen nicht mehr aus. Er musste reden.

Er trat zu Léti und suchte nach einer amüsanten Bemerkung, um das Gespräch zu eröffnen. Doch dann erstarrte er mitten in der Bewegung.

Ein Mann kam den Weg entlang.

Die Schnelligkeit, mit der sich Rey auf ihn stürzte, überraschte ihn selbst. Der Unbekannte war nicht minder verblüfft, reagierte aber zu langsam. Noch ehe er sein Schwert heben konnte, lag er auf dem Boden, und Rey hielt ihm einen Dolch an den Hals.

Wenn er allein gewesen wäre, hätte Rey keinen Moment gezögert und dem Mann mit einem raschen Schnitt die schmutzstarrende Kehle durchgeschnitten, doch die Anwesenheit seiner arglosen Gefährten – und die Erinnerung an die andere Welt – hinderten ihn, den Unbekannten kaltblütig zu töten. Dann ging alles sehr schnell. Rey roch den fauligen Atem des Mannes. Er sah die Panik in seinen Augen. Léti stieß einen markerschütternden Schrei aus, und etwas Schweres traf Rey am Kopf.

Rey spurtete plötzlich los. Léti sprang sofort auf und sah, wie er einen bewaffneten Fremden zu Boden warf.

Niemand hatte ihn kommen hören. Yan, der neben ihr saß, hing wieder mal seinen Tagträumen nach, Bowbaq war in die Betrachtung der Sterne vertieft, und Corenn hatte die Augen geschlossen und ruhte sich aus.

Zunächst empfand sie Erleichterung. Der Unbekannte war ihr Feind, aber alles war gut, denn er war besiegt, und zwar ohne Grigáns Hilfe.

Gleich darauf stieg Wut in ihr hoch, Wut auf sich selbst, weil sie nicht so schnell und tatkräftig reagiert hatte wie Rey. Wenn sie ehrlich war, hatte sie überhaupt nicht reagiert.

Schließlich gewann das Entsetzen die Oberhand. Mehrere Männer kamen auf sie zugerannt.

Sie hörte sich schreien, um Rey zu warnen, und musste hilflos zusehen, wie einer der Fremden ihm eine Keule über den Kopf zog.

Sie streckte ihren Feinden das Messer entgegen und nahm eine wackelige Kampfhaltung ein. Sie wusste nicht, wie die Waffe überhaupt in ihre Hand gekommen war.

Bowbaq stellte sich zwischen sie und die Männer, sodass sein massiger Körper ihnen den Weg versperrte. Léti spürte, wie jemand an ihren Kleidern zerrte. In wildem Zorn fuhr sie herum, bereit, es mit ihrem Feind aufzunehmen.

Es war nur Yan. Jetzt ging ihr auf, dass er sie bereits seit einer Weile rief. Aber seine Worte waren erst jetzt in ihr Bewusstsein gedrungen.

»Komm! Wir müssen hier weg! Komm schon, Léti!«

Ohne zu wissen, warum, folgte sie ihm. Vielleicht, weil es Yan war. Weil er sie gerufen hatte.

Sie konnte keinen klaren Gedanken fassen. Sie wusste nur, dass sie das Messer nicht loslassen durfte.

Sie krampfte die Hand um die Waffe, biss die Zähne zusammen und rannte um ihr Leben.


Ohne groß nachzudenken, hatte sich Bowbaq den Fremden in den Weg gestellt. Was jetzt? Erleichtert hörte er, wie Yan und Léti die Flucht ergriffen. Dann dämmerte ihm, dass nun Corenn in Gefahr war. Mit zwei Schritten war er bei ihr und stellte sich vor sie.

Die Feinde waren in der Überzahl. Vor ihm standen mindestens fünf Männer, und die Stimmen und das Waffengeklirr, die er in der Nähe hörte, verhießen nichts Gutes.

Der Riese wusste nicht, was er tun sollte. Die Männer vor ihm rührten sich nicht. Der bewusstlose Rey lag im Weg, und Bowbaqs massige Gestalt schien sie abzuschrecken.

Langsam trat Bowbaq einen Schritt vor und starrte dem Mann, der ihm am nächsten war, in die Augen, wie er es sich von Mir abgeschaut hatte. Unwillkürlich zuckte der Mann zurück und zwang seine Komplizen, einen Schritt nach hinten zu stolpern.

Bowbaq streckte seine Pranke aus und entriss dem Mann die Keule. Er hatte sich zwar geschworen, nie einen Menschen zu töten, aber das wussten seine Feinde ja nicht. Außerdem fühlte er sich mit der Keule nicht mehr ganz so schutzlos.

»Lass das fallen!«, hörte er eine Stimme hinter sich.

Bowbaq warf einen raschen Blick über die Schulter, ohne seine Gegner aus den Augen zu lassen. Was er sah, nahm ihm die letzte Hoffnung.

Mehrere Männer hatten sich von hinten herangeschlichen und versperrten ihnen von der anderen Seite den Weg. Einige zielten mit Pfeil und Bogen auf ihn.

Corenn, Rey und er waren umzingelt. Sie saßen in der Falle.


Grigán gefiel das nicht. Es gefiel ihm ganz und gar nicht. Ihre Feinde waren ihnen zahlenmäßig überlegen, und ihm war, als hörte er Kampfgeräusche aus der Richtung, wo die anderen auf ihn warteten.

Tatsächlich rannten nun sämtliche Männer den Weg zwischen den Felsen entlang. Sie konnten Grigán jeden Moment entdecken, und er schaffte es gerade noch, sich hinter einen Felsen zu werfen, bevor drei Fremde an ihm vorbeihasteten.

Grigán war mutig, vermutlich sogar außergewöhnlich mutig, aber nicht dumm. Wenn er auf dem Weg blieb, würde er über kurz oder lang seinen Feinden in die Hände fallen. Versteckte er sich und wartete ab, wäre er bald ein einsamer Mann, der um seine Freunde trauerte.

Er hörte eilige Schritte. Jemand kam auf ihn zugerannt. Grigán verschmolz mit dem Schatten des Felsens und griff nach seinem Dolch. Im letzten Moment stellte er dem Mann ein Bein und brachte ihn zu Fall. Der Fremde schlug mit dem Kopf gegen einen Stein und verlor die Besinnung, bevor er auch nur einen Laut von sich geben konnte.

Grigán fragte sich, warum es nicht immer so einfach sein konnte.

Der Bewusstlose brachte ihn auf eine Idee. Sie war zwar leichtsinnig, sogar gefährlich, aber eine bessere hatte er nicht.

Er zog seinem Opfer die zerlumpten Kleider vom Leib und streifte sie sich über.

Dann rannte er mit den anderen Männern auf seine Gefährten zu.


Léti lief schnell, viel zu schnell. Anfangs war Yan absichtlich hinter ihr geblieben, um sie zu beschützen und sie daran zu hindern, kehrtzumachen und sich in den Kampf zu stürzen. Doch jetzt hatte sie ihn längst abgehängt, und er verlor sie immer wieder aus den Augen.

Wenn er schneller rannte, brachte er sich in Gefahr. In der Dunkelheit könnte er stürzen, gegen einen Felsen prallen oder schnurstracks einem der Mörder in die Arme laufen, vor denen sie flohen.

Als der Mann ihn und seine Gefährten überrumpelt hatte, war es ihm als das Klügste erschienen, wegzurennen und sich zu verstecken. Als Rey am Boden lag, hatte Yan gewusst, dass sie nichts mehr ausrichten konnten. Ihnen blieb nichts, als ihr Heil in der Flucht zu suchen. Das hätte selbst Grigán eingesehen.

Er versuchte, nicht an Corenn und die anderen zu denken.

Nicht jetzt. Erst musste er die wehrlose Léti außer Gefahr bringen. Dann würde er zurückkehren und seinen Freunden helfen. Falls es dann nicht schon zu spät war …

Yan verlangsamte seine Schritte. Er war völlig außer Atem, denn der Weg führte bergauf. Er war einfach kopflos in irgendeine Richtung gelaufen und hatte keine Ahnung, wo er sich befand.

Schon seit einer ganzen Weile hatte er Léti aus den Augen verloren. Sie musste mittlerweile einen Vorsprung von gut hundert Schritten haben. Er spitzte die Ohren und versuchte, seinen keuchenden Atem zu beruhigen.

Er konnte Léti nicht einmal mehr hören. Angestrengt horchte er auf entfernte Schritte in der stillen Nacht. Vergebens. Er hatte sie verloren.

Corenn folgte ihren Feinden widerstandslos. Sie hatte sofort eingesehen, dass jede Gegenwehr sinnlos war. Die Männer, die die Züu ihnen auf den Hals gehetzt hatten, waren einfach zu zahlreich.

Die Kerle hatten sie nicht an Ort und Stelle getötet, was Corenn Hoffnung gab. Außerdem hielt sich Grigán irgendwo versteckt, und Léti und Yan hatten fliehen können. Was die Männer auch vorhatten, momentan war es das Beste, Zeit zu schinden, und zwar mit allen Mitteln.

Sogleich begann sie heftig zu hinken, doch schon nach wenigen Dezillen schubste der Mann hinter ihr sie unsanft und stieß einen Schwall Flüche aus, von denen Corenn die meisten noch nie gehört hatte. Sie gab nicht auf, sondern humpelte etwas schneller und stöhnte hin und wieder vor Schmerzen auf. Ihre Täuschung musste so überzeugend wie möglich wirken.

Sie schaffte es sogar noch, Bowbaq zu überholen, bevor sie langsamer wurde. Der Riese hatte sich bislang in seiner üblichen Geschwindigkeit fortbewegt, was viel zu schnell war.

Zeit zu schinden, war ihre einzige Hoffnung, dachte sie erneut. Um ihrer Gefährten willen, und damit sie selbst nachdenken konnte.

Obwohl Rey mehr tot als lebendig schien, hatten die Männer ihn mitgenommen. Zwei Kerle hatten ihm die Waffen abgenommen und schleppten ihn nun an Händen und Füßen den Weg entlang. Corenn schloss daraus, dass sie nicht vorhatten, sie zu töten. Jedenfalls nicht sofort.

Trotzdem waren sie Gefangene und wurden auch so behandelt. Bislang hatten die Mitglieder der Gilde – denn das waren die Männer vermutlich – kein Wort an sie gerichtet, das keine Drohung oder Verwünschung war. Sie durfte sich keine falschen Hoffnungen machen.

»Wo gehen wir hin?«, wagte sie zu fragen.

»Halt die Klappe, Weib!«, war die einzig Antwort.

Corenn ließ es dabei bewenden, da sie ihre Lage nicht unnötig verschlechtern wollte. Einen der Kerle gegen sie aufzubringen, würde ihnen nur Schläge einbringen und die Aussichten verringern, dass sich die Schurken auf Verhandlungen einließen.

»Er wacht auf. Ich hab's dir doch gleich gesagt!«, polterte eine lorelische Stimme.

Einer der beiden Männer, die Rey trugen, ließ ihn unsanft zu Boden fallen. Tatsächlich war er wieder zu Sinnen gekommen, zumindest so weit, dass er gegen die Misshandlung protestieren konnte.

»He, Ihr da! Ich kann mich des Gefühls nicht erwehren, dass Ihr mich nicht mögt. Mich ohne Vorwarnung fallen

zu lassen, zeugt von einem *erheblichen* Mangel an Feingefühl.«

»Halt's Maul! Aufstehen!«, brüllte der Träger und trat Rey
in den Magen.

Dieser umklammerte das Bein des Mannes, brachte ihn
zu Fall und versuchte, nach dessen Schwert zu greifen.
Doch die Waffe steckte unter ihrem Besitzer fest, und Reys
Versuch blieb erfolglos. Der zweite Träger versetzte ihm ei-
nen weiteren Tritt in die Rippen und zwang ihn mit seinem
Schwert zum Aufstehen.

»Ich habe gleich geahnt, dass Ihr mich nicht mögt«, sagte Rey mit schmerzverzerrtem Gesicht.

»Halt die Klappe!«

Der kleine Trupp setzte sich wieder in Bewegung. Mittlerweile wusste Corenn, wo die Männer sie hinbrachten: zu
dem Strand, an dem sie gelandet waren.

Am meisten fürchtete sie, dass man sie auf ein Boot ver-
schleppte und mit ihnen zum Festland übersetzte. Corenn
wollte nicht von den anderen getrennt werden, vor allem
nicht, ohne zu wissen, wie es ihnen ergangen war.

Bowbaq wurde von einem Hustenanfall geschüttelt. Corenn drehte sich zu ihm um. Ihres Wissens war der Riese
kerngesund. Bowbaq sah sie mit weit aufgerissenen Augen
an. Dann ruckte er mit dem Kopf zur Seite.

So unauffällig wie möglich sah Corenn in die Richtung.
Er wollte doch nicht etwa *jetzt* einen Fluchtversuch unternehmen? Dafür war es viel zu spät.

Doch Bowbaq hatte ein Zeichen entdeckt. Grigán musste
die Anordnung aus Zweigen, Steinen und Muscheln gelegt
haben. Leider konnte Corenn es nicht entziffern.

Was der Krieger ihnen auch sagen wollte, er konnte ohnehin nichts für sie tun.

Léti war am Ende ihrer Kräfte. Die Ereignisse der letzten beiden Dekaden hatten sie tief erschüttert, und jetzt brach sie einfach zusammen.

Am liebsten hätte sie nur noch geweint, doch die Tränen wollten einfach nicht kommen. Sie hätte geglaubt, nie wieder etwas empfinden zu können, wenn sie nicht diesen bitteren Geschmack im Mund und den hämmernden Kopfschmerz spüren würde, der jeden Gedanken zunichte machte.

Sie war ihr Leben lang immer nur geflohen. Geflohen vor dem Tod der Menschen, die sie liebte, geflohen vor der Liebe der Lebenden. Vor schweren Prüfungen und vor dem Glück. Vor Wahrheit und Lüge.

Und jetzt war sie abermals geflohen. So schnell, dass sie sogar Yan verloren hatte. Wie selbstsüchtig von ihr! Als sie es gemerkt hatte, war es fast zu spät gewesen.

Sie kniete im Gras und konnte nicht aufhören zu zittern. Sie war gerannt, gerannt und einfach immer weiter gerannt, als wollte sie auch vor der Angst fliehen. Sie war gerannt wie eine Wahnsinnige. Fast wäre sie in den Tod gerannt.

Sie hatte die Gefahr erst zehn Schritte vor dem Abgrund bemerkt, und dann hatte sie sieben oder acht Schritte gebraucht, um stehen zu bleiben.

Der Weg endete hier. Ihre Flucht hatte sie ans Meer geführt, besser gesagt, auf eine Klippe vierzig Schritte über dem Meer.

Eine Weile beobachtete sie, wie sich die Wellen an den Felsen unter ihr brachen. Sich hinunterzustürzen, wäre eine Lösung, eine Erlösung …

Nein! Es wäre ein Eingeständnis ihrer Schwäche.

Sie konnte nicht weiter? Gut. Vielleicht war das ein Wink des Schicksals.

Sie würde *nie wieder* fliehen.

Sie vergewisserte sich, dass sie das Messer noch immer fest in der Hand hielt, machte kehrt und ging mit entschlossenen Schritten auf den Eingang des Labyrinths zu.

Drei bewaffnete Männer tauchten nacheinander zwischen den Felsen auf und schnitten ihr den Weg ab. Einer brüllte ihr etwas auf Lorelisch zu, vermutlich eine Drohung.

Ruhig kehrte sie zur Spitze der Klippe zurück, drehte sich um und sah ihnen entgegen.

*Sie würde nie wieder fliehen.*


Grigán war gerannt, so schnell er konnte, doch er war nicht schnell genug gewesen. Er war erst bei seinen Gefährten angelangt, als der Kampf vorbei war und Corenn, Bowbaq und Rey schon gefangen waren.

Die Männer waren gerade dabei, sie abzuführen. Grigán erwog kurz, sich ihnen anzuschließen, verwarf die Idee dann aber. Einige der Männer kannten vermutlich seinen Steckbrief, also hielt er sich besser von ihnen fern.

So folgte er seinen Freunden in einiger Entfernung. Hilflosigkeit und Furcht plagten ihn mehr denn je.

Bald war klar, dass die Kerle seine Freunde zum Strand brachten, der einzigen Stelle der Insel, an der man an Land gehen konnte. Daraufhin überholte er den Trupp unauffällig und hinterließ Bowbaq ein Zeichen, in der Hoffnung, der Riese würde es nicht übersehen.

Mehr konnte er nicht tun. Er konnte sie nur wissen lassen, dass er in der Nähe war.

Viel war das nicht.

Bowbaq wünschte sich weit fort. All diese Scherereien wären ihnen erspart geblieben, wenn sie die Höhle gemieden hätten. Abermals hatte er den Fehler begangen, eine unsichtbare Grenze zu überschreiten, und musste jetzt mit den Folgen leben.

Er sorgte sich weniger um sich selbst als um seine Frau und die Kinder. Seine Freunde und er waren gescheitert. Sie hatten die Pläne ihres geheimnisvollen Widersachers nicht durchkreuzen können, und die Züü würden ihren Auftrag fortführen – bis zum bitteren Ende.

Wenn er in Arkarien geblieben wäre, hätte Bowbaq wenigstens versuchen können, seine Familie zu beschützen. Doch was geschehen war, war geschehen, und er konnte nichts daran ändern.

Kurz darauf erreichten sie den Strand. Das Segelboot lag immer noch da, wo sie es an Land gezogen hatten, aber vier größere Schiffe waren hinzugekommen. Bowbaq hatte mit nichts anderem gerechnet.

Am Strand warteten fünf Züü. Sie sahen genauso aus wie die, gegen die er in Arkarien gekämpft hatte: rote Gewänder, kahl geschorene Schädel, fanatisch glühende Augen.

Einer unterschied sich von den anderen: Sein Gesicht, vielmehr sein ganzer kahl rasierter Schädel, war schwarzweiß geschminkt. Er sah aus wie ein menschlicher Totenkopf mit zwei funkelnden Augen, die ihr Gegenüber zu verschlingen drohten.

Selbst die Ganoven schienen die Priester zu fürchten. Bowbaq fiel auf, dass keiner der Männer den Züü freiwillig zu nahe kam. Sie ließen die Züü keinen Moment aus den Augen. Anscheinend jagten die Mörder auch den abgebrühten Mitgliedern der Gilde Angst und Schrecken ein.

Zwei der Züü hielten die berüchtigten Dolche in den

Händen, zwei weitere waren mit einer nicht minder tödlichen Armbrust bewaffnet. Nur der Mann mit der Kriegsbemalung trug keine Waffe. Trotzdem schien er der Gefährlichste von allen zu sein.

»Wo sind die anderen?«, fragte er einen der Männer.

Sein Lorelisch war perfekt, aber einen Totenkopf sprechen zu hören, war ein furchteinflößender Anblick. Der Angesprochene schluckte und verfluchte die Götter, dass sich der Mörder ausgerechnet ihn ausgesucht hatte.

»Die beiden Kinder sind geflo… werden bald hergebracht«, verbesserte er sich.

»Und der Ramgrith?«

Der Ganove trat einen Schritt zurück und senkte stumm den Blick. Er schien mehr Angst vor seinen Auftraggebern zu haben als Bowbaq vor den Kerlen, die sie überfallen hatten.

Der Zü wandte sich ab und ging ein paar Schritte auf und ab. »Ihr habt Eure Arbeit nicht erledigt«, sagte er mit ruhiger, klarer Stimme. »Worauf wartet Ihr noch?«

Das ließ der Mann sich nicht zweimal sagen. Er machte auf dem Absatz kehrt und lief zurück in das Labyrinth. Sechs seiner Komplizen folgten ihm. Sie waren froh, den Irren mit den vergifteten Dolchen zu entkommen.

Die beiden Männer, die Corenn, Rey und Bowbaq bewachten, schickten sich an, es ihren Kumpanen gleichzutun, aber der Zü hielt sie zurück, indem er leicht die Augenbrauen hob. Dann kam er langsam, unendlich langsam auf die Gefangenen zu.

Rey begann zu lachen. Der Zü stand mit überkreuzten Armen vor ihm und starrte ihm in die Augen, was allerdings nicht die erhoffte Wirkung hatte.

»Was für ein Spektakel!«, prustete Rey. »Ich habe schon

in vielen Stücken mitgespielt, in denen sich die Bösewichte vor allem durch Dummheit auszeichneten, doch ich hätte nie gedacht, dass es solche Trottel in Wirklichkeit gibt. Großartig! Meinen Glückwunsch, meinen allerherzlichsten Glückwunsch«, sagte er und bog sich vor Lachen.

Der Zü lächelte schwach und rammte ihm zwei ausgestreckte Finger in den Kehlkopf. Rey hatte keine Chance, dem Schlag auszuweichen.

Ihm blieb die Luft weg. Lange, viel zu lange, rang er nach Atem.

Als endlich wieder Sauerstoff in seine Lungen gelangte, wurde ihm speiübel. Er wandte sich ab und erbrach sich hinter einem Felsen.

»Ihr könnt Euch glücklich schätzen«, sagte der Zü gleichmütig. »In vier von fünf Fällen ist der Schlag tödlich.«

Bowbaq konnte es nicht fassen. Diese Männer waren vollkommen wahnsinnig.

»Und jetzt«, sagte der Mörder, »werden wir ein kleines Gespräch führen. Ihr, ich und Zuïa.«


Léti hatte sich noch nie so lebendig gefühlt.

Drei Männer näherten sich ihr mit Waffen in der Hand. Es gab keinen Ausweg. Niemand würde ihr zur Hilfe kommen, und sie hatte nichts als ein einfaches Fischermesser, um sich zu verteidigen.

Doch ihr Wille zu kämpfen und zu siegen, war ungebrochen.

All der Hass auf die Züü und ihre Schergen wallte in ihr auf.

Sie empfand nichts als blinde Wut.

Noch nie hatte sich Léti so stark gefühlt, so *kraftvoll*. Jede

Faser ihres Körpers schien zu vibrieren, und ihre Sinne waren so wach wie nie.

Sie hörte jeden Schritt, jedes Geräusch ihrer Feinde mit großer Klarheit. Sie nahm jede noch so kleine Regung ihrer Gesichter wahr, ihre belustigten, höhnischen, neugierigen oder feindseligen Mienen. Sie spürte, wie der Sand unter ihren Füßen knirschte, ihr der Wind durch die Haare strich und der raue Griff des Messers gegen ihre Handfläche drückte.

Sie zwang sich, ihre zusammengepressten Kiefer zu lockern. Zwar war ihr Körper so geschmeidig wie noch nie, doch ihr Gesicht war zu einer Fratze verzerrt.

Dann waren die drei Männer bei ihr. Sie nahm jede körperliche Besonderheit wahr, jedes Detail ihrer Kleider. Die Bilder brannten sich für immer ihrem Gedächtnis ein. Sie zwang sich, ihre Aufmerksamkeit auf die Dinge zu richten, von denen ihr Leben abhing.

Zwei Männer trugen ein Schwert, der dritte einen Dolch. Der Bärtige hielt seine Waffe in der linken Hand. Der Mann mit dem Dolch war einarmig. Der Glatzkopf sah am gefährlichsten aus; ihn würde sie als Erstes aus dem Weg räumen müssen.

»Hör auf mit dem Unsinn und komm brav mit«, sagte er.

Léti antwortete nicht, sondern streckte ihnen das Messer entgegen.

»Lass das Messer fallen«, sagte er. »Du tust dir noch weh.«

Die Messerspitze sauste knapp vor seinem Gesicht durch die Luft. Noch hatte Léti ihn nicht verletzen wollen. Sie wollte nicht als Erste angreifen, was aber nicht hieß, dass sie sich alles gefallen ließ.

Der Glatzkopf fluchte und ging in Deckung, bereit, einen neuerlichen Angriff abzuwehren.

»Warte«, sagte der Einarmige. »Stich sie nicht gleich ab. Wir können noch etwas Spaß mit ihr haben.«

Léti täuschte einen Angriff an. Der Mann wich zurück und kam mit einem meckernden Lachen näher. Léti drängte ihn erneut zurück, doch er kam noch näher und lachte noch lauter.

Der Bärtige schien ebenfalls Gefallen an dem Spiel zu finden. Er half seinem Kumpan, indem er das Mädchen von der anderen Seite angriff. Léti ließ ihre Klinge durch die Luft sausen und täuschte halbherzige Angriffe nach beiden Seiten vor. Bald machten sich die beiden Männer einen Spaß daraus, sie mit der Hand zu berühren, bevor sie sich blitzschnell zurückzogen. Der Glatzkopf sah ihnen belustigt zu.

Léti wich noch etwas weiter zurück. Der Klippenrand war nun unmittelbar hinter ihr.

»He! Ich wette, dass du es nicht schaffst, ein Stück von ihrem Umhang zu erbeuten, ohne gebissen zu werden!«

»Das werden wir ja sehen!«

Die beiden Männer tänzelten mit einem lüsternen Funkeln in den Augen um sie herum. Der Einarmige riss ein Stück aus Létis Umhang und stieß einen Triumphschrei aus.

Das Mädchen sah rot. Eine Hand legte sich ihr auf die Schulter. Sie konzentrierte sich voll und ganz auf die Bewegung und stieß dem Mann das Messer ins Handgelenk.

»Diese Schlange!«, kreischte der Bärtige und presste die andere Hand auf die Wunde.

Er machte ein paar Schritte und ließ sein Schwert fallen. »Du Miststück! Ich blute wie ein Schwein!«

Plötzlich fand er das Spiel überhaupt nicht mehr lustig. Auch seine Kumpanen nahmen nun eine echte Kampfhaltung ein und kamen auf sie zu.

Jetzt wurde es ernst.


Der Zü lief vor ihnen auf und ab, als überlegte er, was er sagen wollte. Dabei hatte er sich die Worte vermutlich schon längst zurechtgelegt, dachte Corenn.

Er blieb stehen und betrachtete den hellen Streifen, der sich am Horizont des Mittenmeers abzeichnete. Die Ratsfrau bezweifelte, dass er etwas für die Schönheit der Morgendämmerung übrig hatte. Dann drehte er sich zu ihnen um.

»Für zwei von Euch geht die Sonne heute zum letzten Mal auf.«

Rey, Corenn und Bowbaq sahen sich an. Obwohl sie mit so etwas gerechnet hatten, war es doch etwas anderes, die nackte Wahrheit zu hören. Rey wollte etwas sagen, aber der Schlag gegen den Kehlkopf, den er hatte einstecken müssen, machte den Versuch zunichte. Seine spöttische Bemerkung erstickte in einem Hustenanfall.

Der Mörder sah jeden von ihnen an, bevor er weitersprach. »Zuïa wird einen – und nur einen – von Euch begnadigen. Und zwar denjenigen, der als Erster darum bittet.«

Niemand rührte sich. Der Zü ließ mehrere Dezillen verstreichen, bevor er abermals das Wort an sie richtete.

»Derjenige, dem Gnade widerfährt, muss seine einstigen Gefährten der Verdammnis preisgeben. Er muss uns ihre Namen und ihr Versteck verraten. Als Erstes das des Ramgriths, sollte er nicht auf der Insel sein.«

Immer noch schwiegen alle. Der Zü wirkte leicht verärgert.

»Ihr werdet es uns so oder so verraten. Es ist nur eine Frage der Zeit und der Schmerzen.«

»Ihr seid wirklich der schlechteste Mensch, dem ich je begegnet bin«, sagte Bowbaq. »Selbst Mir würde sich weigern, Euch zu fressen.«

Der Zü baute sich vor ihm auf. Seine Augen schleuderten Blitze. Unwillkürlich hielt sich der Riese die Hand vor den Kehlkopf.

»Ich bin *hundertmal* mehr wert als Ihr«, zischte der Mörder. »Jeder Bote Zuïas verdient mehr Achtung als all Eure Könige zusammen! Denn die Herrlichkeit der Göttin strahlt auf ihre Diener hernieder«, sagte er und hob einen Arm zum Himmel.

Er war offenkundig wahnsinnig.

»Wer seid ihr schon? Die Erben? Ein Bauer, ein Taugenichts, eine Frau und zwei Kinder. Für die Göttin seid Ihr ein Nichts. Vor ihrem göttlichen Gericht seid ihr ein Nichts.«

Gleich als der Mörder sein Geschwafel begann, hatte Corenn eine Entscheidung getroffen. Mit diesem Wahnsinnigen könnte man nicht verhandeln. Sie musste zur Tat schreiten, und zwar schnell, bevor die anderen Männer zurückkehrten. Während der Zü auf Bowbaq einredete, stieß sie Rey mit dem Ellbogen an und warf ihm einen verschwörerischen Blick zu. Er begriff, dass sie einen Plan hatte, und machte sich trotz seiner Übelkeit und seiner Verletzungen bereit, ihr zu helfen.

Corenn verschloss ihren Geist vor allem, was um sie herum geschah, und konzentrierte sich nur auf die Armbrust des Zü, der in ihrer Nähe stand. Sie sammelte ihren Willen, ließ ihn anschwellen und beschränkte sich darauf, ihn unter Kontrolle zu halten, so wie sie es gelernt hatte. Ihre Körpertemperatur stieg leicht an, und ihr Kopf begann zu pulsieren. Dann ließ sie ihren Willen frei, und die Sehne der Armbrust riss mit einem dumpfen Klacken.

Sein Besitzer beugte sich über die Waffe, um sie zu untersuchen, und alle sahen neugierig zu ihm hinüber. Rey fuhr herum, packte den Arm ihres Bewachers, biss ihn kräftig in die Hand und entwand ihm den Dolch.

Nein! Das war zu früh. Corenn hatte keine Zeit gehabt, die zweite Armbrust zu entschärfen. Der Zü würde auf Rey schießen!

Die Magierin konnte ihre Gabe nicht zweimal so kurz hintereinander anwenden. Sie war etwas aus der Übung und so geschwächt, dass sie sich kaum noch auf den Beinen halten konnte.

Mit Entsetzen sah sie, wie der Mörder die Waffe hob und auf Rey zielte. Ihm würde keine Zeit bleiben, in Deckung zu gehen.

Plötzlich steckte ein gefiederter Pfeil im Auge des Zü. Kurz darauf trafen ein zweiter und ein dritter Pfeil einen anderen Mörder im Bein und in der Brust.

Hastig sah sich Corenn um und wagte noch nicht, an das Wunder zu glauben. Dreißig Schritte entfernt stand Grigán auf einem Felsvorsprung und schoss Pfeil um Pfeil ab.

Corenn machte ein paar taumelnde Schritte auf ihn zu, zu erschöpft vom Gebrauch ihrer magischen Kräfte, um zu rennen oder auch nur nachzudenken. Hinter ihr schrie Bowbaq auf, und sie fuhr herum. Er lag wimmernd am Boden und krampfte die Hände um den Griff eines Dolchs, der in seinem Bauch steckte.

Der Zü mit dem Totenkopfgesicht hatte die Waffe geworfen. Eigentlich hatte er auf *sie* gezielt. Ein Pfeil durchschlug die Brust des Zü, und er ging in die Knie. Rey, der sich endlich seines Bewachers entledigt hatte, trat ihm kräftig gegen den Hals.

Der Zü spukte Blut und fiel mit dem Gesicht voran zu Boden.

Corenn ließ ihren Blick über den vormals so ruhigen Strand schweifen. Sieben leblose Körper lagen im Sand, einer davon gehörte ihrem Freund.

Rey rannte zu Bowbaq und zog das Döschen aus der Tasche, das vielleicht das Gegenmittel zum Gift der Züu enthielt. Er schob dem Riesen, der leise wimmerte, einen Klumpen Paste in den Mund und rieb etwas davon auf die kleine, aber tiefe Wunde.

»Er hat den Dolch abgefangen«, sagte Rey. »Er hat sich ihm in den Weg geworfen, um Euch zu retten. So etwas habe ich noch nie gesehen. Noch nie.«

Ihm standen Tränen in den Augen. Corenn musterte ihn, während sie allmählich wieder zu Kräften kam. Reys Gesicht war blutüberströmt, doch seine Miene war die eines Kindes.

Sie schob ihn beiseite und kniet sich neben Bowbaq, um seine Wunde zu säubern. Der Riese war noch bei Bewusstsein, auch wenn sein Gesicht vor Schmerzen verzerrt war. Die Wunde blutete nicht stark, und das Gift der Züu wirkte bekanntlich sehr schnell. Wenn Bowbaq jetzt noch nicht tot war, würde er den Angriff vermutlich überleben.

Grigán kam auf sie zu. »Wie geht es ihm?«, fragte er sofort.

»Mach dir um mich keine Sorgen, mein Freund«, sagte Bowbaq keuchend. »Aber ich wünschte, ich wäre weit fort von hier.«

»Ich bring dich hier weg. Verlass dich auf mich, mein Freund«, antwortete Grigán. »Verzeih, dass ich nicht eher eingeschritten bin. Doch ich konnte nichts tun, solange die Armbrüste …«

Er konnte den Satz nicht beenden, da Corenn die Arme um ihn geschlungen hatte. Unbeholfen zog er sie an sich. Es war ihm peinlicher, als würde er nackt in einem eurydischen Tempel herumspazieren.

Die Ratsfrau hatte einfach den Wunsch verspürt, jemanden zu umarmen, riss sich aber schnell wieder zusammen und löste sich von ihm. Auch sie schämte sich jetzt ihrer Schwäche. »Lasst uns Yan und Léti suchen! Kommt Ihr?«

Yan kam sich dümmer vor denn je. Schon eine ganze Weile lief er im Kreis, ohne Léti zu finden. Er wusste längst nicht mehr, in welcher Richtung das Boot lag oder welcher Weg zurück zu der Höhle führte.

Die Einwohner Ezas taten recht daran, ihn einen Taugenichts zu schimpfen. Er hatte seinen Freunden nicht helfen und Léti nicht beschützen können. Und dann verlief er sich auch noch ständig …

Er wäre Léti ein schöner Gefährte.

Mittlerweile hatte er endgültig die Hoffnung aufgegeben, jemals den Bund mit ihr zu schließen. Selbst wenn sie beide diesen Tag überlebten, war er einfach nicht gut genug für sie. Er war ihrer nicht würdig.

Eines Tages, als ihn ähnlich düstere Gedanken quälten, hatte ihm die Dorfälteste von Eza gesagt, jeder Mensch besitze eine Gabe, durch die er allen anderen ebenbürtig sei. Doch er besaß keine Gabe. Das Einzige, was er gut konnte, waren halbe Sachen. Dass er überhaupt noch am Leben war, hatte er nur seinem erbärmlichen Orientierungssinn zu verdanken. Er hatte sich so gründlich verirrt, dass er jetzt irgendwo mitten im Labyrinth sein musste.

Er setzte sich auf den Boden und dachte darüber nach, was er tun konnte, außer sich selbst zu bemitleiden. Sofort sprang er wieder auf und rannte los.

Er hatte Schreie gehört.

Léti.

Alle Vorsicht war vergessen. Er musste so schnell wie möglich zu ihr gelangen, alles andere war unwichtig.

Wieder Schreie. Flüche, Kampfgeräusche. Léti war in Gefahr.

Schlitternd erreichte er den Fuß der Klippe, bückte sich rasch, um einen Stein aufzuheben, und rannte mit wütendem Gebrüll den Hang hinauf.

Ein bärtiger Mann kam ihm entgegen. Er hatte eine klaffende Wunde am Handgelenk und konnte sein Schwert kaum halten.

Die beiden anderen Männer drehten sich unwillkürlich nach ihm um. Léti schien sich noch auf den Füßen zu halten, war aber in einem jämmerlichen Zustand. Selbst auf die Entfernung konnte Yan die Schnitte an ihren Beinen und Armen sehen. Sie hatten es gewagt, ihr wehzutun!

Und dann geschah etwas, was er kaum glauben konnte. Létis Hand zuckte nach vorn. Einer der Männer schrie vor Schmerz auf, presste sich die Hand aufs Auge und ging zu Boden.

Der dritte Mann griff das Mädchen jetzt in immer kürzeren Abständen an. Léti wich vor ihm zurück.

Mit Grauen sah Yan, wie sich Léti auf ihren Gegner stürzte, einen Moment lang mit ihm rang und dann mit ihm zusammen in den Abgrund stürzte.

Er hörte sich selbst ein langgezogenes »Nein!« brüllen.

Jetzt hatte er den Mann mit dem Schwert fast erreicht. Er schleuderte ihm den schweren Stein ins Gesicht. Die schreckliche Szene, die sich soeben vor seinen Augen abgespielt hatte, schien seine Kräfte zu verzehnfachen.

Der Aufprall des Steins verursachte ein dumpfes Geräusch, aber Yan blieb nicht stehen, um sich zu vergewissern, dass der Kerl außer Gefecht war. Er rannte zum Rand der Klippe und beugte sich über den Abgrund. Die Angst vor dem Anblick schnürte ihm die Kehle zu.

»Yan!«

Léti war nur zwei Schritte unter ihm. Sie klammerte sich mit einer Hand an einen kleinen Vorsprung. Ihre Knöchel waren weiß vor Anstrengung.

»Beeil dich, Yan! Ich habe keine Kraft mehr!«

Das war bitterer Ernst. Sie war kurz davor, in Panik auszubrechen.

Er blickte sich hastig um, sah aber nichts, absolut nichts, was als Seil dienen könnte. Seine Kleider waren nicht widerstandsfähig genug, um das Gewicht des Mädchens zu halten.

Er ging auf die Knie, drehte sich um und schob ein Bein über den Klippenrand. Sein Fuß traf auf Widerstand, und er zog das andere Bein nach.

»Nein! Nein! Wir werden beide sterben!«

Jetzt war sie vollends in Panik.

Yan begann den waghalsigen Abstieg und achtete kaum darauf, wo er die Füße hinsetzte. Bis zu Léti konnte er nicht hinabklettern. Mit etwas Glück würde er ihr die Hand reichen können, wenn er sich ganz weit vorbeugte. Doch er hatte nicht genug Kraft im anderen Arm, um sie beide zu halten.

Sein Fuß rutschte ab, und Léti schrie entsetzt auf.

Yan zögerte und suchte nach einem besseren Halt, einer anderen Lösung. Aber die gab es nicht.

Und plötzlich war alles ganz einfach und klar.

Sie würden beide leben oder beide sterben.

Er streckte ihr die Hand hin und spannte seine Muskeln an. Léti ergriff sie begierig und versuchte, Yan nicht mit ihrem ganzen Gewicht zu belasten, indem sie sich mit den Füßen und der freien Hand auf jedem noch so kleinen Vorsprung abstützte.

Doch es reichte immer noch nicht.

Yan konnte sie nicht hochziehen.

Die Kraft in seinen Armen schwand, und er würde Léti loslassen müssen oder selbst den Halt verlieren. In beiden Fällen wäre sein Leben vorbei.

Er sah die Felsen vierzig Schritte tiefer und Létis Gesicht direkt vor sich. Sein Arm begann vor Anstrengung zu zittern.

*Nein!*

Er musste es schaffen. Er musste einfach. Er *wollte* es schaffen.

Er biss die Zähne zusammen und richtete all seinen Willen auf die Kraft seiner Arme. Im Nu war er schweißgebadet. Das Blut hämmerte ihm in den Schläfen wie eine Trommel am Tag der Erde. Er spürte nur noch seine eigene Hand, die Létis umklammert hielt, und den Willen, sie zu sich hochzuziehen.

Er hievte sie ein paar Zoll nach oben und ließ nicht nach. Bald hatte er einen Fuß an Höhe gewonnen. Irgendwann konnte er sich aufrichten, und von da an ging es leichter.

Schließlich gelang es ihm, Léti auf den kleinen Vorsprung zu ziehen, der ihr das Leben gerettet hatte. Beide lehnten keuchend an der Felswand und ruhten sich einen Moment aus.

»Was du da gerade gemacht hast, Yan, das war unmöglich«, sagte Léti langsam.

Er sagte nichts. Übelkeit überkam ihn. Er machte sich an den Aufstieg, um sich nicht an einer so gefährlichen Stelle übergeben zu müssen.

Er fühlte sich völlig ausgelaugt, und ihm war bitterkalt. Léti erreichte die Spitze der Klippe vor ihm und musste ihm helfen, über die Kante zu klettern. Yan fiel rücklings auf dem Boden. Ihm war so schwindelig wie nie zuvor.

Aber er hatte es geschafft.


Zum ersten Mal war Grigán bereit anzuerkennen, dass Rey zu ihnen gehörte. Im Kampf hatte er sich tapfer geschlagen, und wenn man Corenn glaubte, anscheinend auch vorher. Vielleicht hatte er Bowbaq das Leben gerettet, und er hatte sofort angeboten, ihnen bei der Suche nach Léti und Yan zu helfen.

Trotzdem waren seine Respektlosigkeit und seine ständigen Provokationen nur schwer zu ertragen, darin war sich Grigán sogar mit den Züu einig.

Doch im Moment schwieg Rey und gehorchte seinen Befehlen anstandslos. Sie ergänzten einander vortrefflich. Im Labyrinth waren sie auf drei der Halunken gestoßen, die für die Züu arbeiteten, und hatten sie im Nu aus dem Weg geräumt.

Nach einer scharfen Biegung standen sie plötzlich den beiden jungen Kaulanern gegenüber. Yan wirkte geschwächt, und Léti hatte am ganzen Körper Schnittwunden und blaue Flecken, und ihre Kleider waren zerrissen.

Grigán stieß einen Seufzer der Erleichterung aus. Heute Nacht hatten sie großes Glück gehabt, unglaublich großes Glück. Er schwor sich, das nächste Mal besser aufzupassen.

»Geht es den anderen gut?« Yan hatte Schwierigkeiten zu sprechen.

»Bowbaq ist verletzt, aber er wird es schaffen«, antwortete Rey. »Gehen wir.«

Léti baute sich vor Grigán auf und packte ihn entschlossen, wenn auch nicht feindselig, an seiner schwarzen Lederkluft. »Ihr werdet mich lehren zu kämpfen«, sagte sie und sah ihm fest in die Augen.

Grigán antwortete erst, als Léti ihn losgelassen hatte. »Gut, wenn dich das von Dummheiten abhält. Aber das ist nicht so lustig, wie du glaubst.«

»Ich glaube überhaupt nicht, dass es lustig ist«, erwiderte das Mädchen ernst und kehrte an Yans Seite zurück. Der Junge war nicht sicher, ob er den Sinn ihrer Worte verstanden hatte.

Bald waren sie zurück am Strand. Einige der Männer, die dort warteten, begannen sie zu beschimpfen, doch Grigán hielt sie mit seinem Bogen auf Abstand.

»Sie scheinen die netten kleinen Löcher entdeckt zu haben, die ich in ihre Boote gebohrt habe«, sagte Rey gutgelaunt. »Besonders beliebt habe ich mich heute wohl nicht gemacht.«

»Was war denn hier los?«, fragte Léti, als sie die Leichen sah.

»Das erklären wir euch später.«

Grigán streckte den Arm aus und zeigte auf ihr Schiff, das draußen auf dem Meer dümpelte. Corenn und Bowbaq hatten dort auf sie gewartet. Die Magierin ruderte das

Boot zurück an den Strand, und sie machten sich auf den Rückweg. Alle waren glücklich und unendlich erleichtert, der Gefahr fürs Erste entronnen zu sein.

Sie erzählten sich gegenseitig, wie es ihnen ergangen war. Corenn zeigte sich alles andere als begeistert von Létis und Grigáns neuer Idee, doch darüber würden sie später sprechen.

Fürs Erste interessierte sie sich vor allem für das, was Yan auf der Klippe erlebt hatte.

Nach langem Nachdenken brach sie das Schweigen, das eingetreten war. »Yan, wir müssen bald ein Gespräch unter vier Augen führen«, sagte sie. »Ich habe dir etwas Wichtiges zu sagen.«

<u>Lesen Sie weiter in:</u>

Pierre Grimbert

# DIE MAGIER
Krieger der Dämmerung

# KLEINES LEXIKON DER BEKANNTEN WELT

### ALIOSS

Der Anführer. Alioss ist der Gott der Familienväter, Klanchefs und Königsgeschlechter Gritehs. Nur Männer der oberen Stände dürfen ihm dienen: Krieger, Priester, Edelmänner und Handwerker. Frauen, Bettlern und Verbrechern ist es verboten, auch nur den Namen des Allmächtigen auszusprechen.

Die Göttin Aliara erfüllt eine ähnliche Rolle für die weiblichen Einwohner Gritehs, auch wenn sie kein so hohes Ansehen genießt. In den Unteren Königreichen muss der König jedem Tempelbau seinen Segen erteilen, und kein König würde je erlauben, dass sich Frauen in einem Tempel versammeln.

### ALT

Der Alt ist der größte Fluss der bekannten Welt. Er entspringt in den höchsten Bergen des Rideau, fließt durch Itharien und Romin und mündet schließlich in den Spiegelozean.

Einer goronische Legende zufolge werden die Toten eines Tages in riesigen Geisterschiffen den Fluss heruntergefahren kommen, um sich für alles Leid zu rächen, das ihnen zu Lebzeiten angetan wurde. Hin und wieder behauptet jemand, die Vorhut dieser Armee der Finsternis gesehen zu haben. Aus diesem Grund lassen manche Häfen nach Einbruch der Dunkelheit kein Schiff mehr einlaufen.

## ALTES LAND
Anderer Name des Königreichs Romin.

## ALUÉN
Auch wenn sein Geburts- und Todesjahr nicht überliefert sind, geht man davon aus, dass Aluén gegen Ende des achten Eons kurz nach dem Untergang des Itharischen Reichs in Partacle herrschte.

Während sich die Itharier der Religion zuwandten, nachdem Eurydis ihnen zum zweiten Mal erschienen war, lieferten sich die befreiten Völker blutige Bürgerkriege um die Reichtümer, die die einstigen Eroberer zurückgelassen hatten. Es heißt, dass Aluén einen Schatz anhäufte, der sogar den des Kaisers von Goran übertraf.

Dieser Schatz ist jedoch spurlos verschwunden. Einer Legende zufolge soll ein Teil des Schatzes im Grab seines Besitzers versteckt sein, allerdings weiß heute niemand mehr, wo sich dieses Grab befindet. Sieben Grabstätten wurden bereits erfolglos durchsucht, aber die Schatzjäger geben die Hoffnung nicht auf.

## AMARIZIER
Amarizische Priester führen ein gottesfürchtiges und frommes Leben. Die meisten bleiben bis zu ihrem Tod innerhalb der Mauern eines Gemeinschaftstempels und vollziehen die religiösen Riten. Für manche Amarizier ist es jedoch der höchste Beweis ihrer Liebe zu Gott, Ungläubige zu bekehren, und so ziehen sie durch die Lande, um ›verlorene Seelen‹ zu retten.

Amarizier lehnen Theoretiker ab, da sie es für anmaßend halten, den göttlichen Willen auszulegen.

Es gibt viele Ausprägungen des amarizischen Glaubens –

vermutlich vielleicht ebenso viele wie Dörfer der bekannten Welt. In den Oberen Königreichen wird Odrel am häufigsten verehrt.

## AÒN

Fluss in den Unteren Königreichen, der in den Jezebahöhen entspringt und bei Mythr ins Feuermeer mündet. Viele große Städte der Unteren Königreiche liegen am Ufer des Aòn: La Hacque natürlich, aber auch Quesraba, Tarul und Irzas.

Es hält sich hartnäckig das Gerücht, der Unrat der Menschen ziehe in der heißen Jahreszeit Raubfische aus dem Meer an. Sie schwämmen den Fluss bis La Hacque hoch und schreckten auch nicht davor zurück, Menschen anzugreifen und zu zerfleischen. Obwohl es in der Vergangenheit tatsächlich einige Attacken von Ipovanten gab und einmal sogar den Angriff eines Dornhais, sind solche Vorfälle äußerst selten.

## ARGOS

Die Argosfelsen befinden sich in den Unteren Königreichen, ganz im Osten der Jezebahöhen. Berühmt sind sie vor allem für ihr Echo, das eindrucksvollste der bekannten Welt. Zahlreiche Legenden ranken sich um diese Felsen.

Es heißt, dass Echo von Argos habe ein Gedächtnis, und wer nur stumm dastehe und geduldig abwarte, dem gäben die Felsen irgendwann die Geheimnisse preis, die ihnen im Laufe der Jahrhunderte anvertraut wurden.

## ARKISCH

Wichtigste Sprache Arkariens.

## AVATAR

Inkarnation oder Verkörperung einer Gottheit in einer anderen Gestalt als seiner eigentlichen.

## BELLICA

Die Bellica ist eine Spinne, die im Norden der Fürstentümer heimisch ist. Ihr Biss ist für den Menschen nicht tödlich, und sie greift nur bei zwei Gelegenheiten an: wenn ihr Nest bedroht ist oder wenn sie einer Artgenossin begegnet.

Aufgrund dieser Eigenschaft eignet sich diese Spinnenart gut für Schaukämpfe. Bellica-Kämpfe sind in den Unteren Königreichen ein beliebter Zeitvertreib. Es werden regelrechte Turniere veranstaltet, und die Wetteinsätze erreichen schwindelerregende Höhen. Der Todeskampf zweier Bellica-Spinnen ist ein beeindruckendes Schauspiel. Wenn die beiden handtellergroßen Tiere aufeinander losgelassen werden, stellen sie sich zunächst auf ihre vier Hinterbeine und versuchen, die Gegnerin mit Drohgebärden einzuschüchtern: Sie bewegen ihre Kieferklauen, vollführen nervöse kleine Sprünge und klappern mit den Beißwerkzeugen.

Es ist jedoch äußerst ungewöhnlich, dass eine der Gegnerinnen zu diesem Zeitpunkt aufgibt. Als Nächstes folgt ein Kampf auf Leben und Tod, in dem sich die Spinnen ineinander verbeißen. Sie versuchen, ihre Widersacherin mit ihrem Gift zu lähmen oder sie in ein Netz einzuspinnen. Oft gewinnt die scheinbare Verliererin im letzten Moment die Oberhand. Manche Spinnen stellen sich tot, um ihre Gegnerin zu täuschen. Andere gewinnen den Kampf, obwohl sie mehrere Beine verloren haben.

Die Siegerin frisst immer den Kopf der Verliererin, und zwar nur den Kopf. Eine Spinne, die man daran hindert, verliert ihre Angriffslust und stirbt.

## BROSDA

Ein Gott, der vor allem im Matriarchat von Kaul verehrt wird. Er ist der Sohn des Xétalis und dem Spiegelbild Echoras. Brosda ist der Gott der Fischer. Sein Reich ist weder das Wasser noch das Land, sondern die Grenze zwischen beiden. Er ist ein neutraler Gott und wird je nach Ort und Epoche verehrt oder gefürchtet. In den Geschichten über Brosda kommen auch Seeungeheuer vor, was vor allem den Kindern gefällt.

## BRUDER

Die Mitglieder der Großen Gilde bezeichnen sich gegenseitig als Brüder. Andere Verbrechergilden haben die Bezeichnung übernommen.
Manche geben ihren Mitgliedern bei Eintritt sogar einen neuen Namen und bilden regelrechte ›Familien‹.

## CREVASSE

Hauptstadt Arkariens, die zum Klan des Falkens gehört. Eigentlich haben nur Bewohner des Weißen Landes Zutritt zur Stadt, Fremde sind nur in Ausnahmen erlaubt. Diejenigen, die das Glück hatten, Crevasse besuchen zu dürfen, vergleichen sie wegen ihrer Größe mit Lorelia und wegen der Schönheit ihrer Bauwerke mit Romin.
Der Legende zufolge wurde die Stadt an einem Ort errichtet, an dem sich drei Minen befinden: eine Eisen-, eine Kupfer- und eine Goldmine. Dies sei auch der Grund für den unermesslichen Reichtum des Falkenklans, aus dem zwei Drittel der arkischen Könige stammen und der somit die Geschicke des größten Lands der bekannten Welt lenkt.

## DAÏ

Die Daï ist eine kleine Schlange, die in den Unteren Königreichen vor allem in den Ausläufern der Gebirge heimisch
ist. Das ausgewachsene Tier ist zwei Fuß lang und wird bis
zu drei Jahre alt. Seine Hautfarbe wechselt je nach Jahreszeit von Dunkel- zu Hellgelb.

Das Gift der Daï ist nicht tödlich – jedenfalls nicht in der
üblichen Dosis –, erzeugt aber eine euphorische Trance mit
Halluzinationen. Die Daï beißt ihre Beute in regelmäßigen
Abständen, versetzt sie so in einen Tiefschlaf und hält sie
über mehrere Dekaden am Leben, ähnlich wie Spinnen.

Das Gift ist eine beliebte Droge. Die Zucht von Daï-Schlan-
gen hat in den Unteren Königreichen eine lange Tradition.
Bei einigen Stämmen gilt es als Mutprobe, sich von einer
Daï beißen zu lassen, da ihr Gift nicht wieder aus dem Körper gesaugt werden kann. Aber wie alle Drogen wird sie
vielen zum Verhängnis: Man hört immer wieder von Menschen, die sich freiwillig in eine Schlangengrube stürzen
und dort den Tod finden.


## DARN-TAN

Darn-Tan war Graf von Uliterra, einer ehemaligen lorelischen Provinz zwischen dem Herzogtum Cyr-la-Haute und
dem Herzogtum Kercyan. Einst führte Uliterra aus Gründen, die in Vergessenheit geraten sind, Krieg gegen das be-
nachbarte Fürstentum Elisere und dessen Herrscher Iryc
von Verona.

Der Brauch wollte, dass der Sieger den unterlegenen Herrscher, seine Familie und sein Domizil verschonte. Doch
Darn-Tan war bekannt dafür, diese Sitte zu missachten. Einige Jahre zuvor hatte er das Schloss von Orgerai angezündet und den Fürsten und dessen zwei Töchter an einen

Balken knüpfen lassen. Darn-Tan hatte auch diesmal nicht die Absicht, seinen Feind mit dem Leben davonkommen zu lassen, und so ersann er eine komplizierte List. Er rechnete damit, dass Iryc von Verona ihm misstrauen und einen Hinterhalt wittern würde, und genau dann würde seine Falle zuschnappen.

Iryc von Verona, der keine Heimtücke kannte, entging dem Hinterhalt, indem er sich verhielt, wie Darn-Tan es nie erwartet hätte: arglos.


## DEKADE

Zehn Tage. Zeiteinheit des eurydischen Kalenders.

Die Tage einer Dekade tragen Ordnungszahlen. Der erste Tag ist der Prim, der letzte der Zim. Die anderen Tage vom zweiten bis zum neunten heißen: Des, Terz, Quart, Quint, Sixt, Septim, Okt und Non.

Die Dekade der Erde und die des Feuers haben nur neun Tage. Der Okt wird übersprungen, auf den Septim folgt sogleich der Non. Die Maz haben hierfür eine religiöse Erklärung: Der Wegfall des Okten versinnbildlicht Eurydis' Sieg über die acht Drachen von Xétame.


## DEKANT

Zeiteinheit goronischen Ursprungs. Ein Dekant entspricht dem Zehntel eines Tages, also ungefähr zwei Stunden und fünfundzwanzig Minuten unserer Zeit. Der erste Dekant beginnt mit Sonnenaufgang, wenn der zehnte Dekant des Vortages endet. Das Ende des dritten Dekants wird als Mit-Tag bezeichnet.

Das gemeine Volk gebraucht diese Zeiteinheit im Alltag eher grob, während die Gelehrten sehr viel präziser sind. Sie richten sich nicht nur nach der Sonnenuhr, sondern berechnen mit komplizierten Formeln den genauen Zeitpunkt des Sonnenaufgangs über der Stadt Goran. Diese Methode ist auch die einzige, die es ermöglicht, in der Nacht – also vom siebten bis zum zehnten Dekant – den Wechsel der Dekanten exakt zu bestimmen.

## DEZILLE
Zeiteinheit goronischen Ursprungs. Eine Dezille entspricht dem Zehntel einer Dezime, also ungefähr einer Minute und sechsundzwanzig Sekunden unserer Zeit. Gemeinhin wird es nicht für nötig gehalten, die Zeit in noch kleinere Einheiten zu unterteilen. Offiziell existieren allerdings noch Divisionen und Schläge. Eine Division misst ungefähr acht Sekunden, ein Schlag weniger als eine Sekunde.

## DEZIME
Zeiteinheit goronischen Ursprungs. Eine Dezime entspricht dem Zehntel eines Dekants, also ungefähr vierzehn Minuten unserer Zeit.

## DONA
Die Göttin der Händler. Sie ist die Tochter Wugs und Ivies. Der Legende nach erschuf sie das Gold, um damit ihren Körper zu bedecken und so die Schönheit ihrer Cousine Isée zu übertreffen. Anschließend schenkte sie ihre Schöpfung den Menschen, damit diejenigen, die wie sie vom Schicksal benachteiligt wurden, mit ihrer Klugheit auftrumpfen können, die durch den Besitz des Edelmetalls versinnbildlicht wird.

Zu Donas Unglück entschied der junge Gott Hamsa, den sie zum Schiedsrichter erkoren hatte, sich jedoch abermals für Isée. Daraufhin beschloss Dona, nie mehr auf das Urteil eines Einzigen zu vertrauen. Sie nahm sich zahlreiche Liebhaber und gilt seither auch als Göttin der Sinnesfreuden.

In Lorelien gibt ein Händler, der ein gutes Geschäft abgeschlossen hat, üblicherweise einem fremden Mädchen, das in Armut lebt, ein Almosen. Dieses Geld wird ›Donas Anteil‹ genannt. Leider gerät der Brauch immer mehr in Vergessenheit, da die meisten Anhänger Donas finden, die Opfergabe, die sie an den Tempel entrichten, sei ein ausreichender Beweis ihrer Hingabe.

Kein geschäftstüchtiger Händler würde je vergessen, Dona ein Opfer zu bringen, und sei es nur, um sich die Gunst derjenigen ›Priesterinnen‹ zu sichern, die der Göttin der Sinnenfreuden besonders ergeben sind.

## DORNHAI

Der Dornhai oder auch Kletterhai ist ein Raubfisch im Feuermeer, der häufig mit der Panzermuräne verwechselt wird. Die durchschnittliche Größe eines ausgewachsenen Dornhais liegt bei fünf bis sieben Schritten, aber wenn man alten ramythischen Seemännern glaubt, existieren auch Exemplare mit einer Länge von zehn Schritten oder mehr.

In den Meeren tummeln sich jedoch weit imposantere Lebewesen, und der Dornhai wird nicht wegen seiner Größe gefürchtet. Er ist berüchtigt für seinen Blutdurst und vor allem für die zahlreichen ausfahrbaren Haken, die sich zwischen seinen Schuppen am Bauch befinden. Die Haken tragen ein Gift in sich, mit dem der Dornhai seine Beute lähmt.

Außerdem benutzt der Dornhai diese Haken, um wie eine Raupe lautlos an der Außenwand von Schiffen hochzuklettern. Aus diesem Grund gilt er als der gefährlichste Raubfisch, und die Hochseefischer haben sich zahlreiche Schutzmaßnamen ausgedacht. Zum Beispiel weisen viele Schiffe einen ›Glockenkranz‹ auf, ein schlauchförmiges, mit Alteisen gefülltes Netz, das rings um den Rumpf gehängt wird. Aus Aberglauben scheuen sich Seeleute, den Namen eines Mannes auszusprechen, der einem Dornhai zum Opfer gefallen ist, bevor sie das Festland erreicht haben.

## EIHER
*Arkisch.* Fabeltier des Weißen Landes. Der Eiher wird entweder als riesiger Reiher mit Hörnern entlang der Wirbelsäule beschrieben oder als Schildkröte, deren Speichel in der Luft zu einem Pfeil gefriert, wenn sie ihr Opfer anspuckt. Obwohl diese beiden Beschreibungen unvereinbar sind, behauptet so mancher alteingesessene Arkarier, den Eiher in einer mondlosen Nacht bei der Jagd beobachtet zu haben. Aus Höflichkeit glauben die Arkarier beide Versionen.

## EMAZ
Hohepriester des Großen Tempels der Eurydis und geistliche Oberhäupter aller Gläubigen. Es gibt vierunddreißig Emaz. Der Titel wird jeweils von einem Emaz auf einen Maz übertragen.

## ERJAK
*Arkisch.* Jemand, der die Fähigkeit besitzt, die Gedanken der Tiere zu lesen und ihnen seine eigenen zu übermitteln.

## EURYDIS
Hauptgöttin der Oberen Königreiche. Itharische Moralpriester brachten die Eurydisverehrung an die entlegensten Orte der bekannten Welt.
Die Geschichte der Göttin ist seit jeher mit der Heiligen

Stadt verbunden. Im sechsten Eon waren die Itharier – die damals noch nicht so hießen – nichts als ein loser Zusammenschluss ehemaliger Nomadenstämme. Sie lebten am Fuß des Blumenbergs, einem der ältesten Berge des Rideau. Dieser Bund soll das Werk eines einzigen Mannes gewesen sein. Es heißt, König Li'ut von Ith wollte ein neues, mächtiges Königreich gründen und scharte alle unabhängigen Klans westlich des Alt um sich.

Er widmete sein ganzes Leben der Erfüllung dieses Traums, doch der Bau der Stadt Ith – der Heiligen Stadt, wie sie heute genannt wird – nahm mehr Zeit in Anspruch, als ihm zur Verfügung stand. Nach seinem Tod brachen die alten Rivalitäten zwischen den Klans erneut aus. Ohne Li'uts diplomatisches Geschick war der schöne Traum zum Scheitern verurteilt.

Daraufhin soll die Göttin Eurydis dem jüngsten Sohn Li'uts erschienen sein und ihm befohlen haben, das Werk seines Vaters fortzuführen. Comelk – so war sein Name – dankte der Göttin für ihr Vertrauen, äußerte jedoch die Befürchtung, nichts gegen die Zwietracht der Stämme ausrichten zu können. Eurydis bat ihn daraufhin, alle Klanführer zusammenzurufen, und Comelk kam ihrem Wunsch nach.

Eurydis sprach zu jedem von ihnen und befahl ihnen, dem Pfad der Weisheit zu folgen. Die Klanführer lauschten ihren Worten andächtig, denn so barbarisch und großmäulig sie auch waren, ließen Aberglaube und Tradition sie die Macht der Göttin fürchten.

Als sich Eurydis zurückgezogen hatte, beratschlagten die Anführer lange und befragten die Stammesältesten und Seher. Schließlich wurden alle Streitpunkte beigelegt. Die Klanführer schworen einander ewigen Frieden und schlossen den Itharischen Bund.

Die Jahre vergingen, und Ith entwickelte sich von einer ansehnlichen zu einer wahrhaft eindrucksvollen Stadt. Zu jener Zeit konnte nur noch Romin mit der Hauptstadt des jungen Königreichs wetteifern. Die Stämme vermischten sich, und der alte Zwist geriet mehr und mehr in Vergessenheit. Itharien war auf dem besten Weg, ein Leuchtfeuer der bekannten Welt zu werden. Und so kam es auch, allerdings nicht im guten Sinne.

Trunken von der neuen Macht, die ihnen mehr oder weniger in den Schoß gefallen war, begannen die Nachfahren der alten Stämme von ihrer Überlegenheit über den Rest der bekannten Welt zu sprechen, bis es einigen in den Sinn kam, dies auch beweisen zu wollen. Zunächst beschränkten sich die Itharier auf kleinere Überfälle, doch schon bald folgten Scharmützel an den Grenzen und schließlich regelrechte Eroberungsfeldzüge, die immer blutiger wurden.

Gegen Ende des achten Eons herrschte Itharien über das gesamte Gebiet zwischen dem Rideau im Osten, der Velanese im Westen, dem Mittenmeer im Süden und der Stadt Crek im Norden. Die Itharier waren grausame Eroberer: Sie plünderten, brandschatzten, verwüsteten ganze Landstriche und metzelten Tausende dahin.

Eines Tages, als die Heerführer wieder einmal zusammenkamen, um eine Invasion Thalitts zu planen, erschien Eurydis zum zweiten Mal.

Es heißt, sie habe die Gestalt eines zwölfjährigen Mädchens angenommen, und so wird sie auch heute meist dargestellt. Dennoch glaubten einige der gestandenen Feldherren vor Angst zu sterben, so groß war der Zorn der Göttin.

Sie sprach kein Wort, sondern begnügte sich damit, jedem Heerführer des itharischen Reichs – denn so nannte man es inzwischen – in die Augen zu sehen.

Der Blick war ihnen Warnung genug. Sie gaben alle Angriffspläne auf und befahlen ihren Kriegern, die Waffen niederzulegen und sich aus den eroberten Gebieten zurückzuziehen. Die Heerführer nahmen es auf sich, das itharische Denken und Handeln tiefgreifend zu verändern.

Eine Generation später hatte sich das gesamte itharische Volk der Religion zugewandt. In der nächsten Zeit erfuhren sie großes Unglück, da sich die von ihnen unterjochten Völker – wie das junge goronische Volk – nun ihrerseits als Henker aufführten. Das itharische Reich musste immer mehr Gebiete abtreten, bis es nur noch sein ursprüngliches Territorium umfasste: die Umgebung der Stadt Ith und den Hafen von Maz Nen.

Im Laufe der Jahre begannen die Itharier mit einer anderen Art der Eroberung, die eher dem Willen der Göttin entsprach: Die Maz zogen durch die bekannte Welt und bis an die entlegensten Orte, um Eurydis' Moral zu verkünden. Dies nützte auch den weniger entwickelten Völkern, denn die Itharer brachten ihnen nicht nur die Religion, sondern auch Errungenschaften wie Kalender, Schrift, Kunst und Technik, die sie sich bei ihren Eroberungszügen angeeignet hatten.

Manche Theoretiker prophezeien, dass die Göttin bald ein drittes Mal erscheinen wird. Natürlich wird sie das irgendwann tun, da sie ja bereits zweimal erschien ist. Die wichtigste Frage, die die Itharier sich stellen, lautet: Welchen Weg werden wir als Nächstes einschlagen?

## EZOMINE

Ezomine sind Steine, die Licht ausstrahlen. Sie sehen aus wie gemeine Quarze, und ihre Kraft wird erst im Dunkeln sichtbar.

Die Stärke des Lichts ist unterschiedlich. Manche behaupten, Steine gesehen zu haben, deren Licht fünfzig Schritte weit reiche. Doch die meisten Ezomine leuchten nicht einmal so hell wie eine gewöhnliche Kerze.

Wenn der Stein auseinanderbricht, verliert er seine Kraft. Seit Eonen studieren die Gelehrten das Geheimnis der Ezomine, aber keine der Theorien, die sie über den Ursprung der rätselhaften Kraft entwickelt haben, konnte bislang bewiesen werden.

Unter Sammlern, Abenteurern und Schatzjägern sind die Steine sehr begehrt.

## FRUGIS

Das Frugis ist ein Seil mit drei Enden, dessen Name auf den legendären König und Magier zurückgeht, der drei Eonen, bevor das Friedensabkommen der Fürstentümer geschlossen wurde, in Lineh herrschte. Das Seil ist auf verschiedene Arten beschrieben worden. Die gängigste lautet wie folgt: Man habe drei Seile genommen, jedes von ihnen zu einem V gelegt und die Spitzen aneinandergelegt. Dann habe man die Hälften zusammengeflochten und so ein kräftiges Tau mit drei gleichlangen Enden erhalten. Die Angaben zur Länge der Enden schwanken zwischen sechs und neunundneunzig Schritten. Das Frugis-Seil soll die geheimnisvolle Macht besitzen, denjenigen, der eines seiner Enden hochklettert, an jeden Ort zu bringen, an dem eins der anderen Enden hängt. Sollte es dieses Seil jedoch tatsächlich geben, wüsste heute niemand mehr, wie man es gebraucht.

## GESCHWÄTZIGE MUSCHEL

Zuzeiten der Zwei Reiche verbreiteten Romische Seeleute die Geschichte dieses kuriosen Gegenstands. Heutzutage

hört man eher Spaßvögel von ihr sprechen als echte Schatzjäger. Angeblich handelt es sich um eine Gironenmuschel,
in die einst ein Dämon die Stimme einer Frau einsperrte,
die allzu schwatzhaft war. Doch selbst dieser Fluch brachte
die Arme nicht zum Verstummen, und man sagt, dass jeder, der die Muschel in die Hände bekommt, sie so schnell
wie möglich wieder loswerden will, da das unaufhörliche
Geschwätz unerträglich ist.

## GISLE
Grenzfluss zwischen dem Matriarchat von Kaul und dem
Königreich Lorelien.

## GILDE DER DREI SCHRITTE
Zusammenschluss der Prostituierten Lorelias.
Früher durften die Freudenmädchen ihrem ›Geschäft‹ nur
in der sogenannten Unterstadt nachgehen. Allerdings gab
es so viele von ihnen, dass es häufig zu Streit und sogar
Handgreiflichkeiten kam. Deshalb gingen die Zuhälter irgendwann dazu über, jeder Frau ein Stück Straße zuzuwei-
sen, das genau drei Schritte maß.
Manche Zuhälter haben diesen Brauch beibehalten, obwohl die meisten Prostituierten heutzutage im Hafenvier-
tel zu finden sind, das sehr viel größer ist.

## GROSSE GILDE
Zusammenschluss der meisten Verbrecherbanden der Oberen Königreiche. Die Große Gilde hat keine feste Ordnung
oder Hierarchie, sondern ist im Grunde eine Übereinkunft
der Banden, einander keine Gebiete und Betätigungsfelder
streitig zu machen, derart, wie sie auch die Gilden eines Königreichs oder einer Stadt schließen.

Trotz häufiger Streitigkeiten gelingt es den Banden manchmal, gemeinsame Operationen durchzuführen, vor allem beim grenzüberschreitenden Schmuggel.

Offiziell lässt die Gilde die Finger von Meuchelmorden. Ihre Spezialität sind Erpressung, Entführung, Betrug, Schmuggel und natürlich sämtliche Formen von Raub und Diebstahl. Trotzdem fällt auf, dass den Mitgliedern neuer Banden, die sich nicht an die Übereinkunft halten, ein recht kurzes Leben beschieden ist …

## GROSSES HAUS

Sitz der Regierung des Matriarchats von Kaul. Hier halten die Mütter ihre Ratsversammlungen ab, und hier haben sie ihre privaten Gemächer und Studierzimmer. Alle Einwohner Kauls können in das Große Haus kommen und ihre Beschwerden vortragen. Fünfzehn Personen hatten sich von morgens bis abends bereit, um sie zu empfangen. Mehrmals im Jahr stehen die Arbeits- und Versammlungssäle des Großen Hauses allen Neugierigen offen.

## GROSSTERRA

Hauptstadt und größte Insel des Schönen Landes, einer Inselgruppe im romischen Meer.

## HATI

Heiliger Dolch der Züu. Der vollständige Name, wie man ihn in alten Schriften findet, lautet ›Zuïaorn'hati‹, wörtlich übersetzt ›eine Wimper Zuïas‹.

Den Hati bekommt ein Novize von einem Judikator überreicht, nachdem er seine erste Mission erfüllt hat, üblicherweise mit bloßen Händen. Dadurch wird er in den Kreis der Boten Zuïas aufgenommen und erhält das Recht, über

Leben und Tod seiner weniger glücklichen Landsleute zu richten.

## HELANIEN
Eine der fünf Provinzen des Königreichs Romin. Ihre Hauptstadt ist Manive, ihr Wappenbild die Rose von Manive.

## HEILIGE STADT
Anderer Name Iths, der Hauptstadt des Königreichs Itharien. Häufig bezeichnet der Name auch nur das religiöse Viertel, eine Enklave mit einer eigenen Festungsmauer, eigenen Gesetzen und eigenen Bürgern – eine Stadt in der Stadt.

## ITHARISCHE WÜRFELSPIELE
Diese Spiele sind in der gesamten bekannten Welt verbreitet. Ihr Ursprung ist ungewiss. Sicher ist allerdings, dass sie sich im siebten und achten Eon mit den Eroberungsfeldzügen der itharischen Armee ausbreiteten und rasch von allen besiegten Völkern übernommen wurden.
Der itharische Würfel hat sechs Seiten. Auf vieren ist je ein Element abgebildet: Wasser, Feuer, Erde und Wind. Jeweils eins dieser Elemente erscheint auch auf der fünften und sechsten Seite. Folglich gibt es vier Sorten von Würfeln: einen weißen für den Wind, einen roten für das Feuer, einen grünen für die Erde und einen blauen für das Wasser.
Wie viele Würfel für ein Spiel benutzt werden, hängt von den Regeln ab und wird zwischen den Spielern ausgehandelt. Im Normalfall reichen vier Würfel aus – ein Soldat –, doch es gibt auch Spiele, die mit zwanzig oder mehr Würfeln gespielt werden.
Stern, Prophet, Kaiser, Zwei Brüder und Gejac sind die be-

kanntesten, wenn auch längst nicht alle itharischen Würfelspiele.

## JAHRMARKT (LORELISCHER)

Der Jahrmarkt ist eine der ältesten lorelischen Traditionen. Vom Tag des Händlers bis zum Tag des Kupferstechers in der zehnten Dekade entfallen jegliche Steuern auf die Ein- und Ausfuhr von Waren – solange ihr Handel nicht gegen die Gesetze des Königreichs verstößt. Die meisten Gelegenheitsverkäufer, Handwerker, Fremde und Kuriositätenhändler bieten ihre Waren zu dieser Zeit feil.

Der Jahrmarkt zieht eine Menge Menschen an, von denen ein Drittel gar nichts kaufen will, sondern nur der zahlreichen Attraktionen wegen kommt: Straßentheater, Spiele, Bankette und vieles andere. Manche dieser Vergnügungen werden vom König spendiert, der damit sein Ansehen verbessern will.

Für die königliche Schatzkammer ist der Jahrmarkt dennoch einträglich, da jeder, der einen Stand eröffnen will, einen Obolus entrichten muss. Die Kontrollen sind streng, und Verstöße werden mit der sofortigen Beschlagnahmung sämtlicher Waren geahndet.

Der Jahrmarkt findet auch in anderen großen Städten Loreliens statt: Benelia, Lermian und Le Pont. Er hat dort eine gewisse lokale Bedeutung, ist aber nicht mit dem der Hauptstadt vergleichbar.

## JAHRZEHNT

Zehn Jahre.

## JELENIS

*Lorelisch.* Die Jelinis sind Soldaten der ältesten Leibwache

Lorellens. Sie sind vor allem berühmt dafür, König Kurdalene im sechsten Eon beschützt zu haben.
Die Jelenis sind auch die königlichen Hundeführer. Ihnen gehören über sechzig weiße Doggen, obwohl diese Rasse wegen ihrer Aggressivität nahezu ausgerottet ist. Jedes Tier ist mehr als vierhundert Terzen wert und der Stolz des jeweiligen Königs.
Es heißt, es brauche mindestens fünf erfahrene Krieger, um einen Jelenis und seinen Hund zu besiegen.

JERUSNIEN
Eine der fünf Provinzen des Königreichs Romin. Ihre Hauptstadt ist Jerus, ihr Wappenbild das Kreuz von Jerus.

JEZ
Einwohner des Sultanats von Jezeba.

JEZAC
Wichtigste Sprache des Sulanats von Jezeba.

JUDIKATOR
Religiöser Führer der Boten von Zuïa.

JUNEISCH
In Junin und den meisten anderen Fürstentümern gesprochene Sprache. Das Hochjuneische wird nur noch in offiziellen Schriften, im Handel und in der Literatur verwendet, während sich die Sprache der einfachen Leute, die einst eine Mundart war, im Laufe der Zeit von ihrem Ursprung entfernt hat und heute eine eigene Sprache darstellt.

## KALENDER

In den Oberen Königreichen gilt der itharische Kalender. Er ist in 338 Tage, 34 Dekaden und 4 Jahreszeiten unterteilt. Das Jahr beginnt am Tag des Wassers, dem Frühlingsanfang. Zwei Dekaden bestehen nur aus neun statt aus zehn Tagen: Die Dekade vor dem Tag der Erde und die vor dem Tag des Feuers. Der Tag beginnt mit Sonnenaufgang.

Jeder Tag und jede Dekade trägt einen bestimmten Namen, der ursprünglich religiöser Herkunft war und mit der Verehrung der Göttin Eurydis zusammenhing, deren Botschaft von Moralpriestern bis in die entlegensten Winkel der bekannten Welt getragen wurde. Mit der Zeit bildeten sich an verschiedenen Orten regionale Besonderheiten heraus. So heißt der Tag des Hundes, der im Großen Kaiserreich Goran keine besondere Bedeutung hat, in der Umgebung von Tolenks Tag des Wolfes und ist einer der höchsten Feiertage. Die Dekade des Jahrmarkts, die mit dem Tag des Händlers beginnt, ist in Lorelien von größter Wichtigkeit, in Memissien aber belanglos.

Kaum jemand kennt sämtliche Tage des Kalenders auswendig oder weiß um ihre Bedeutung für die Eurydisverehrung – abgesehen von den Priestern natürlich. Für die Einwohner der Oberen Königreiche ist der Kalender so selbstverständlich wie Sonnenauf- und -untergang. Die meisten wissen nicht einmal, dass er religiösen Ursprungs ist.

Es gibt noch andere Kalender in der bekannten Welt, die auf königlichen Erlässe, nicht-eurydischen Religionen oder ganz einfach Stammestraditionen beruhen. Viele orientieren sich an den Mondphasen, wie zum Beispiel der alte romische Kalender, der aus 13 Zyklen zu je 26 Tagen besteht.

## KAULANER
Bewohner des Matriarchats von Kaul.

## KAULI
Wichtigste Sprache des Matriarchats von Kaul.

## KLEINE KÖNIGREICHE
Anderer Name der Fürstentümer.

## KONZIL
Versammlung der arkischen Klanchefs.

## KURDALENE
Kurdalene war ein lorelischer König, der in die Geschichte einging, weil er gegen die Züu kämpfte. Damals übten die Anhänger der Rachegöttin mit Drohungen, Erpressungen und Morden einen solchen Einfluss auf die Edelleute und Bürger Loreliens aus, dass der König keine Entscheidung treffen konnte, ohne sie vorher von den Mördern im roten Gewand absegnen zu lassen.

Irgendwann riss Kurdalene der Geduldsfaden, und von jenem Tag an tat er alles, um die Religion auszurotten – zumindest in Lorelia.

Er überlebte fast zwei Jahre, indem er sich mit einigen ihm treu ergebenen Wachen in einem Flügel seines Palastes verbarrikadierte. Schließlich gelang es den Züu, ihn zu ermorden.

## LA HACQUE
Der Legende zufolge wurde die Handelsstadt der Unteren Königreiche von einem lorelischen Edelmann gegründet. Wahrscheinlicher ist jedoch, dass eine Gruppe reicher Reeder am Ufer des Aòn ein Kontor errichteten, wodurch sich

ein bereits bestehendes Dorf entwickelte. Jedenfalls finden sich in der Stadt, die oft als die schönste der Unteren Königreiche bezeichnet wird, zahlreiche Gebäude mit lorelischer Architektur. Auch einige Straßen erinnern an die König-Kurdalene-Straße oder an die Bellouvire-Allee in Lorelia.

La Hacque war lange die einzige Stadt, die von den Stammeskriegen verschont blieb, die diesen Teil der Welt heimsuchten. Im Jahre 878 wurde sie von Yussa-Söldnern im Dienste Alebs des Einäugigen erobert, dem König von Griteh und Quesraba. Seither gibt es südlich der Louvelle keine freie Stadt mehr.

## LEEM (DIE GLOCKEN VON)

In Leem kam es einst zu einem derartigen Anstieg der Verbrechen, dass man den Eindruck hatte, die Stadt sei in fester Hand von Dieben, Plünderern, Brandstiftern, Mördern und anderen finsteren Gesellen. Vergeblich verdoppelten und verdreifachten die Nachtwächter die Anzahl ihrer Runden; die Schurken waren einfach zu gut organisiert.

Daraufhin hatte der damalige Bürgermeister die Idee, an den Häusern der Honoratioren Glocken anbringen zu lassen. Wenn sich ein Würdenträger bedroht fühlte oder Zeuge eines Verbrechens wurde, läutete er die Glocke, um den Nachtwächter herbeizurufen. Meist war dieser jedoch nicht schnell genug, da die Übeltäter schon beim ersten Glockenschlag die Flucht ergriffen. Dennoch besserte sich die Lage etwas.

Die gemeinen Bürger folgten dem Beispiel, und bald hatte jeder Handwerker und Händler eine Glocke an seiner Werkstatt oder seinem Laden angebracht. Nach einigen Jahren gab es in Leem so viele Glocken, dass kaum noch Verbrechen verübt wurden.

Allerdings nahmen die Schurken Rache, indem sie jedes Haus mit einer Glocke anzündeten.

Heutzutage hängen immer noch an über sechshundert Häusern Leems Glocken, die jedoch nur noch selten geläutet werden, hauptsächlich zu Festtagen.

## LERMIAN (DIE KÖNIGE VON)

Vor fünf Jahrhunderten war Lermian die Hauptstadt eines blühenden Königreichs, das dem aufstrebenden Großen Kaiserreich Goran oder dem expandierenden Lorelien in nichts nachstand. Die königliche Familie saß seit elf Generationen auf dem Thron, und die Dynastie drohte nicht auszusterben, da König Oroselem und seine Frau Federis drei Söhne und zwei Töchter hatten.

Lermian hatte romische Invasionen, die itharische Herrschaft und goronische Expansionsgelüste ohne größeren Schaden überstanden. Auch allen Einflussversuchen Bledevons trotzte das Königreich tapfer. Der lorelische König wollte Lermian annektieren, da es wie eine Insel mitten in seinem Reich lag. Doch es war nicht Bledevons Art, die Stadt, die er als Bollwerk gegen Goran brauchte, von seiner Armee stürmen zu lassen. Oroselem wusste das nur zu gut und schmetterte belustigt alle Einschüchterungsversuche, Versprechen und Intrigen des lorelischen Königs ab.

Lermian hätte eine der einflussreichsten Städte der Oberen Königreiche werden können – mehr noch, als sie es heute ist –, wenn seine Herrscher nicht ein grausames Schicksal ereilt hätte. Oroselem starb an einer Lebensmittelvergiftung, nachdem er etwas Verdorbenes gegessen hatte. Sein ältester Sohn saß ganze sechs Tage auf dem Thron, bevor er von der Burgmauer stürzte und seinen Verletzungen erlag. Der mittlere Sohn regierte etwas mehr als acht Dekaden, bis er plötzlich spurlos verschwand. Da der jüngste Sohn noch zu jung war, um den Thron zu besteigen, wurde der Prinzgemahl als Regent eingesetzt, doch er musste nach einem Jahr abdanken, weil er infolge eines Reitunfalls den Verstand verloren hatte. Der Gatte der zweiten Prinzessin verzichtete auf die Ehre, die Geschicke des Königreichs zu lenken und ging mit seiner Frau ins Exil. Königin Federis bat daraufhin ihre Ratgeber, einen Regenten aus ihrer Mitte zu bestimmen. Ein einziger Ratgeber stellte sich zur Wahl, doch er wurde wenige Tage später in der Stadt von einer Räuberbande niedergestochen.

Niemand wollte nun mehr die Regentschaft übernehmen. Die Königin, die sich selbst dazu nicht in der Lage sah, akzeptierte schließlich ein von Bledevon vorgeschlagenes Abkommen. Lermian wurde ein Herzogtum Loreliens, und das Königreich versprach der Stadt im Gegenzug Schutz durch seine Armee.

Der Fluch, der auf Oroselems Dynastie gelastet hatte, schien aufgehoben. Königin Frederis und ihr jüngster Sohn erreichten beide ein hohes Alter.

Böse Zungen munkelten etwas von einer Mordserie und verdächtigten sogar König Bledevon. Doch der lorelische Hoftheoretiker zerstreute alle Zweifel, indem er bewies, dass es der Wille der Götter gewesen sei, beide Königreiche unter einer Krone zu vereinen.

Von diesen tragischen Geschehnissen rührt die volkstümliche Wendung her ›so tot wie die Könige von Lermian sein‹.

LOUVELLE
Grenzfluss zwischen den Fürstentümern und den Unteren Königreichen.

## LUREEISCHER GESANG

Im Altitharischen bedeutete ›Lur‹ Späher. Lurée ist aber auch ein beliebter Gott. Übersetzt heißt sein Name ›der Wächter‹. Lurée wacht vor allem über Neugeborene, aber auch über glückliche Familien. Auf diesen beiden Tatsachen beruht vermutlich der Brauch des lureeischen Gesangs.

Es heißt, solange der Gesang irgendwo auf der Welt erklinge, bringe er all jenen Glück, die irgendwann in ihrem Leben eine Strophe gesungen hätten. In Ith wird der Gesang nie unterbrochen: Zahlreiche Freiwillige stehen Tag und Nacht Schlange, um eine der fünf Stimmen im Chor zu übernehmen. Die wenigsten kommen aus Selbstlosigkeit, aber alle erfüllen ihre Aufgabe gewissenhaft, wenn sie an der Reihe sind.

Der Kult des Lurée ist wie die Eurydisverehrung eine Moralreligion, wie der Liedtext eindeutig zeigt. Im Verlauf der Jahrhunderte haben die lureeischen Maz mehr als dreißig Strophen zu den ursprünglichen siebzehn hinzugefügt. In ihnen werden Nächstenliebe, Freundlichkeit, Treue, Bescheidenheit und andere Tugenden gepriesen. Dahinter verbirgt sich die Überzeugung, niemand könne einen Text laut aufsagen, ohne von ihm beeinflusst zu werden: Aus einem Samenkorn im Wind kann ein Baum entstehen …


## LUS'AN

*Zü.* Mystischer Ort der Zuïa-Religion, an dem die Boten nach ihrem Tod von der Göttin empfangen werden. Sie finden dort ewiges Glück und gehen Zuïa bei ihrem Großen Werk zur Hand.

Lus'an ist auch der Name einer kleinen Provinz auf der Heimatinsel der Züu. Dort leben die Judikatoren und ihre Sklaven, Fremden ist der Zutritt verboten. Die wenigen

Abenteurer, die es wagten, die Insel zu betreten, sind nie zurückgekehrt.

In den Mooren Lus'ans sind die Geister der untauglichen Boten gefangen und derjenigen, die die Göttin verraten haben. Sie irren dort für alle Ewigkeit in unermesslicher Schwermut umher.

## LUSEND RAMA

Der hoch zu Pferd Sitzende. Gott der Reiter und Beschützer aller Nomaden und Boten. Er wird vor allem in den Unteren Königreichen verehrt. Außerdem ist er der Hüter der Stammesgesetze. Sein Urteil wird ebenso gefürchtet wie sein Ehrgefühl bewundert.

Künstler stellen ihn meist auf dem Rücken eines schwarzen Hengsts mit blinden Augen dar. So wird er in der Chronik des Pferdekönigs beim Kampf gegen die zwei Riesen von Irimis beschrieben. Manchmal wird er auch in der Gestalt eines Zentauren gemalt. Dieses Bild stammt aus der Taspriá, der ältesten religiösen Schrift der Unteren Königreiche.

## MAÏOK

*Arkisch*. Mutter.

## MARGOLIN

Nagetier von mittlerer Größe. Ausgewachsen kann es bis zu zwei Fuß lang werden. Es gibt mehrere Unterarten: das Kupfermargolin, das Plärrmargolin, das Fressmargolin und andere.

Margoline sind vor allem im Süden und in der Mitte der Oberen Königreiche heimisch und leben in Wiesen, im Wald oder am Ufer von Flüssen. Wegen ihrer hohen Vermehrungsrate, ihrer Bösartigkeit und der Ungenießbarkeit ihres Fleischs gelten sie als Schädlinge. Ihr Fell, aus dem die Handwerker Pelze, Lederbeutel und Kleider herstellen, ist jedoch sehr begehrt.

## MASKE

In Itharien ist es üblich, eine Maske zu tragen. Obwohl die Itharier aus religiösen Gründen ansonsten eher schlichte Kleidung bevorzugen, ist die Maske eine Art Statussymbol.

Die Maske ist keineswegs Pflicht, und von zehn Ithariern, denen man an einem Tag begegnet, tragen sie vielleicht nur vier. Dennoch gibt fast jeder Bewohner der Heiligen Stadt an, irgendwann in seinem Leben die Maske getragen zu haben oder sie im Alter tragen zu wollen.

Die Erklärung für diesen religiösen Brauch verliert sich in den Tiefen der Vergangenheit. Schon die Ureinwohner der Gegend, die Vorfahren der heutigen Itharier, trugen zu gewissen Anlässen Masken.

Die eurydischen Priestern übernahmen die Tradition, weil sie darin ein hervorragendes Mittel sahen, die dritte Tugend der Weisen Eurydis umzusetzen: Toleranz. Das Tragen der Maske ebnet alle Unterschiede ein und stellt die unter einem glücklichen Stern Geborenen mit den weniger Begünstigten auf eine Stufe. Obwohl dieser Gedanke umstritten ist, tragen die Itharier weiterhin ihre Masken.

## MAZ

Ehrentitel vor allem in der Eurydisverehrung. Andere Religionen haben ihn übernommen.

Mit einer Ausnahme kann der Titel nur von einem Maz auf einen seiner Novizen übertragen werden, wenn dieser ihn sich durch seine Hingabe verdient. Der Große Tempel muss die Übertragung absegnen. Sie kann sofort in Kraft treten oder erst beim Tod des Maz, je nach Abmachung. Es ist einem Maz streng verboten, den Titel einem Mitglied seiner Familie zu vermachen.

Allerdings kann der Titel einem Novizen auch außer der Reihe verliehen werden, um ihm für ein besonderes Verdienst zu danken. Häufig wird der Titel posthum als Ausdruck der Dankbarkeit verliehen, wenn jemand sein ganzes Leben der Eurydisverehrung geweiht hat, und in diesem Fall kann er natürlich nicht weitergereicht werden. Eine solche Auszeichnung kann nur ein Emaz vergeben.

Die Rechte und Pflichten eines Maz sind nicht festgelegt und hängen von der persönlichen ›Laufbahn‹ ab. Manche bekleiden wichtige Ämter in den Tempeln, andere unterrichten nur hin und wieder einige Novizen, und wieder andere treten nie einen Dienst an.

Niemand kennt die Anzahl der lebenden Maz, abgesehen von den Archivaren des Großen Tempels, die ihre Liste ständig auf dem neuesten Stand halten. Viele Priester außerhalb Ithariens nennen sich unrechtmäßig Maz, was die Schätzungen nicht gerade erleichtert. Der Legende zufolge gab es ursprünglich 338 Maz, so viele Tage wie ein Jahr hat, und 34 Emaz, nach der Anzahl der Dekaden.

MÈCHE
Kleiner Fluss im Matriarchat von Kaul. Die Hauptstadt Kaul liegt an seinem Ufer. Zufluss der Gisle.

MEMISSIEN
Eine der fünf Provinzen des Königreichs Romin. Ihre Hauptstadt ist Jidée, ihr Wappenbild ein großer Platinschmetterling.

## MERBAL

Merbal war einst der Anführer einer legendären Räuberbande, die für ihre Grausamkeit und Barbarei berüchtigt
war. Heute fällt es schwer, bei den Schauergeschichten, die
über ihn kursieren, zwischen Wahrheit und Lüge zu unterscheiden. Es gilt jedoch als sicher, dass Merbal die grausame Angewohnheit hatte, von jedem seiner Opfer einen Becher Blut zu trinken.

Der Glaube einer Sekte namens ›die Vampire von Jidée‹ beruht auf dieser Legende.

## MISHRA

Die Verehrung Mishras ist mindestens so alt wie der Große
Sohonische Bogen. Mishra war die Hauptgöttin der Goro-
ner, bevor die itharische Armee im achten Eon die Stadt
Goran einnahm. Nach der Befreiung, als die Itharier die
Waffen niederlegten und sich der Religion zuwandten, wur-
de die Verehrung Mishras wieder populär. Aus der Stadt
Goran ging erst das Königrreich Goran und schließlich das
Große Kaiserreich Goran hervor, und die Religion breitete
sich im Land aus.

Mishra ist die Göttin der Gerechtigkeit und der Freiheit.
Ein jeder hat das Recht, sie anzurufen. So kam es vor, dass
Völker, die vom Großen Kaiserreich Goron besiegt worden
waren, die Göttin ihrer Eroberer um Hilfe anflehten.

Sie ist mit keiner bekannten Gottheit verwandt. Manche
Theoretiker behaupten, sie sei die Schwester Hamsas. Zu
Mishras Ehren wurden nur wenige Tempel gebaut – eine
Ausnahme ist der prachtvolle Palast der Freiheit in Goran.
Viele Gläubige verehren Miniaturen der Göttin oder eines
Bären, ihres Sinnbilds.

## MIT-TAG

Höchststand der Sonne, in unserer Welt 12 Uhr. Allgemein wird das Ende des dritten Dekants als Mit-Tag bezeichnet.

## MOÄL

Der Moäl ist ein Baum, der nur in den Wäldern der Kleinen Königreiche wächst. Alle Versuche, ihn anderswo anzupflanzen, scheiterten, was die fähigsten Botaniker vor ein Rätsel stellt.

Der Moäl ähnelt der weit verbreiteten Grule sehr, und es fällt häufig schwer, sie auseinanderzuhalten. Der Unterschied ist eigentlich nur zu Beginn der Jahreszeit des Wassers sichtbar, wenn die Zweige des Moäls mehrere Tage lang blassgrüne Blüten austreiben.

Es heißt, wenn man beim Vollmond eine Goldmünze unter einen Moäl legt und nur lange genug zum Nachtgestirn hinaufsieht, erscheint der Kobold, der in dem Baum haust. Wenn ihm der Glanz der Münze gefällt, tauscht er sie gegen einen Wunsch ein.

Selbst diejenigen, die das für einen Aberglauben halten, sind überzeugt, dass es Unglück bringt, den Zweig eines Moäls abzubrechen.

## MONARCH

Goldmünze im Königreich Romin.

## MONDKÖNIGIN

Kleine Muschel mit glatter Oberfläche und nahezu runder Form, die wegen ihrer Seltenheit äußerst kostbar ist. Es gibt drei Sorten von Mondköniginnen: eine weiße, die am häufigsten vorkommt, eine blaue, die schon weniger gängig ist, und schließlich eine gefleckte, die äußerst selten ist.

Eine Zeit lang dienten die blauen und gefleckten Mondmuscheln in einigen entlegenen Orten des Matriarchats von Kaul als Währung, und bei manchen alten Leuten kann man noch heute mit ihnen bezahlen. Die Muschel ist auf alle Münzen geprägt, die von der Schatzkammer des Matriarchats ausgegeben werden. Nach ihr ist auch die offizielle Währung benannt: die Königin. Es gibt Münzen zu einer, drei, zehn, dreißig und hundert Königinnen. Die Hundert-Königinnen-Münzen sind etwa so groß wie eine Hand und dienen nicht als Zahlungsmittel. Sie fungieren lediglich als Garantie bei Transaktionen zwischen dem Matriarchat und seinen Nachbarn.

## MORALIST
Die Moralpriester stützen sich auf religiöse Schriften und Überlieferungen, um die moralischen Werte zu verbreiten, die gemeinhin als die wichtigsten gelten: Mitgefühl, Toleranz, Wissen, Aufrichtigkeit, Achtung, Gerechtigkeit, usw. Häufig sind Moralpriester Lehrer oder Philosophen, die sich aus Bescheidenheit darauf beschränken, eine kleine Gruppe von Schülern zu unterrichten. Die wichtigste Moralreligion ist die Eurydisverehrung.

## MORGENLAND
Bezeichnung für die Länder östlich des Rideau.

## NAMEN
Die Bedeutung der Namen hängt natürlich vom Geburtsland ab. In Kaul, Romin oder Goran werden seit Jahrhunderten einfach immer dieselben Namen weitergegeben, und niemand macht sich großartig Gedanken über ihre Herkunft. Doch das gilt nicht für alle Völker der bekannten Welt.

In Itharien ist es üblich, ein Neugeborenes auf das erste Wort zu taufen, das es spricht. Da jedes Lallen als Wort gilt, das die Menschen zwar nicht verstehen, für die Götter aber von Bedeutung ist, sind die gängigsten itharischen Namen Nen, Rol, Aga und ähnliche Ein- und Zweisilber. Die Interpretation bleibt den Eltern überlassen, und es ist auch möglich, mehrere Silben aneinanderzureihen. Itharische Namen sind meist kurz und leicht auszusprechen.

Arkische Namen werden nicht endgültig vergeben. Im Verlauf seines Lebens nimmt ein Arkarier verschiedene Namen an. So heißen die meisten Neugeborenen Gassan (Säugling) oder Gassinuë (Winzling). Arkische Eltern suchen sehr früh nach der Besonderheit ihres Kindes und benennen es entsprechend, bis ein Namenswechsel geboten ist. So bedeutet Prad ›der Neugierige‹, Iulane ›das junge Mädchen‹, Ispen ›die Liebreizende‹, Bowbaq ›der Riese‹, usw. Jeder gibt sich Mühe, sich keinen Namen wie ›der Grausame‹, ›der Geizhals‹, ›der Untreue‹ oder andere Beleidigungen einzuhandeln. Selbstverständlich verbietet es die Höflichkeit der Arkarier, jemanden nach einem körperlichen Makel zu benennen, doch bei Feindschaften wird dieser Grundsatz gern einmal vergessen.

Die Züü, die der Rachegöttin dienen, nehmen am Ende ihres Noviziats einen neuen Namen an. Als Zeichen ihrer Unterwerfung unter Zuïa wählen sie einen Namen mit dem Anfangsbuchstaben ›Z‹, der ihnen zugleich Macht über das gemeine Volk der Züü verleiht.

## NIAB

*Kauli.* Der Niab ist ein Tiefseefisch, der nur nachts an die Oberfläche kommt. Die kaulanischen Fischer spannen ein großes dunkles Tuch kurz über der Wasseroberfläche zwischen mehrere Schiffe, um ihn zu täuschen. Dann müssen sie die Fische nur noch einsammeln, weil sie in eine Art Dämmerzustand verfallen. Als ›Niab‹ bezeichnet man auch jemanden, der allzu leichtgläubig und arglos ist.

## OBERE KÖNIGREICHE
Streng genommen sind damit das Königreich Lorelien, das Große Kaiserreich Goran und das Königreich Itharien gemeint, manchmal auch noch das Königreich Romin. In den Unteren Königreichen zählt man jedoch alle Länder nördlich des Mittenmeers dazu, also auch das Matriarchat von Kaul und Arkarien.

## ODREL
Odrel ist ein Gott, der vor allem in den Oberen Königreichen verehrt wird. Odrel soll der zweite Sohn Echoras und Olibars sein.

Ein fleißiger Priester sammelte einst mehr als fünfhundertfünfzig Geschichten über den traurigen Gott, wie Odrel manchmal genannt wird. Die bekannteste ist die Geschichte der tragischen Liebe Odrels zu einer Schäferin, die mit dem Tod der Menschenfrau und ihrer drei Kinder endet. Als Odrel seiner Geliebten in den Tod folgen will, muss er qualvoll erfahren, dass dies als Einziges auf der Welt nicht in seiner Macht steht.

Der Priester fasst die Ergebnisse seiner Forschungen wie folgt zusammen: »Niemand hat so viel Unglück erfahren wie Odrel. Aus diesem Grund wenden sich all jene an ihn, die ein Unheil oder einen Schicksalsschlag erlitten haben, die von Trauer, Reue oder bösen Erinnerungen gequält werden, die in Ungnade gefallen sind oder in Armut leben, die Ungerechtigkeiten, Verzweiflung oder andere Prüfungen des Lebens durchstehen müssen. Er ist der einzige Gott, der sie versteht und ihnen Trost spenden kann, da er selbst Mitleid erregt.«

## PAÏOK
*Arkisch.* Vater.

## PHRIAS
Der Verfolger. Phrias ist ein Gott, der durch böse Gedanken und finstere Gebete der Menschen beschworen wird. Er macht, dass ein Seil reißt, ein Hund zubeißt, das Feuer aus dem Kamin springt oder der Boden plötzlich rutschig wird. Dieser Dämon nährt sich vom Hass und erfüllt die schwärzesten Wünsche.

## ROMISCHES ALPHABET
Das romische Alphabet ist das komplizierteste Alphabet der bekannten Welt, das noch in Gebrauch ist. Es besteht aus einunddreißig Buchstaben, von denen siebzehn einen Akzent tragen können. Diese achtundvierzig möglichen Buchstaben geben jedoch noch keine Laute wieder. Erst aus der Kombination von zwei, drei oder vier Buchstaben entstehen Silben. Die Schreibweise jeder Silbe hängt wiederum davon ab, welche Silben ihr vorausgehen und auf sie folgen.
Selbst die Rominer benutzen im Alltag eine vereinfachte Version. Das ursprüngliche Alphabet wird nur noch für offizielle Schriften verwendet. Musiker nutzen es außerdem für Gesangspartituren, da seine Variationsmöglichkeiten es erlauben, jede noch so kleine Stimmmodulation zu notieren.

Gelehrte aus allen Königreichen studieren das romische Alphabet wegen seines streng mathematischen Aufbaus.

## PRESDANIEN
Eine der fünf Provinzen des Königreichs Romin. Ihre Hauptstadt ist Mestebien, ihr Wappenbild ein Gyolendelphin.

## RAMGRITH
Bewohner des Königreichs Griteh. Wichtigste Sprache dieses Königreich.

## RAT DER MÜTTER
Oberste Versammlung und Regierung des Matriarchats von Kaul. Jedes Dorf hat einen solchen Rat, deren Vorsitz die Dorfmutter innehat, während die Dorfälteste als ihre Beraterin dient.

## RIDEAU
Der Rideau ist ein Gebirge, das im Westen an das Große Kaiserreich Goran und das Königreich Itharien und im Osten an das Morgenland grenzt.

## ROCHANE
Fluss, der in den Nebelbergen entspringt und in das romische Meer mündet. Er fließt durch die romischen Provinzen Helanien und Presdanien. An seinen Ufern liegen zwei der größten Städte des Alten Landes: Mestebien und Trois-Rives.

## ROMERIJ
Legendäre Stadt, auf dessen Ruinen Romin gebaut ist.

## SCHIEBEN

Schieben ist ein Spiel mit großem Körpereinsatz, das vor allem im Alten Land und im Norden der Fürstentümer populär ist. Zwei Gegner stellen sich jeweils auf ein Bein, legen die Handflächen aneinander und verschränken die Finger. Derjenige, der als Erster das zweite Bein auf den Boden stellen muss, hat verloren. Die Hände müssen sich die ganze Zeit berühren. Wie der Name schon sagt, ist es die beste Taktik, mit aller Kraft zu schieben.

## SEMILIA

Unabhängiges Fürstentum, das unter dem Schutz Loreliens steht.

## TAL DER KRIEGER

Landstreifen zwischen den nördlichen Ausläufern des Rideau und dem Spiegelozean. Sowohl das Große Kaiserreich Goran als auch das Königreich Thalitt erheben Anspruch auf das Gebiet. Seit Jahrhunderten liefern sie sich im Tal der Krieger erbitterte Gefechte.

## TERZ

Die Terz ist die offizielle Währung Loreliens. Es gibt Silberterzen – das gängigste Zahlungsmittel – und Goldterzen, auf die das Konterfei des Königs geprägt ist.
Die lorelischen Goldterzen sind berühmt für den hohen Goldgehalt ihrer Legierung.
Die Untereinheit der Terz ist der Tick. Eine Silberterz ist zwölf Tick wert.
Der Wert einer Goldterz hängt vom jeweiligen Geldwechsler ab, liegt aber bei mindestens fünfundzwanzig Silberterzen.

## THEORETIKER

Priesterkaste, die sämtlichen Göttern dient, selten auch nur einigen oder gar einem einzigen Gott. Die Theoretiker versuchen, aus den göttlichen Zeichen den Willen der Allmächtigen herauszulesen. In den Tempeln genießen sie kein hohes Ansehen, aber an den Höfen der Könige und Fürsten sind sie sehr gefragt. Häufig sind sie auch Astrologen und Ratgeber.

Der bekannteste Theoretiker war Jéron der Zarte, der die Einwohner Romins vor dem Ertrinken rettete, obwohl der König seiner Prophezeiung keinen Glauben schenkte.

## UBESE

Fluss, der in den Jezebahöhen entspringt und durch die Kleinen Königreiche fließt. Bis zum Abschluss des ersten Friedensabkommens kämpften die Fürstentümer lange Zeit um die Vorherrschaft über die Ubese.

Die Ubese ist ein breiter, gemächlich dahinfließender Strom und bildet in der Ebene von Junin einen See. Ein bewachtes Wehr am Südeingang des Sees schützt die Hauptstadt der Fürstentümer vor einem Angriff der Unteren Königreiche auf dem Wasserweg.

## UNTERE KÖNIGREICHE

Bezeichnung für die Länder südlich der Louvelle. Oft werden jedoch auch die Fürstentümer hinzugezählt.

## URAE

Fluss, der in den Brantacken entspringt und ins romische Meer mündet. Die romische Pronvinz Uranien ist nach ihm benannt. Romin, die Hauptstadt des Alten Landes, liegt an seinem Ufer.

Die Urae genießt den traurigen Ruf, der dreckigste Fluss der bekannten Welt zu sein. Man sagt, in seinem schlammigen Grund verberge sich ein größerer Schatz als der des Kaisers von Goran. Aber das ist sicher nur ein Bild, um das Ausmaß der Verschmutzung zu beschreiben. Dennoch hält sich das Gerücht hartnäckig, da immer wieder Flussschiffer zu plötzlichem Reichtum gelangen und über die Herkunft des Geldes schweigen.

## URANIEN
Eine der fünf Provinzen des Königreichs Romin. Ihre Hauptstadt ist Romin, ihr Wappenbild der Kronenadler aus den Nebelbergen.

## VELANESE
Lorelischer Fluss. An seiner Quelle liegt die Stadt Le Pont.

## DIE WEISE
Die Göttin Eurydis wird auch ›die Weise‹ genannt.

## WEISSES LAND
Anderer Name für das Königreich Arkarien.

## YÉRIM-INSELN
Die Inselgruppe Yérim besteht nur noch aus zwei Inseln: Yérim selbst und der Insel Nérim. Zwei kleinere Inseln sind beim Ausbruch des Yalma – des größten Vulkans der Inselgruppe – im Meer versunken. Eine fünfte Insel erhob sich aus den Fluten, verschmolz mit Yérim und gab der Hauptinsel ihre heutige Form.
Der Vulkanausbruch geht auf das Jahr 552 zurück. Zwei Jahrhunderte zuvor hatte das Große Kaiserreich die Insel-

gruppe besiedeln lassen, ohne auf Widerstand zu stoßen, da kein anderes Königreich Anspruch auf diesen trostlosen Fleck Erde erhob. Kaiser Uborre, der die Besiedlung befohlen hatte, wollte von Yérim aus die Unteren Königreiche angreifen, verwarf die Idee aber wieder, als sich herausstellte, dass es zu kostspielig war, den Hafen und das Fort zu unterhalten, die eilig auf Yérim errichtet worden waren.

Zurück blieben nur eine kleine Garnison und eine Flotte von zehn Galeerenschiffen. Die unfähigsten Soldaten wurden nach Yérim versetzt und unter den Befehl von unfähigen Offizieren gestellt. Bald wurde das Fort zum Gefängnis umgebaut, und immer mehr Verurteilte wurden ohne Hoffnung auf Rückkehr nach Yérim verschifft. Die Ausgestoßenen der goronischen Gesellschaft – Gefangene wie Aufseher – sollen das Wappenbild Yérims entworfen haben: ein schwarzes Stirnband, das Symbol der Verschwörer und Feinde des Kaisers.

Als im Jahre 552 der Vulkan ausbrach, nutzten die dreitausend Gefangenen die Gelegenheit zur Revolte. Die Hälfte der auf Yérim stationierten Soldaten schloss sich ihnen an. Die Gefechte waren rasch beendet, doch bald brachen Kämpfe zwischen den verschiedenen Rädelsführern aus. Inmitten der Unruhen entdeckten die einstigen Gefangenen das reiche Kupfervorkommen der Insel, das beim Vulkanausbruch an die Oberfläche gekommen waren.

Anstatt von der Insel zu fliehen, beschlossen die Goroner, die Galeeren, die bei der Revolte verschont worden waren, zur Verschiffung des Erzes zu nutzen. So brachten sie Yérim endgültig in ihre Gewalt. Die Bewohner fürchteten einen Gegenangriff Gorans, doch bald stellte sich heraus, dass sich das Große Kaiserreich wenig um den Verlust scherte und nicht noch mehr Kriegsschiffe verlieren wollte.

Als die Kupferminen erschöpft waren, sattelten die Yérimer um und wurden Piraten, Söldner und Schmuggler. Drei Jahrhunderte später wird die Insel immer noch ›Gorans Gefängnis‹ genannt und gilt nach wie vor als äußerst gefährlich.

# DER AUTOR DANKT ...

Christophe »Jet« Vasseur, weil er die Karte der imaginären Welt zeichnete und mehreren Figuren ihren Namen gab.

Laurent Vitout, weil er das Manuskript gründlich und gewissenhaft Korrektur las.

Claire, die stets die erste Leserin und beste Kritikerin meiner Texte ist.

Stéphane und den Kriegern des Mnémos-Klans für ihre Geduld, Unterstützung und Ermutigung.

Und schließlich all den Lesern, Eltern, Freunden oder Fremden, die bereit waren, an meine Welt zu glauben. Sie gehört Euch!